사마귀가
친구에게

III

사마귀가 친구에게

윤진아 장편소설

III

D&C
BOOKS

차례

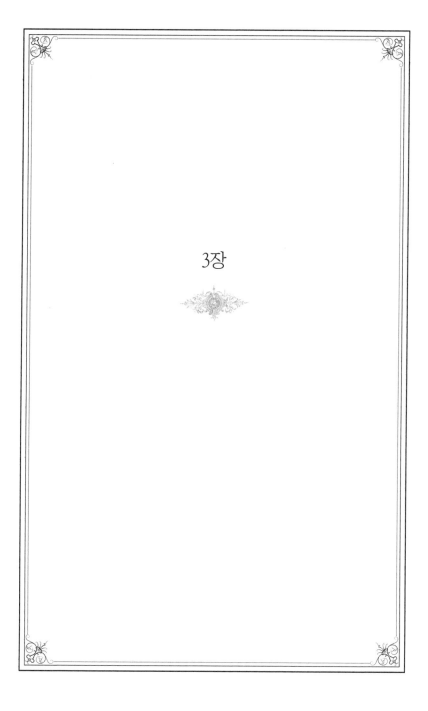

3장

3장

안스는 종종 귀를 찌르는 듯한 종소리에 깨어나야 했다. 처음에는 혼비백산하여 탈란타우에게 달려갔는데, 그가 '역시 사환으로서 능력이 출중하다.'며 칭찬할 때에야 상황을 깨달았다.

그 뒤 똥 씹은 표정이 되어 시키실 심부름이 있느냐 물었고, 결국 일감을 여섯 개나 받은 채 온 배를 돌아야 했다.

그 와중에 베오메네스는 술렁술렁 돌아다니다 아무 그물 침대나 골라서 퍼질러 자곤 했다. 너도 내 일을 도와야 하지 않느냐 요구하자 '제가 사환 일을요?' 한마디 하더니 다시 곯아떨어졌다.

물론 사환 일이 그렇게 불쾌한 것만은 아니었다. 애초에 얼굴도 못 쓸 시노드 신녤 청년을 탈란타우가 '아껴' 사환 자리에까지 올렸다는 사실을 모두가 알고 있었다. 이만큼 사제왕의 호의를 산 심부름꾼을 괴롭히려면 목숨을 걸어야 했다. 때문에 안스는 꽤나 안전하고 순조롭게, 어쩌면 고압적으로까지 일을 할 수 있었다.

여유 시간에는 갑판에서 대양을 바라보았다. 군청색. 아름다웠다. 시노드 신넬 근해와 빛깔 자체가 달랐다.

수면 위로 튀어 오르는 물고기들의 종류도 달랐다. 가끔은 은색 물고기 떼를 따라온 돌고래들이 뱃전을 어정거리곤 했다. 안스는 이제 돌고래가 닿지도 못하는 높이에 있다는 사실에 새삼 신기해했다.

인간의 모든 성취를 응축시킨 듯 거대한 배. 동서남북 가득 찬 물밖에 보이지 않는 대양에, 홀로 선 배. 밤중에는 별과, 물에 비친 별과, 빛을 내는 바다 생물들과, 배. 황홀했다. 가끔은 자신이 어떤 처지에 있는지 잊을 만큼.

그렇게 얼이 빠져 밤바다를 바라보는 중에, 누군가 툭툭 제 어깨를 쳤다.

"베오메네스, 백인대장님?"

"……사제왕 각하께서 부르신다."

이놈은 또 놀고 있었고, 저놈은 또 징그럽게도 잠이 없었다.

안스는 고개를 끄덕이곤 선장실로 향했다.

탈란타우에는 정면에 놓인 커다란 탁자 앞에 서 있었다. 탁자 위에는 넓게 깔린 해도가 보였다. 사제왕은 안스를 흘끔 바라보고는 손짓했다.

"문 닫고, 이리 와."

가까이 다가가자 기이한 것은 이상한 축척의 해도뿐만이 아니었다. 난생처음 보는 도구들이 그 옆에 펼쳐져 있었다.

안스는 저도 모르게 손을 뻗어 제도製圖[1]용 기구를 건드렸다. 아

---

1) 기계, 건축물, 공작물 따위의 도면이나 도안을 그림.

니, 가까이 관찰하니 단순한 작도기는 아니었다. 작도기, 망원경, 눈금자가 접붙어 아이를 낳는다면 저런 모양일 것이다.

"그건 육분의六分儀다."

그는 흠칫 놀라 기구를 내려놓았다.

탈란타우에는 여느 때처럼, 비웃지 않고 설명해 주었다.

"일전에 우리가 마주두에서 바로 소조폴로 왔노라 이야기했지. 그토록 정확한 항해가 가능했던 것은 교국이 경도를 측정할 수 있었기 때문이다."

희미한 기억 속에서 티티라의 고집 센 주장이 떠올랐다.

"고디니 영감이 아무리 이상하더라도 바다 위에서 자유로워질 방법을 찾고 있단 것만큼은 확실해. 지금처럼 해안가와 마주두 제일섬 사이에 갇혀 있지 않고 종이 위 점처럼 돌아다니는 날이 올 거란 말이지."

세상에, 티!

"네가 방금 건드린 육분의로는 북극성의 고도를 측정할 수 있다. 작은 망원경 보이지? 그걸로 수평선 위 뭉뚝한 불빛을 겨냥한다. 그리고 조준기로 북극성을 포착하면, 바늘이 원호 위 숫자를 가리키게 되지. 그 숫자가 바로 북극성의 고도다. 낮이라면 북극성 대신 태양을 사용할 수도 있고."

안스는 탈란타우에를 만난 뒤 처음으로 순수한 호기심을 감추지 못했다. 이런 건 정말이지 꿈에도 상상하지 못했다. 공포에 가까운 놀라움으로 사색이 되었다. 어린아이처럼 새로운 기구를 탐색하는 꼴이 전혀 부끄럽지 않았다.

"그 고도에 몇 가지 복잡한 계산을 더하면 현재 우리가 있는 곳의 시간을 알 수 있다."

안스는 육분의를 들고 선장실 창을 두리번거리기 시작했다. 북극성을 찾아 실제로 써먹어 보고 싶었다.

"안 끝났어. 돌아와."

"……."

"이건 경선의經線儀다."

탈란타우에는 나침반 상자 같은 것을 두드렸다.

안스는 의심스레 그의 손끝을 바라보다 터덜터덜 걸어갔다. 여전히 육분의를 움켜쥔 채 다른 손으로 상자 뚜껑을 열었다.

"……시계?"

"그래. '지금 이 순간' 교읍지의 시간을 가리키는 시계."

안스의 어깨가 크게 들렸다.

"……당신들이 교국을 떠난 지 벌써 여러 해잖아요. 파도가 거친 바다에서 정확할 수 있는 시계는 이 세상에 없습니다."

"그래도 '정확'에 가까이 가기는 해야지. 그리 노력하는 것이 인간의 일 아닌가."

"……."

"짐작했겠지만, 경선의와 육분의의 시각을 비교하여 배의 위치를 파악할 수 있다."

이건 시노드 신녤에서 꽤 많은 사람들이 평생을 바친 문제였다. 그러나 돈을 가진 상주들이 무관심했기에, 미친 학자들은 난제에 각개 격파당해 왔다.

지금 안스는 그들이 목숨을 대가로 주고서라도 알고 싶어 했던 답을 보고 있었다. 티티라의 말을 무시했을 만큼 모험에 무관심했던 자신마저…… 숨이 막혔다.

그는 목이 졸리는 듯한 소리를 냈다.

"시계가 조금이라도 틀리면…… 망망대해에서 완전히 길을 잃을 수 있어요."

"그래도 목숨을 걸 만한 확률은 된다. 우리 천문대의 지상 과제가 어제보다 더 나은 시계를 만드는 것으로 바뀐 지 오래니."

탈란타우에는 양손 가득 기구를 소중하게 껴안은 자신을 보며 웃었다. 그러곤 곧장 넓은 탁자 위에 펼쳐진 지도 여러 장을 손가락질했다.

"이건 점장도법 해도. 소조폴에서 우리 항해사와 측량사가 조사하여 덧붙인 개량본이다."

"…….."

"아, 항해력도 잊으면 안 되지. 비록 소조폴에서 부족한 장비로 연구한 것이라 목숨을 걸 만한 가치가 있는지는 모르겠지만."

사제왕은 두꺼운 책을 들고 와선 탁자 위로 던졌다.

안스는 겨우 품 안에 든 것을 내려놓곤 책장을 넘겼다. 알 수 없는 숫자들이 끊임없이 쓰여 있었다. 질문하듯 탈란타우에를 돌아보자, 그가 그럴 줄 알았다는 듯 눈썹을 찡그렸다.

"항해력이란 한 해의 밤하늘을 기록한 달력이다. 오늘 밤 달이 직각으로 뜰 때, 달은 북극성과 십오 도의 각거리를 가진다. 항해력에는 이와 동일한 현상이 소조폴에서 몇 시에 일어나는지 기록되어 있지. 따라서 육분의로 측정한 현재 이곳의 시각과 비교해서 우리 위치를 파악할 수 있다. 계산이 복잡하고 관찰 역시 끔찍이 정교해야 하지만, 부정확한 시계를 보완할 정도는 된다."

마침내 탈란타우에는 모든 설명을 마친 듯 의자에 털썩 앉았다. 그러나 지친 기색은 아니었다. 오히려 두 눈은 어두운 밤 지핀 불처럼 형형했다.

"내가 왜 이 모든 것을 알려 주었을까?"

안스는 바보 같은 얼굴로 똑똑하게 대답했다.

"이제 제가 도망갈 수 없어서요?"

경쾌한 박수 소리가 울려 퍼졌다.

"바로 맞혔다!"

"……."

"이건 절대로 공개되어서는 안 되는 무기야. 우리의 지성과 권력의 핵심이므로 사제왕, 선별된 선장, 항해사들을 제하면 아무도 모르도록 봉인되어 있네."

"이렇게 귀중한 정보를 독점하다니, 말도 안 됩니다. 아니, 시노드 신넬에 알리라는 헛소리가 아니라, 당신하고 일부 사람들만 아는 게 말도 안 된다고요. 당신네 교국을 위해서라도 너무 손해 보는 짓인데요."

"그러나 신민들이 알면 자유롭게 이동할 수 있잖나. 아직은 안 된다. 그럴 시기가 아니야. 이 모든 것들이 발명된 지 채 십 년이 지나지 않았다. 우리에게는 신민이 위험한 길에 들지 않도록 먼저 시험하고 베풀어야 할 의무가 있어."

"정말 엄청난 궤변이네요."

안스는 여전히 믿기지 않아 기구들을 하나하나 매만지고 있었다.

설명을 듣자 하니 아직 완벽하지는 않아도, 경도를 측정하는 데 성공하여 바다 위 배의 위치를 포착할 수 있는 모양이었다. 위도? 위도는 소조폴 개도 계산할 수 있지. 그러면 끝인 거다. 내가 드넓은 하늘 아래 어느 점에 있는지 정확히 기록할 수 있는 거라고.

그는 지금까지 저들이 시노드 신넬에 오기 위해 해류와 바람을 면밀히 측정했다고 생각했다. 물론 그 말도 틀리지는 않겠으나, 그들은 한 걸음 더 나아갔다. 교국은 매 순간 배의 위치를 파악할 수 있었다.

이건 신의 일이다.

안스는 얼빠진 것처럼 생각하다 정신을 번쩍 차렸다.

탈란타우에가 자신을 지켜보고 있었다.

"너도 배워야 해."

"귀중한 지식이라면서 이렇게 쉽게……."

"너는 사제왕의 유일한 아들이다. 배워야 해."

그는 얼굴을 찡그렸다. 그 말의 함의가 언짢았다.

안스는 소조폴에서 탈란타우에와 여러 달을 지내며, 서서히 '사제왕의 자식으로 인지된다.'는 것의 권력을 깨닫게 되었다.

뼛속까지 시노드 신넬식 사고를 간직한 그로서는 살아오며 그와 비견할 만한 신분 상승을 찾을 수 없었다.

보호 귀족? 그치들은 욕망에 비해 부족한 돈에 전전긍긍하는 처지였다. 명예가 있는 체하지만 아무도 그들에게 관심이 없었다. 시노드 신넬 유일의 호국경? 가끔 명칭조차 까먹을 정도로 너무 먼 존재였다.

그렇기에 처음에는 '사제왕의 자식'이라는 지위를, 단지 규모가 큰 상의 상비 정도로 이해했었다.

그러나…… 달랐다.

교국인의 표본인 백인대장 베오메네스는 모든 시노드 신넬인들을 불신자라고 경멸하면서도 제게 넙죽 엎드렸다. '안스카리우스'가 시노드 신넬인과 다를 바 없다는 걸 분명히 알면서도 그랬다.

물론 권력은 다른 곳에서도 엿볼 수 있었다. 그러니까, 탈란타우에. 유폐되어 있던 소조폴에서는 확인하기 어려웠지만, 드디어 자유를 획득한 배 위에서 목격한 그의 권력이란 상상 이상의 것이었다.

그는 당연히 이 배의 모든 군인들을 복종시킬 수 있었으며, 더 나아가 멜로스 로불레호와 나란히 가는 다른 두 배를 멈춰 세울 수 있었다. 두 배의 선장을 불러내 앞에 세우고, 해가 중천에 떠 있는 세 시간 동안 일과를 보고하게 만들 수 있었다.

심지어 이 배에는 탈란타우에를 위한 작은 목장이 있었다. 눈이 순한 젖소와 양 한 마리가 매일 신선한 우유를 짜냈다. 닭은 다섯 마리나 되었다. 그가 제일 좋아하는 '에예우식 달걀 요리'를 위한 모양이지만, 간혹 병아리가 살아남아 크면 갓 도축한 고기를 먹을 수도 있었다. 탈란타우에와 자신에게는 아직까지도 신선한 과일과 유제품이 제공되었다.

그러니까, 그 식탁에는 자신도 있었다는 뜻이다.

안스는 눈에 보이는 이득의 격차에 기가 질리는 현실적인 인간이었다. 이 배의 모두가 딱딱한 빵과 염장 고기를 먹는 와중 말도 안 되는 식생활을 누리고 있다는 점이, 엎드린 복종보다도 더 확실한 증거였다.

그런 탈란타우에와 나란히 설 수 있는 지위란…….

"안스카리우스."

그는 흠칫 놀라 상대를 바라보았다.

탈란타우에는 주의를 요하듯 탁자를 두드렸다.

"소조폴에 머무르는 동안 최대한 가르쳤지만 여전히 부족하다. 매일 밤을 새워 노력한들 만족스럽지 않을 텐데, 요새는 게을러 보이기까지 하는군. 당장 교국에 가더라도 사람 구실을 해야지."

"……."

"너는 시노드 신넬이 점령당할 수밖에 없었던 이유를 반드시 배워야 한다. 교국과의 간극을 메우려 애써야 오랜만에 돌아가는 고향에서 부끄럽지 않을 것이다."

안스는 우울한 얼굴로 생전 처음 보는 기구와 책들이 널린 큰 탁자 위를 바라보았다.

이제 더 이상 새로운 세계에 놀라지 않고, 움켜쥐기로 했잖아.

"물론 배워야 하는 이유는 수치심 말고도 또 있지."

갑작스러운 설명이었다. 의심하는 시선으로 탈란타우에를 바라보았다.

탈란타우에는 장난치듯 손가락을 빙글빙글 돌렸다.

"법황은 방금 보여 준 육분의, 경선의, 점장도법 해도, 항해력을 모두 움켜쥐고 있다."

"……."

"물론 육분의는 원리만 이해하면 만들기 어려운 물건은 아니지. 경선의 또한 역설계를 거치면 얼마든지 사제왕의 재력하에 만들 수 있다. 점장도법 해도는 이미 완성된 해도가 존재하기에 얼마든지 복제하고 보강할 수 있다. 어떻게든 인력을 쥐어 짜내면 항해력도 영 불가능한 건 아니야. 하지만 법황청 직속이 아닌 이상 저 모든 것을 제작하는 행위는 엄격히 금지되어 있다."

"사제왕들은 군사를 가지고 있다면서요? 금지된 게 대수입니까?"

"내가 계속 말하는데 아예 이해할 생각이 없나 보군. 너는 네가 말하는 '군사'가 사제왕의 명으로 법황을 죽일 수 있으리라 생각하느냐?"

안스는 크게 놀랐다. 아무리 내 일이 아니라도 말이지—

"'법황을 죽인다'고요?"

"그러니까 그치들이 그럴 각오가 되어 있겠느냐 이거지. 너는 영 이해를 못 한다. 신을 안 믿어도 돼. 하지만 신을 믿는 사람들과, 그들에 의해 돌아가는 사회는 믿어야 한다. 안 그랬다간 네가 죽어."

탈란타우에는 친절하게 그의 목을 한 번 가리키곤, 허공을 베는 시늉을 했다.

"그런 얼빠진 마음가짐이라면 차라리 도시 한복판에 내던져져 사지가 찢길 준비를 해라."

잠시 동안 침묵 속에서 그를 바라보았다.

탈란타우에의 시선은 항상 직선으로 내리꽂혔다. 방향이나 위치가 다르다고 해서 휘는 듯한 느낌이 들지 않았다. 때문에 그 확고한 칼을 받아치기 위해선 그 이상의 의지가 필요했다.

안스는 무게를 실어 밀었다.

"탈란타우에, 가끔 이해가 안 가는데 당신은 교국을 증오하는 거예요?"

묵묵부답이었다.

"아니면 신을 증오하는 건가요? 아니, 아니지. 법황을 증오하는 거예요? 그것도 아니면 법황을 죽이고 싶은데 그럴 수 없는 본인을 증오하는 거예요?"

"……."

"처음에는 그냥 교국이란 나라 자체를 싫어하시나 했는데 그런 것치곤 또 너무 사랑하시는 듯해서 진짜 잘 모르겠습니다."

"……."

"그래서 저한테 잘해 주셔도 불안한 것 같습니다. 당신이 뭘 중요하게 여기는지 전혀 알 수가 없어서요. 그럼 온전히 당신 감정이나 기분에 맞춰야 하잖아요."

탈란타우에가 처음으로 대답했다.

"이미 이프루이우호에서 이야기했는데."

하지만 그런 것치곤 아무 내용도 담겨 있지 않았다. 하나 바로 그렇기에 정신이 번쩍 들었다. 탈란타우에가 방심하여 맨바닥을 보여 준 듯한 느낌이 들었다.

안스는 주먹을 꽉 쥐지 않으려 노력했다.

"당신은 사실 내가 반가웠던 거죠?"

사제왕은 미동도 하지 않았다.

"핏줄은 사제왕인데 시노드 신넬에서 자라서. 당신 입맛대로 교국에 대해 가르칠 수 있고 자격도 충분한데, 이놈이 뿌리부터 시노드 신넬인인 겁니다."

"……."

"예전에 당신이 그랬잖아요. 시노드 신넬이 좋다면서, 멍청하지 않은 사람들에게 교국의 방식으로 풍요를 안겨 줄 수 있다고요. 혹시 그게 저를 말한 겁니까? 솔직히 귀하신 사제왕께서 저한테 뭘 직접 가르칠 이유는 딱히 없잖습니까. 까막눈한테 새로운 세계를 알려 주는 일은 그냥 귀찮기나 하죠."

"……."

"그래서 생각해 보니, 내가 반가웠던 거예요. 어떻게든 시노드 신넬인 같은 교국인으로 만들고 싶었나 봐."

탈란타우에가 짧은 한숨을 쉬었다. 아주 민감한 순간이었기에 간신히 포착할 수 있었다.

"그만. 정리하지."

"계속 왕처럼 구시네."

안스는 투덜대다가 순간적으로 픽 웃었다. 진짜 왕이긴 하시지. 전설 같은 왕이 아니라, 너무도 인간적인 왕.

"'이봐, 안스카리우스.' 이러면 좀 낫나?"

안스는 계속 허탈하게 웃었다. 상대가 기우뚱거리는 어른이라는 사실은 익히 알고 있었지만 그렇다고 저런 모습이 근 시일 내에 익숙해질 것 같지는 않았다.

"나는 네가 교국에 도착하여 어떻게 될지 모른다. 바를라암이 너를 찾았지만, 만나서 반가웠다고 껴안은 뒤 가문의 수치라며 죽일 수도 있는 거다."

그럴 수도 있어. 안스는 어깨를 으쓱였다. 이미 각오했다.

"나는 네가 그리되지 않도록 가치를 증명하길 바라지. 만에 하나라도 너 개인은 괜찮은 인간으로 여겨져서 내가 당당하게 이방인을 거두겠다고 선언할 수 있을 만큼."

"……."

"물론 이유는 방금 말한 게 옳다. 난 법황도, 사제왕들도 지겹다.

새로운 게 필요해. 그게 시노드 신넬인을 닮은 교국인이라면 모험해 볼 만하지. 이 지겨운 증오 같으니라고."

그는 이를 갈듯 혀를 찼다.

"지겹다. 사제왕들은 자신들의 존재 자체가 법황에게 대적하기 위한 것인 양 군다. 언제나, 한 사람도 예외 없이 모두가 그렇다. 물론 나도 마찬가지고."

그의 흐린 회색 눈은 아주 맑고 똑발랐다. 증오한다고 말하는 인간에게 어울리지 않을 만큼.

"물론 그중에서는 내 증오가 가장 정당하겠군. 법황은 내 부인과 맏이를 죽였으니까."

안스는 멍하니 있다가 순간적으로 제 귀를 의심했다.

"뭐라고요?"

그는 느릿느릿 말문을 뗐다.

"십일 년 전 일이다. 새로운 주州에 나가 있을 때 부인이 원인 모를 병으로 앓기 시작했다. 소식을 듣고 돌아가는 도중 맏이도 쓰러졌지. 부인은 내가 교읍지에 도달하기 전 숨이 멎었고, 딸은 내가 도착한 뒤에도 달포를 버텼다. 그러나 그뿐이었다."

"……."

"나는 교읍지를 떠나기 전에 몇 가지 건으로 법황과 갈등을 빚고 있었다. 그때는 일이 연달아 발생해 도저히 앙금을 풀 새가 없었어."

"그런 상황에서 가족을 두고……."

안스는 홀린 듯 말하다가 흠칫 놀라 입을 다물었다. '그런 상황에서 가족을 두고 떠나?' 이런 질문은, 너, 미친 거지. 아무리 탈란타우에가 호감 가는 인간은 아니라지만 말하는 투를 보아 가족에 대한 정이 깊었을 텐데, 망치로 갈겨야만 입을 닥칠 거야?

그러나 탈란타우에는 차분했다. 궁지에 몰릴수록 가라앉는 사람 같았다.

"나와 다툰 것은 전대 법황 안디드라다. 그는 나를 끝까지 혐오하며 늙어 죽었다. 내 발로 그의 장례 의식에 참석했지. 시체에 관이 씌워질 때에야 교읍지를 떠날 용기가 조금 생기더군. 그래서 새로운 법황 이디이에게……."

그가 처음으로 말을 툭 끊었다. 그 태도만으로도 그가 가진 감정의 깊이를 알 수 있었다.

"법황 이디이에게 말했다……. 신을 사랑하듯 당신을 사랑하겠습니다. 저희가 이 자리에 미움보다 기쁨으로 함께하게 해 주시어 감사드립니다. 당신이 행한 모든 기적과 선한 일들을 공경하오니 저희의 고난 앞에 현현하여 악을 이겨 낼 수 있는 힘을 주십시오……."

탈란타우에는 한 어절, 한 어절을 씹어 뱉듯이 읊조렸다.

안스는 저도 모르게 뒤로 반걸음 물러서고는, 그제야 상대의 악마 같은 얼굴을 들여다볼 수 있었다.

"……그 애는 열넷짜리였다. 어디에 짓눌린 것처럼 비리비리하게 말랐고 머리에 피도 안 마른 꼬마 애. 법황 이디이."

"……."

"나는 법황 이디이에게 수많은 아첨과 공물을 바쳐 법황 안디드라와의 좋지 않았던 과거를 뒤로하려 했다. 그 애는 내 헌신에 감사를 표한다며 원할 때 떠날 자유를 안겨 주기까지 했다. 한 해하고도 절반이 지나자 나는 모든 관계가 안전하다 판단하여 법황에게 외유 일정을 전했지. 그렇게 떠났을 때……."

그는 말을 뚝 끊었다.

한참 동안 정적이 흘렀다.

"……."

"……."

"아직까지 궁금한 것은, '그 애는 대체 무슨 생각이었을까?' 하는 것이지."

"……."

"법황 아르히고와 법황 포손 이후, 사제왕의 친족이 법황에게 살해당한 것은 칠십 년 만에 처음이었다. 그만큼 지대하게 균형을 깨는 일을, 열다섯짜리가 무슨 자신감을 가지고 저지른 걸까?"

"……."

"나는 한바탕 소란을 일으킨 뒤…… 교읍지 도서관 지하에 처박혀 있던 아펭글로의 밀수품들을 미친 사람처럼 공부했다. 수년간의 바람잡이 작업과 아펭글로의 책 덕분에 마침내 시노드 신넬로 오게 되었지. 법황을 흔들 방법을 생각하면 결론은 그뿐이지 않겠나."

"……."

"법황은 분노했지만 이미 물은 엎질러진 뒤였다."

안스는 대뜸 물었다.

"당신이 친족 살해에도 가만히 있을 거라 생각한 걸까요?"

"모르겠다. 하지만 우리 법황께선 그리 현명하신 편이 아니지. 그러니 단지 본때를 보여 주어야겠다는 생각으로 일을 저질렀을 수 있다. 신의 보금자리에 무례했으렷다? 어차피 내 발밑에서 기어야 하는 놈의 뺨을 한 대 갈겨 보는 거지."

"사제왕이 스물두 명이라면서요. 스물두 명의 적을 상대하면서 멍청하면 어떡합니까?"

탈란타우에가 한 걸음 다가왔다. 팔이 들렸다. 뻗어 왔다. 안스는 몸을 굳혔지만, 적어도 피하지는 않았다.

그가 제 어깨에 손을 얹었다.

"그러니 그 힘을 명심해야 한다."

그의 시선에서는, 나이 든 이들이 의도치 않게 드러내곤 하는 삶이 엿보였다. 자신은 앞으로 수십 년을 기다려야 움켜쥘 수 있는…… 그다지 멋지지도 유익하지도 않은 옹이.

"이십이 사제왕이 대부분의 땅을 가졌고 각자의 근거지에 수만 군사를 집결시킨다 해도 두려워하지 않고 명청할 수 있는 힘 말이다. 최후의 순간엔 자신을 향한 창칼이 뒤돌아서 사제왕의 목을 꿰뚫으리라는 믿음이란…… 믿음에 불과한들 우리 모두를 참 오랫동안 구속해 왔지."

"군사를 오랫동안 가지고 있으면서 사병私兵화가 안 된다니, 말도 안 돼요."

"미치겠군. 네가 말도 안 된다고 생각하는 감정을 모조리 무찌르는 게 바로 신앙심이란 말이다."

"……."

"사제왕들이 그 금은보화를 가지고 어디 사소한 것을 노리겠나? 오로지 법황뿐이다. 대적한다면 법황뿐이라고. 법황청을 친다고 선포하면 내 뒤의 군사가 몇이나 남아 있을 것 같나? 너는 몰라도 나는 아네. 바를라암의 명청한 자식아."

안스는 침묵을 지켰다.

"넌 지금 상태론 바를라암에게 박대당해도 문제고, 가문에 입적

되어도 문제다. 안 되겠군. 오늘부터 매주 군목軍牧²⁾ 예배에 참석해
라. 얼마나 미친놈들인지 네 눈으로 똑똑히 봐."

"······."

"별을 측정하는 정밀 기구를 만들면서도 그 모든 일이 신의 자비
덕이라 하는 낯짝을 보아야 정신을 차리지."

사실 안스는 뱃사람으로서 그런 사람들이 전혀 이상하지 않다고
생각했다. 탈란타우에의 신에 대한 경멸은 어딘가 과한 구석이 있
었다.

그럼에도, 이제는 그를 이해했다. 손에 적잖은 권력을 쥐고도 아
내와 자식을 독살한 법황에게 대적할 방법이 없다는 좌절감이 보
였다. 아니, 생각해 보면 친족의 죽음은 사실 결과일 뿐이다. '진짜'
는 그를 옥죈 노예의 사슬이었다. 죽은 뒤까지 영원할 사슬.

안스는 그의 손을 잡아 내렸다. 그 끝자락에서 바닥의 양탄자를
뚫어져라 바라보았다. 금실과 은실로 신을 찬미하는 글자가 새겨
져 있었다.

"탈란타우에."

"······."

"제가 물어봤잖습니까. 대체 뭘 그렇게 증오하냐고요. 결국 당신
은 법황도, 교국도, 신도, 당신 스스로도 다 싫어하는 사람이죠. 저
는 그것들의 반대편에 서 있고요."

저 인간이 낮이라면, 나는 밤이었다. 마주 본 채 절대로 닿지 못
할 상대였다.

"제가 당신이 누릴 수 있던 기회처럼 보이진 않으셨어요?"

---

2) 각 부대에서 종교를 믿는 장병들의 신앙생활과 관련된 일을 맡아 보는 성직자.

그는 대답하지 않았다.

"당신이 저를 이상하게 아끼는 것도, 가끔 이상하게 경멸하는 것도 아마 다 같은 이유겠죠. 그런데 더 이상 당신 변덕에 휘둘리기 싫단 생각이 듭니다. 너무 시간 낭비예요."

"……."

"저를 관찰하지 마세요. 대화를 해요."

"……."

안스는 침묵 속에서 육분의를 들었다. 망원경을 이리저리 움직이자 미세하게 끼익거리는 소리가 났다. 이것은 이제 새로운 세상의 '상징'이 아닌, 새로운 세상의 '부산물'처럼 보였다.

그는 천천히 깨달았다.

소조폴에서 맹세했듯 티티라를 따를 필요는 없었다.

그녀라면 그랬으리라 생각하여 신문물을 좇아왔으나, 생각보다 교국인들은 새롭지 않았다. 그들 또한 지루한 지옥에 빠져 있었다. 다들 비슷했다. 허탈감보단 안도감이 드는 스스로가 조금 계면쩍었다.

그는 그인 그대로 살아도 아무 문제가 없었다. 오히려 이렇게 생각하자, 티를 따라 한다고 생각했을 때보다, 우스페히의 유훈에 수긍한다고 생각했을 때보다 더 적극적으로 바다를 넘을 마음이 들었다.

안스는 사제왕이 수호하는 침묵 속에서 북극성을 찾아냈다.

티티라는 탈란타우에를 죽일 계획을 세웠다.

탈란타우에는 언제나 최소 세 사람의 호위를 받고 있으니 겨우 훈련된 군인 하나나 고꾸라뜨릴 정도인 자신은 습격에 성공하기 어려울 것이다. 그러니 직접적인 살인은 무리다.

그렇다면 독살인데, 독은 암시장에 널려 있었으나 눈에 띄지 않고 구하기는 조금 힘들었다. 결국엔 거리의 아이들을 통해 여러 다리를 건너 구했다. 그녀는 겨우 얻은 말디비 독을 방 안에 꽁꽁 숨겨 두었다.

디아세는 그 사건 이후로 한 번도 제 호위를 맡지 않았다. 아니, 종적을 감추었다는 말이 더 맞을 것이다. 티티라는 그가 제대로 라요나를 묻었는지도 알 수 없었다. 단지 안스카리우스가 선언했으니 그랬겠거니, 또 바보처럼 사제왕의 말을 믿을 뿐이었다.

아, 그래. 안스카리우스. 그 미친놈은 탈란타우에의 암수가 걱정되는지 제 선실 안쪽에 자물쇠를 달고 창문 덮개를 설치했다. 그렇게 모조리 봉하니 방 안에는 햇살 한쪽 들지 않을 지경이었다. 자신이 어이가 없다는 듯 바라보았지만 그는 명령을 내리곤 돌아보지도 않았다.

웃기지. 이러면 못 들어오는 건 탈란타우에의 수하들이 아니라 바로 너일 텐데.

그들은 탈란타우에와 식사를 했던 날 이후 몇 주간이나 따로 만나지 않았다. 고민할수록 두 번째 키스에 문제가 있다는 생각이 들었기 때문이다.

처음엔 대수롭지 않았으나 잠들기 직전에 불쑥불쑥 생각나곤 했다. 침대에서 일어서던 급한 걸음, 턱을 감싸는 손, 가볍지만 깊은 침범. 떠올리면 손끝, 발끝이 뻣뻣해지는 기분이었다.

그것은 라스폴로제 극장에서의 포옹처럼 자신을 위로하기 위한 행동이 아니었다. 물론 그때도 그는 제 경계선을 밟았지만 이번에는 무언가가 달랐고, 더 깊었다.

안스카리우스는 명백한 의도를 가지고 제게 다가와 입을 맞추었다. 그 행동의 끝에는 확실히 잠자리가 있었다. 자신이 조금이라도 응하는 기색을 보였더라면 이미 침대에 눕고도 남았을 것이다. 순수를 지키는 사제왕이라니, 신의 코딱지 같은 말이지.

티티라는 이제 상대의 감정을 호기심과 그리움만으로 보긴 힘들겠다는 생각을 했다. 그렇다면, 그들의 관계는 더 이상 그의 기억을 위한 결사대도 못 되었다.

"가져가."

이 주 만에 선장실에서 만난 안스카리우스는 자신을 쳐다보지도 않은 채 큰 탁자를 턱짓했다. 탁자 위에는 천에 감싸인 단검이 있었다.

티티라는 날 끝만 보고도 그것이 무슨 칼인지 깨달았다. 자신이 오트카저트를 죽인 칼이자, 안스카리우스를 죽이려던 칼이었다.

의심스러웠지만 손이 먼저 나갔다. 당장 단검을 움켜쥐었다. 언제 그의 마음이 바뀌어 칼을 다시 빼앗아 갈지도 모른다는 생각이 들었기 때문이다. 언뜻 '저놈이 지금까지 이 칼을 왜 들고 있었을까.' 하는 의문이 들었으나 빠르게 사라졌다.

"감사합니다."

그녀는 하나도 감사해하지 않는 태도로 내뱉고는 칼을 허리춤에 끼워 넣었다. 바짓가랑이로 쑥 떨어지지 않도록 여러 번 허리를 졸라맸다. 몸을 이리저리 움직여 거동에 문제가 없다는 것을 확인한 뒤, 바로 떠나려 했다.

"티."

미치겠네.

티티라는 문고리를 거머쥔 모습으로 고개만 돌렸다.

"아, 마음이 바뀌었으니 더 이상 저를 그렇게 부르지 마세요. 제 이름을 아예 부르지 마세요."

그가 인상을 찌푸렸다.

"티."

저 익사할 놈이.

"탈란타우에는 먼저 소조폴로 보내 네 눈에 띄지 않도록 하겠다. 이곳 재판이 마무리되면 너는 탈란타우에가 교국으로 돌아갈 때까지 권역에서 떠나 있어. 부족하겠지만 내 최선이다."

티티라는 제 이름에 항의하려던 말을 꾹 참았다.

이 주 동안 이걸 준비하느라 아주 고생하셨겠군. 비아냥거리고 싶었지만 사실 어느 정도는 이게 최선임을 알고 있었다. 그녀도 당연히 사제왕 바를라암이 사제왕 탈란타우에를 죽이거나 해칠 수 있을 거라곤 생각하지 않았다. 오히려 그가 대단한 것을 준비해 왔다면 기겁했을 만큼 현실적인 정신머리였다.

그녀는 단지 이 상황 자체가 싫었다. 그가 라요나에게 전혀 신경 쓰지 않는다는 것, 그럼에도 사제왕으로서 노력한 것, 그래서 그 결과란 고작해야 네가 보기에 불쾌할 테니 눈앞에서 치워 주겠다는 선언인 것……. 머릿속에서는 알고 있었지만 그 장면이 하나의 완결된 현실로 닥치자 짜증이 났다.

차라리 노력하지나 말지.

안스카리우스의 말을 경청해 보면 오히려 그 혼자 희생한 셈이었다. 그는 자신을 내륙으로 보내기가 끔찍이도 싫을 것이다. 총독은 어쨌든 몇 해 안에 교국으로 돌아가야 하니까, 기억의 실타래를 쥐고 있는 인간을 한번 놓치면 다음을 기약하기 어려울 수 있었다.

그녀는 결국 마음을 숨기지 못했다.

"재판을 받아야 하는 사람은 탈란타우에인데 왜 각하께서 물러나십니까?"

"'각하'?"

티티라는 짜증이 났다.

"네, '각하.' 이즈버르에서 법황의 재판인지 뭔지가 끝나면 제가 내륙으로 튀어도 괜찮으시다고요."

"'튀라고' 한 적은 없는데. 어차피 너는 소조폴 출신이고 네 상단 또한 소조폴에 있다."

믿는 구석이 있으셨다?

"각하께서 제가 남부의 신망을 잃는 데 일조하셨잖아요. 십 년을 일군 상단을 흔드셨다고요. 그러고도 제가 계속 소조폴에 집착할 거라고 생각하셨습니까?"

"네가 상단을 수복하길 원한다면 평판은 아무것도 아니란 사실을 안다. 어차피 모두 웅성거릴 뿐이고 너는 소문에 질 인간이 아니야."

"그렇게 띄워 주셔 봤자 제가 제 상비에게 오만 정이 다 떨어졌단 사실은 변하지 않네요. 전 이 일이 끝나면 남부로 가서 대농들 한 사람, 한 사람 앞에 고개 숙여 사죄드릴 겁니다. 무슨 일이 벌어졌는지 정확히 알려 주고 당신네들의 잔악한 통치 방식에 대해 선전할 거예요. 어떻게 나를 억지로 끌고 갔고, 어떻게 착한 아이를 죽―"

티티라는 말을 뚝 멈췄다.

그리고 전혀 지껄이지 않았던 사람처럼 주제를 돌렸다.

"각하, 일이 끝난 뒤 보내 주신다니 감사드리고요. 다신 못 뵐 테니 그건 참 아쉽게 되었습니다. 칼도 감사합니다. 저한테는 중요한 물건이거든요."

그가 자리에서 일어섰다. 티티라는 어디 내가 피하나 보자는 태도로 문에 딱 붙어 섰다.

사실 반쯤은 그를 들쑤시고 싶은 마음이었던 것 같다. 화가 났다. 나는 이렇게 양심의 가책에 괴로워 독을 찾아다니는데, 너는 죄 없는 얼굴로 ―사실은 그다지 잃은 것도 없으면서― 엄중하게 결단을 내렸느니 하는 꼴이 싫어서.

안스카리우스, 믿는 구석이 있는 둥 말했지만 사실 내가 떠나는 게 불안하지? 기억에도 없는 옛 친구가 좋지? 그래서 너도 네 선언을 감당 못 하겠지? 라요나가 죽든 말든, 내가 화났든 아니든 어떻게든 무마하고자 했는데 이 정도까진 각오하지 않았을 게 분명해.

안스카리우스가 두 걸음 앞에서 우뚝 섰다.

"원하는 게 뭐야? 탈란타우에게 위해를 가하기는 어렵다고 이미 말했다."

"아니, 저도 사정은 다 압니다. 단지 '부족하겠지만 내 최선'이라고 말씀하셨는데, 네. 부족합니다. 이런 말씀을 드리고 싶어서요. 물론 그렇다고 뭘 더 하실 수 있을 거라곤 생각 안 합니다. 그냥 각하께서 그렇게 멀쩡한 얼굴로 내려다보는 게 싫습니다."

"내가 멀쩡해?"

그 짧은 말속에 미세한 분노가 어려 있었다.

티티라는 반사적으로 허리춤의 칼자루를 쥐었다. 마음이 안정되는 동시에, 순간적으로 그를 앞에 두고 공격을 준비했다는 사실에 흠칫 놀랐다.

정신을 차리자 안스카리우스도 제 칼자루를 바라보고 있었다.

"죽이려고?"

"아닙니다, 각하. 죄송합니다."

그가 살짝 고개를 저었다.

"오랜만에 만나서, 이해가 안 가."

자신이야말로 그의 말을 이해하지 못했다.

"네?"

안스카리우스가 한 걸음 더 다가왔다. 그녀는 온갖 궁금증에 빠져 있느라, 그의 손이 닿았을 때 적절히 대처하지 못했다.

칼자루를 쥔 손 위로 그의 온기가 얹혔다.

티티라가 완전히 길을 잃은 표정으로 고개를 들었을 때, 갑자기 뜨끈한 숨이 느껴졌다. 입가에, 그러니까……

살짝 벌어진 입에 부드러운 혀가 닿았다. 아니, 입술이 먼저였던가?

숨이 띄엄띄엄 흐려졌다. 한순간은 제게 발작적인 병이 다시 닥친 줄로만 알았다. 그러나 호흡은 물처럼 녹녹하게 차오르고 가물었다. 짧은 쉼마저 다음 숨을 위한 것이었다.

이가 하나도 없는 동물에 물렸다. 피가 따뜻한 종류였다.

온몸이 쿵쿵 뛰었다. 티티라는 더듬거리며 제 손에서 그의 손을 떼어내려 했다. 어쩐지 그 순서가 먼저란 생각이 들었다. 그가 먼저 뻗었던 손을 치운 뒤 움직여야 한다는 생각이 가득했다.

그의 손등을 짚었다.

흐린 색 속눈썹이 제 뺨에 눌렸다.

핏줄이 불거진 손등을 더듬어 어떻게든 상대를 움켜쥐려 했다. 그러나 큰 손 위에서 자신은 장님이었기에 자꾸만 헤맸다.

그의 속눈썹이 민들레씨처럼 부스스 밀려났다.

초조한 손아귀가 마침내 그의 검지부터 소지까지를 움켜쥐었다. 떼어 내려 했으나 단단히 붙잡혀 불가능했다. 칼자루, 내 손, 그의 손. 오래되고 새로운 모래 알갱이들이 겹겹이 뭉개진 바닷가처럼.

그가 눈을 움츠렸다가 치켜세울 때마다 숨이 가빠졌다. 그 가는 실들 하나하나가 뺨에 느껴져서 어쩐지 악 소리를 지르고 싶어졌다.

아니, 그래. 소리를 지르면 될 것 아닌가?

"아―압!"

그녀는 그의 입속에 대고 성질을 냈다.

그러자 안스카리우스가 떨어져 나갔다. 그리 멀지는 않았다. 그들은 서로의 콧대를 사이에 두고 당황한 듯 쳐다보았다.

그녀의 시선이 가까스로 아래를 향했다. 드디어 계획을 세워 그의 손을 붙잡을 수 있었다. 떼어 냈고, 쫓아냈다.

티티라는 자유를 찾은 양손으로 그를 거칠게 밀어냈다.

"이게, 뭐예요?"

안스카리우스가 한 손을 들었다. 그러나 앞으로 뻗기는커녕, 이상하다는 듯 스스로의 입술을 눌렀다. 마치 누군가에게 한 대 맞아 피가 나는 자리를 찾는 것만 같았다.

티티라는 급하게 재촉했다.

"각하, 뭔데요? 미쳤어요?"

"미쳤느냐고? 내가 왜?"

"네?"

"지난번에 내게 입 맞췄잖아."

그는 지나치게 태연했다. 반면 자신은 거울을 보지 않아도 붉으락푸르락할 얼굴이 눈앞에 선했다.

"네? 그게, 맞지만, 그건 언제라도 해도 된다는 허락이 아니었습니다. 저흰 전혀, 아무 사이도 아니니까요. 이젠 싫습니다. 대체, 안 본 동안 무슨 생각을 하신 거예요? 전, 진짜, 이게 무슨, 이해가 안 가요. 징그럽게, 저희가 뭐라도 되는 줄 아시고요."

티티라는 속사포처럼 쏟아 내다가 갑자기 우뚝 멈췄다.

그는 마구잡이 공격에 조금도 상하지 않은 듯 그녀를 응시하고 있었다. 분노가 아예 없다고는 할 수 없지만, 그보단 오히려 당혹스러운 상대를 보는 시선이었기에 머리에 찬물을 맞은 것 같았다.

동시에 아주 오래된 기억이 치밀었다.

시계탑에서의 키스 뒤, 화해하기 전까진 못 나온다며 안스와 상관 대기실에 갇혔을 때……. 자신은 머리끝까지 당황해서 허겁지겁 아무 말이나, 정확히는 아무 공격이나 주워 삼켰다. 그때 안스는 화를 꾹 참다가 결국 모든 감정이 가벼운 것인 척 뒤로 물러났다.

이후 자신은 그의 애정이 사라지길 바라며 별별 잔인한 짓들을 저질렀고, 마침내 소조폴이 불타던 마지막 날로 굴러떨어졌다…….

사실 안스가 없는 그녀의 삶은 조금 힘들었다. 그야말로 제 가장 멋진 돛이었기에, 친구가 사라진 뒤로는 밀어 주는 바람 없이 홀로 노를 저어야만 했다.

하지만 그걸 마지막 여행에 다다를 때까지 인정하지 못했다.

아니, 겨우 인정하고도 안스가 가진 것이 '어떤' 애정인지에 대해 십 년 동안 고민해야 했다. 빈자리를 보며 끊임없이 부정하고, 경멸하고, 모두 포기한 채 그래 결국 우정이든 사랑이든 다 고약하게 그리워하는 마음 아니겠느냐며 재회를 바라기까지.

다시 현재. 이제 더 이상 소녀가 아닌 티티라는 지난 이 주간 안스카리우스가 지닌 것이 '어떤' 애정인지를 거의 확신할 수 있었다.

그날 총독 놈이 했던 두 번째 키스에는 분명 남녀 간의 찜찜한 욕망이 있었다고 결론 내렸다. 어찌나 냉정했던지, 이젠 우리가 안스의 기억을 되찾기 위한 결사대도 못 되겠다고 평가하지 않았던가.

그런데 제 생각이 그의 행동으로 드러나자마자 말도 안 된다며 역겹다고 펄쩍 뛰었다. 미리 알았으면 어른스럽게나 대처하든가. 버벅거리다, 나는 또 순진했다고, 네 웅덩이 같은 욕망을 몰랐다고.

티티라는 지나치게 서툴렀다. 모든 면에서 말이다.

너, 알았으면서 왜 자꾸 몰랐대? 물론 안스카리우스 놈이 무례했지만, 그걸 가지고 네가 불에 손을 덴 것처럼 혼비백산 도망가는 건 별개의 문제지. 원래 불은 뜨겁잖아. 뜨거운 걸 알았으면, 어른이라면, 신음 한 번 흘린 뒤 바로 찬물에 상처를 문지를 일이잖아.

'어른'인 그녀는 완전히 이성을 잃었다.

아.

나는 어린 시절, 안스의 감정에 공격당했다고 믿었다. 때문에 당황하여 친구에게 수많은 상처를 남겼다. 그 상처를 내 탓으로 여기긴커녕 정당하게 반격한 결과라고 생각했다. 그 멍청한 정당화를, 오랜 시간 입맛 쓰게 돌아보며 '내가 어려서 그랬다.'고 주장했다.

그런데 지금 이토록 많은 것을 성취한 나이가 되어서도, 심지어 상대가 지닌 감정을 명백히 알고도 곧장 열네 살짜리로 전락하는 주변머리라니.

나는 문제가 있어.

티티라는 또렷하게 생각했다.

나는 문제가 있어. 그 '문제'가 내 칼을 길고 흉악하게 만들어 안스를 상처 입혔어. 그 애가 잘못했지만 그럼에도 그럴 필요까진 없었어. 모든 게 후회투성이야.

두 개였던 동공이 하나로 합쳐지듯 시야가 돌아왔다.

안스카리우스는 마지막으로 보았던 때와 마찬가지로 약간 화가 난 듯, 그러나 대화를 시도하는 사람처럼 서 있었다.

'주섬주섬 옛날의 빈 껍질을 챙겨 와선 뭘 안다고 내게 호의를 표하는 거야?'

방금 전의 자신이라면 곧장 내뱉었을 말이다.

그러나 지금은 그럴 필요성을 느끼지 못했다. 안스카리우스가 오해하여 입 맞추었음에도 적의를 쥐어 짜내기 힘들었다. 자신이 그릇된 신호를 주었으니 그가 궁금해하는 것은 당연하다. 누군가가 칼을 휘둘러 가까스로 방어한 그런 극적인 상황이 아니었다.

티티라는 제 감정에 조금 충격을 받았다.

"각하."

"네가 그렇게 부르면 비웃는 것처럼 들리는데."

"전 각하를 좋아하지 않아요."

"그럼에도 남은 아니지."

그녀는 다시 충격을 받았다. 안스의 얼굴을 하고 거절에 담담한 총독은 신비롭기까지 했다.

"우리가 무슨 사이가 될 일은 없다니까요."

"시험해 볼 수도 있고."

티티라는 웃음을 터뜨렸다.

그러다 흠칫 놀랐다. 라요나가 죽은 뒤로 처음으로 미소 비슷한 것을 만들었다. 그것도 꽤나 크게……

"너는 내 손 하나 떨치지 못했으니까."

"아니, 그러고 보니, 손은 왜 얹었어요? 가두려고?"

그녀는 계속 웃었다.

"칼을 뽑아 찌를 태세기에."

"들켰네요."

티티라는 칼자루를 건드리며 코웃음을 쳤다.

"칼은…… 지금까지 네게 무기가 허용되지 않았기에 돌려주는 거다. 이왕이면 손에 익은 도구가 좋으리라 생각했다."

"충독님을 진짜 죽이려던 칼인데 마음도 넓으세요. 이건 대체 왜 가지고 오신 건가요? 소조폴에서 저희가 처음 만난 게 벌써 오래전 일인데요."

안스카리우스의 눈썹이 들렸다.

"네 물건이잖아."

그녀는 얼빠진 얼굴로 그를 바라보았다.

아차, 그렇지. 그가 자신을 욕망하기 시작한 지는 얼마 되지 않았을 것이다. 그러니 그보단 기억 보관자의 물건으로 중요하게 여겼을 가능성이 높다.

"이 칼을 본다고 옛날 기억이 나실 리가 없잖습니까."

"궁금한 게 있다."

나는 입맞춤을 거절당하고도 멀쩡한 네가 더 궁금하다.

"넌 내 기억이 돌아올 거라곤 생각하지 않나 보군."

티티라는 입술을 앙다물었다.

굳이 따지자면 그런 편이긴 했다.

"솔직히 총독님도 저와 같으실 텐데요."

그의 고개가 살짝 기울었다. 쉽사리 그의 표정을 읽을 수 없었다. 그는 완전히 투명하게 보일 때가 있는가 하면, 지금처럼 두꺼운 막으로 덮여 엄격하게 분리되는 때도 있었다. 그것이 오로지 그의 의지에 달린 것 같아 약간 질투가 났다.

순간 안스카리우스가 왼쪽 소매의 단추를 풀었다.

티티라는 그 안에 무엇이 있는지 누구보다 잘 알았다.

그의 조심스러운 손길 아래 맨살이 드러났다. 티티라는 문득 그가 안스였을 때 지녔던 살갗이 이제 얼마나 남아 있을지 생각했다. 하도 밧줄을 쥐어 돌처럼 굳었던 살은 그래도 조금 남아 있지 않을까…….

소조폴 1001 26 X

티티라는 눈을 꽉 감았다 떴다. 안스카리우스의 숨소리가 들렸다. 그 역시 생각에 잠겨 있는 듯했다.

우리의 방향이 같을지는 잘 모르겠다. 너는 안스의 기억이 돌아오되 네가 언제든 꺼내 볼 수 있는 상자 속에 갇혀 있길 바라겠지.

하지만 나는 그 애를 바라. 온전한 내 친구를.

그들은 잠시 동안 가라앉은 침묵 속에 서 있었다.

석양이 스며들었다. 역광에 너그러운 빛이었다. 그의 살갗이 벌겋게 타들어 갔다. 맨살은 산 채로 달아오르고, 상처는 죽은 채로 파였다. 티티라는 그림자를 보며 안스가 어느 위치에서 주저했는지까지 알 수 있었다.

　순식간에, 고통스럽게 손을 뻗었다. 상처에 닿았다. 돌이킬 수 없는 것들을 이해해야지…… 생각하다가도, 낙담하여 고개를 기울였다.

　그의 팔뚝에 제 잔머리가— 아니, 이마가 살짝 닿았다.

　그 순간, 누군가 문을 거칠게 두드리는 소리가 났다.

　"바를라암!"

　티티라는 화들짝 놀라 뒤로 한 걸음 물러났다. 안스카리우스 역시 급하게 옷자락을 접어 내렸다.

　문이 열렸다.

　그녀는 아직까지도 자신이 손을 뻗은 자세 그대로란 사실을 깨닫고 확 수그렸다. 상대방이 누구인지 분명히 아는 상황에서 위험을 감수하고 싶지 않았다.

　"음? 이게 무슨 일입니까?"

　목소리를 듣자 속에서 천불이 타올랐다. 그러나 할 수 있는 게 없었다.

　티티라는 인사하듯 고개를 숙였다. 무슨 말을 할까 했지만 그게 오히려 더 의심을 살 것 같았다. 그날 저녁 식사 이후로 처음 마주친 게 하필 이런 낯짝이라니.

　"탈란타우에, 나는 당신이 들어오길 허락하지 않았습니다."

　흘끔 안스카리우스의 모습을 보자니 잔뜩 구겨진 팔뚝 위 옷자락을 밀어내고 있었다. 평소처럼 느긋했지만 누가 봐도 의심스러울 법한 장면이었다.

　"아, 미안합니다. 이상한 소리가 들려서, 혹시 위험에 처했나 해서요."

변명에 성의도 없었다. 탈란타우에는 안스카리우스가 한낱 시노드 신넬인과의 시간을 방해받았다고 화를 낼 수 없다는 사실을 누구보다 잘 이용했다.

"다시 나가겠습니다. 돔니니와의 용건이 길어지실 테니 기다리진 않을 생각입니다."

물론 시노드 신넬인을 위해 사제왕이 떠나는 것은 말도 안 된다. 티티라는 급하게 걸음을 뗐다.

"아닙니다, 각하. 죄송합니다. 제가 물러나겠습니다."

"아니야, 아니야. 어차피 급하지 않았다."

누가 본다면 자애로운 귀족과 그에 감사하는 하인처럼 보이겠지. 그러나 대화는 순식간에 치솟은 창칼이었다. 그 싸움에선 자신이 조금 늦었다.

탈란타우에는 자연재해처럼 문을 쾅 닫고 사라졌다.

그녀는 긴장한 표정으로 안스카리우스를 바라보았다. 설마 문밖에서 듣고 있을까 하여, 입 모양으로만 속삭였다.

'괜찮을까요?'

그는 대답하지 않고 미간을 좁혔다.

탈란타우에는 지난번 저녁 식사 때에도 동료 사제왕을 공격적으로 몰아갔다. 심지어 '티티라 돔니니' 이름을 왜 못 부르느냐고 추궁하기까지 했다. 지나치게 감이 좋은 적.

아니, 생각해 보니 안스카리우스에게도 '적'인가? 그전에는 친했다면서, 왜 이리 유난일까. 만일 사제왕의 기억이 걱정되었다면 나만 괴롭히면 되잖아. 나만 괴롭혀서 저 순진하게 서 있는 사제왕 놈에게 가까이 못 가도록 하면 될 거 아냐.

'안스카리우스.'

'각하'라고 불러 뻗대려던 마음이 잠시 사라졌다. 그의 시선이 돌아왔다.

한 걸음 다가왔다.

'절 위로하기 위한 당신 대책이란 건⋯⋯ 그냥 안 하셔도 됩니다. 쉬세요.'

그가 손을 들었다. 그러곤 마치 허락을 구하듯 손과 제 얼굴을 번갈아 바라보았다.

이에 티티라는 작게 웃었다. 그의 손을 잡아 내리곤 검지로 손등을 톡톡 두드렸다.

안스카리우스와 무슨 짓을 할 마음은 그다지 들지 않았지만, 그의 차분한 태도가 제 심장을 뛰게 했다. 어쩌면 찰나의 입맞춤보다 그 여유에 흥미를 느꼈는지도 모르겠다.

마치 해저 동굴에 헤엄쳐 들어가는 것처럼 설레고 신기했다. 바로 직전에 탈란타우에 때문에 분노했으면서도, 이 감정은 또 다른 공간 안에 흘러나와 완전히 별개의 것으로 존재했다.

티티라는 그렇게 침묵 속에서 인사하고 선장실을 떠났다. 허리춤에는 그가 돌려준 칼을 튼튼하게 찬 채였다.

그녀는 가벼운 발걸음으로 걸어가, 부선장실 앞에서 잠시 눈을 감았다.

이곳에 설 때마다 항상 라요나를 생각했다. 살아 돌아오길 바라는 희망이 아니라, 기억하는 각오였다. 내 삶이 이어지는 것은 괴롭게도 진실이지만 발밑이 단단하기에 칼을 휘두를 수도 있는 것이다.

티티라는 문을 열고 들어가 등으로 닫았다.

'잠깐, 그런데 내가 선실 문을 닫고 갔던가?'

의혹이 떠오른 순간, 창가에 기댄 사람이 보였다.

"아, 우리에게 드디어 시간이 났군."

티티라는 곧장 물러서 문고리를 틀어잡았다.

"아서라. 나한테 원하는 게 있잖아."

그녀는 허리춤에 단단히 졸라맨 단검을 응시했다. 마치 보란 듯이 말이다.

탈란타우에의 시선이 칼 위로 닿았다. 눈썹을 치켜올린다.

"경계가 과하군."

"이렇게까지 바를라암 총독님 몰래 찾아오시는 이유를 모르겠습니다. 그분의 인가하에 자리를 마련하면 됩니다. 그런데 배를 떠나는 척 꾸미셨잖습니까? 그러니 제게 무슨 짓을 하실 줄 알고요."

그는 듣는 둥 마는 둥 불평했다.

"아, 바를라암. 생판 모르는 남에게 '사제왕의 맹세'를 건 낭만주의자 말이지."

티티라는 깜짝 놀랐다. 설마 그 저녁 식사 날 다 들킨 거야, 이 멍청아?

"그 녀석은 네가 시노드 신넬의 배신자로서 공개적으로 이름을 불리기 싫어해 '티티라 돔니니'를 입에 담지 않는다 하던데, 수십 번 거듭된 요청에도 꿈쩍 안 한다면 불가피한 사정이 있는 법이지. 아마 내장이 꼬여 죽기 싫은 맹세일 것이다."

"……저는 그 맹세가 무엇인지 모르겠습니다. 또, 총독님께서 말씀 주신 내용이 맞습니다. 아무리 뻔뻔한 시노드 신넬인이라도 대대적으로 전쟁의 명분이 되기는 힘든 일입니다. 저는 부끄럽습―"

"아무튼, 그런 건 중요하지 않다. 대답해라. 안스카리우스가 어디까지 알고 있지?"

티티라는 입을 꾹 다물었다.

순간적으로 혼란스러웠다. 내가 왜 감추고 있지? 그가 과거를 찾고 있단 사실을 알려도 상하는 건 제 마음뿐이었다. 모두의 앞에서 안스의 죽음에 대해 이야기해야 하는 고통. 크다면 크지만, 그래도 목숨을 걸 만큼은 아니었다.

하지만 안스카리우스는……. 그의 사제왕으로서의 위치에, 혹은 신변에 무슨 일이 생길지 몰랐다. 특히 저놈처럼 예민한 동료가 곁에 있다면.

"그분은 아무것도 모르세요."

"아무것도 모르는 이에게 '사제왕의 맹세'를 했을까."

"저는 그 맹세가 뭔지 정말 모릅니다. 각하께서도 아시듯 소조폴에서 저 혼자 이즈버르의 제안을 거절했습니다. 그 건을 빌미로 바를라암 총독님께서 저를 끌어들이셨고요. 그분의 협박과 약속 때문에 이 자리에 있는 겁니다."

"무의미한 말을 언제까지 지껄일지 궁금하군."

"제가 총독님을 처음 보고 얼마나 놀랐는지 아십니까? 미쳐선, 반가워했다가도 바로 죽이려 달려들었습니다. 길 가는 누구에게라도 물어보면 제가 총독 시해 혐의로 사역관에 달포 이상 갇혀 있었음을 확인해 줄 겁니다. 제정신이 아닌 사람은 저뿐입니다. 그러니 무언가 추궁하시려면 제게 하셔야 합니다."

탈란타우에는 경멸인지 호기심인지 모를 표정으로 자신을 바라보았다. 놀랍게도 그 두 가지가 얇은 종이를 사이에 두고 공존했다.

"이상하군. '약속'이 아량을 둘 리가 없는데."

"'약속'이요?"

"너를 본다고 그의 기억이 돌아올 리는 없단 뜻이다. 그건 엄격하니까."

티티라는 순식간에 목 졸린 얼굴이 되었다. 마침내 처음으로 안스의 이야기를…….

"대체, 대체, 그게 무엇인지 알려 주시면 감사하겠습니다. 제발요. 총독님께서 기억을 잃으신 이유가 특별히 있다는 말씀이십니까? 각하께선 안스와 저를 아시는 듯한데, 그러면 제가 얼마나 미치겠는지도 잘 아시지 않습니까……. 전 여기서 절대 거짓말을 할 수 없어요……."

손바닥이 땀으로 축축해졌다. 자존심도 없이 간청했다. 불만스러운 태도로 선 탈란타우에의 신발이라도 핥을 수 있을 것 같았다.

아니, 이렇게 간절히 생각해 봤자 머릿속 속삭임은 아무에게도 들리지 않는다. 티티라는 당장 땅바닥으로 엎어졌다. 네발 달린 짐승처럼 여러 걸음 기어가 양탄자에 머리를 박았다.

호흡 곤란이 닥치리라 생각했으나, 지킬 것이 생기자 갑자기 모든 게 미친 듯이 명료해졌다. 세상이 더 밝고 강렬한 색으로 보였다. 소리는 십자수처럼 고막을 교차하여 수놓았다. 파도, 탈란타우에의 옷자락 소리, 제 숨소리, 갑판 위 미세하게 삐걱이는 발걸음 소리…… 어지러울 정도로 엇갈렸다.

티티라는 쌕쌕대며 다시 한번 빌었다.

"제발, 자비를 베푸십시오."

탈란타우에의 모든 소리가 잠시 멈추었다.

침묵.

"티티라 돔니니, 나는 터르노보 우스페히를 죽였다. 그래도 내 자비를 구할 테냐?"

눈앞이 캄캄했다. 단어 그대로였다. 식은땀이 흘렀다.

"아판둔 원정 당시, 나는 바를라암의 부탁으로 오래전 바다로 사라진 그의 막내를 찾으려 했다. '안스카리우스' 문신을 새긴 소조폴 소년에 대한 소식을 들었으나 터르노보 우스페히가 소재를 고백하지 않아, 그 앞에서 기십이 넘는 사람을 처형해야 했다. 결국 일이 풀리지 않아 그도 죽었다."

"……"

"나는 바를라암의 자식이 마지막으로 목격된 도이도흐를 점령하고 관련인들을 처형해 소재를 파악했다. 마주두로 떠났다더군. 결국 마주두를 둘러싼 뒤 눈에 보이는 배마다 침몰시켰다. 마침내 우리 사제왕의 망나니 자식을 발견할 때까지 석 달이 걸렸지."

"……"

"그는 반항하는 듯했지만 진실을 몰라 내게 설득되었다. 물론 어차피 선택지가 없었으므로 차라리 무지한 편이 나았을 것이다."

"……"

"이래도 내게 자비를 구해?"

티티라는 웅크린 채 아무 말도 하지 못했다.

우스페히 씨.

아, 많이 괴롭지 않으셨길 바라요. 제가 할 수 있는 건 이렇게 비는 것뿐이라……

속이 쿵쿵 뛰었다. 자신은 교국인들 앞에서 끊임없이 애정을 저울질해야 했다. 안스카리우스, 처음 만난 안스카리우스가 자신을 모욕해도 안스를 아는 게 먼저였고, 라요나, 라요나가 살해당해도 안스를 아는 게 먼저였고, 우스페히, 우스페히의 살인자를 찾아도 안스를 아는 게 먼저였다.

희생된 것들을 깨닫는 매 순간마다 머릿속에서 무게가 달렸다. 어떤 게 더 중요하지? 결론은 늘 같았다. 안스가 더 중요해.

가슴 아프지만 여기 죽어 계세요. 안스를 살피고 돌아올게요.

이를 너무 여러 번 겪다 보니 더 이상 대의를 위해 인내한다고 변명할 수가 없었다. 티티라는 오로지 안스 때문에 돌아 버릴 지경이었다. 코앞에 답을 두고도 친구에게 무슨 일이 일어났는지 알지 못한다면 차라리 바다에 빠져 죽는 게 나았다.

아수라장 속에서 길을 잃으려는 찰나, 낮은 목소리가 들렸다.

"우스페히 상관을 불태우기 전 안스카리우스가 네 짐을 전부 챙겨 나왔지."

부르르 떨리는 손이 바닥을 움켜쥐었다.

"책, 두터운 장부, 네 옷과 조잡한 장식물들, 심지어 이부자리까지 거둔 녀석이다. 네 방의 뼈대만 남을 정도로 징그럽게 굴더군."

복귀했을 때 이미 시계탑처럼 폐허가 되어 있던 우스페히 상관이니 당연히 어린 시절 방이 아쉽진 않았다. 전쟁의 포화 속에 자연스레 사라진 삶의 일부라고 여겼다.

그런데 안스가 소조폴로 돌아와 제 흔적을 정리했다고 한다. 친구의 그림자를 멋대로 훔쳐 혼자 간직하려 했던 것이다.

"아, 그리고 네 초상화도 하나 있었는데. 그 애가 그걸 많이 아꼈다."

숨을 들이켰다.

내 초상화…….

열여섯. 해가 조여드는 초여름이었다.

배를 기다리느라 부두의 잡동사니 위에 누워 잠들었다. 그렇게 졸다가 부스스하게 깨어나 수평선을 둘러보고, 다시 잠들고, 가끔 눌린 팔이 배기면 몇 번 제자리에서 뛴 뒤 털썩 앉았다. 늦은 오후의 햇살 속에서 달콤한 여유를 즐겼다.

그러다 한참 뒤 입맛을 다시며 일어났을 때, 누군가 어깨를 두드렸다. 머리 색이 희고 북부 방언을 쓰는 이방인이었다. 경계하는 순간, 그는 선물이라며 여러 번 접힌 종이를 건네주고 떠났다.

펼쳐진 종이 위에는 제 얼굴이 담겨 있었다. 거친 흑연으로 그린 얼굴은 꼭 누군가의 고약한 거짓말 같았다. 내가 이렇게 생겼나?

확인하기 위해 해초와 쓰레기가 둥둥 떠다니는 부두 옆으로 얼굴을 들이밀었다. 밀가루 반죽처럼 여러 표정을 지어 보였다. 그렇게 마구잡이로 제 얼굴을 찾다가, 언뜻 비슷한 인간을 찾아냈다.

티티라는 물속의 그 애를 한참 동안이나 바라보았다. 바다는 조용하고…… 모두 무더위에 지쳐 갈 때 즈음…… 자신이 조금 근사해 보였다.

그녀는 그날 저녁 안스에게 초상화를 보여 주었다. 어때? 멋지네. 언제 다른 사람한테 정식으로 그려 달라고 의뢰해 봐. 그럴 필요까지야. 티티라는 만족한 채 한동안 초상화를 제 개인 장부에 끼워 썼다. 그러다 어느 순간 관심을 잃었고…….

안스가 찾아냈다. 그 애가 죽을 때까지 가지고 있었다.

티티라는 자리에서 일어섰다. 더 이상 웅크리지 않았다.

눈앞의 탈란타우에는 제 행동을 뚫어져라 바라보았다.

"각하, 제 친구는 어떻게 죽었죠?"

탈란타우에의 눈가가 미세하게 떨렸다. 누군가에게는 나이 든 사람의 별 의미 없는 몸짓이었겠지만 그녀에게만큼은 소중한 신호였다. '그는 동요했다.' 닥칠 것을 뻔히 아는 질문에 동요했다면, 그 이유가 단순하지는 않다는 뜻이다.

"제 친구와 어떤 사이셨습니까?"

"존경하는 사제지간."

말도 안 돼. 상대는 순식간에 주도권을 빼앗아 갔다.

"안스가 각하께서 하신 일을 알았다면 절대로 가르침을 받지―"

"그 애는 아무것도 몰랐지. 갓 스물이나 되었던 꼬마 아닌가."

"각하, 더 자세히―"

"이 정도면 믿음을 사기엔 충분하겠지. 내 호의에 감사하라."

"예……. 감사드립니다. 그러니 조금 더―"

"안스카리우스 드라수스 바를라암이 너를 어떻게 찾았지? 그가 어디까지 알고 있지? 너를 필사적으로 보호하는 이유는 뭔가? 대답해라."

티티라는 다시 입을 꽉 다물었다.

"돔니니, 내 말을 믿는다 하지 않았나?"

"……믿습니다. 각하께선 제 친구가 아니라면 모를 일들을 알고 계십니다."

"그러면, 내 질문을 이해하지 못했나?"

"각하, 바를라암 총독님께 직접 하문하셔도―"

"네가 설명해야 한다."

"저는 아는 게 없습니다."

"그러면 영영 질문의 답을 못 얻을 테지."

그녀는 바닥을 내려다보았다.

"나는 자비로운 사제왕이니 네게 고민할 시간을 주겠다. 하지만 그 시간 동안 무모하게 행동하지 말라. 가령 말디비 독을 내게 먹여 살인을 도모한다든가."

티티라는 탈란타우에를 노려보았다.

"말디비 독은 해독법이 있으니 좀 더 영리해져야 할 것이다, 티티라 돔니니."

그녀는 그가 독이 보관된 서랍 뒤편을 발견했을까 의심했지만, 방을 수색하기에는 터무니없이 짧은 시간이었다. 그보다는 자신에게 감시자들을 붙였다는 말이 옳을 것이다.

그녀가 무슨 말을 내뱉으려는 순간 그가 책상에서 떨어져 나왔다.

저벅저벅 자신을 스쳐 지나가며, 제 어깨에 살짝 손을 얹었다. 티티라는 반사적으로 뿌리친 뒤 낮게 도사렸다.

"돔니니, 나는 네 목숨을 보상으로 걸 수도 있다. 하지만 그러지 않았으니 이 얼마나 어진가. 부디 존중하여 고민하길 바란다."

그녀가 꿈쩍도 하지 않는 사이 그는 방을 떠났다.

티티라는 물어뜯긴 펜 끝을 바라보았다. 단단한 나무로 만들어진 펜대에 제 잇자국이 나 있었다. 초조하다기보단 분노에 이를 간 흔적이었다.

그녀는 제가 바로 어제 보낸 편지를 기억했다.

[중부의 대상 그레슈카 상주께.

지난번 준비해 주셨던 공연은 정말 대단했습니다! 품격 있는 자리에서, 이즈버르의 번영에 대해 노련하신 상주의 고견을 들을 수 있어 매우 기뻤습니다. 그리고 제게 건네주신 따뜻한 격려 말씀에도 큰 위로를 받았습니다.

요새 상단의 일이 불안하여 근심이 적지 않습니다. 특히 제 부족한 힘으로 바를라암 총독님께 보탬이 되어야 한다는 사실이 두렵고 심란합니다. 부디 여유가 나실 때 방문하여 도움을 주시면 감사하겠습니다.

소조폴 상단 상주, 티티라 돔니니 올림.]

티티라는 이제 이즈버르보단 차라리 이프루이우호가 더 안전하다는 사실을 알고 있었다.

며칠간 이즈버르를 돌아다니며 탈란타우에가 숨기지도 않은 군인들을 발견했다. 알랑방귀 뀌는 상주와 차를 마시며 창 너머 군인을 보았고, 깃펜 장사꾼과 실랑이를 벌이면서도 저 멀리 광장 구석에 서 있는 군인을 보았다. 아무리 교국군이 체계적으로 이즈버르를 감시한다고는 하나, 저가 어딜 가나 하나쯤 보이는 군인은 정상이 아니었다.

그러니 그레슈카가 신호를 알아듣고 직접 이프루이우호에 행차하는 편이 나았다.

지금쯤 그레슈카는 질문이 많을 것이다. 라스폴로제 극장의 뒷방에서 총독이 왜 개인적으로 나를 챙겼는지, 하루가 멀다 하고 온갖 곳에 나타나던 라요나는 어디로 떠났는지, 새로 들어온 탈란타우에는 어떤 놈인지……. 나이 든 상주는 모든 정보를 끝없이 빨아들이는 해면海綿[3) 같았다.

티티라에게는 그녀의 호기심과 아량이 필요했다. 들키지 않고 사용할 독약이 급했기 때문이다. 탈란타우에를 죽일 예정이었다. 그 대가로 무엇이든 내줄 수 있었다. 그러니 그레슈카를 등쳐먹는 것은 떠올리지도 않았고…… 애초에 불가능하기도 했다.

티티라는 쓸모없어진 말디비 독을 바다에 던진 뒤 초조하게 답장을 기다렸다.

그동안은 방 안에서 혼자 흉계를 꾸민다는 인상을 주지 않도록 일부러 다른 상주들에게도 편지를 보냈다. 몇몇은 받는 즉시 이프루이우호에 방문하여 담소를 나눴고, 몇몇은 이즈버르 한복판에서 보았다.

물론 비단 누구를 만나지 않더라도, 여러 사람들에게 뒷공론의 기쁨을 주기 위해 꾸준히 몸에 멍을 만들고 이즈버르를 돌아다니곤 했다.

오늘도 도시 이곳저곳에 출몰하여 선내 필수품들을 사들였다. 그리고 이프루이우호 앞 군인에게 배달하라고 일러두곤 털레털레 빈손으로 돌아오는 길이었다.

그녀는 큰길을 돌아 부두로 들어오는 길에서 총독을 발견했다.

늦봄의 더위 탓인지 안스카리우스에게는 겉옷이 없었다. 속을 모~도록 품위를 지켜 주던 겉옷이 사라지자 기분이 이상했다. 마치 갑옷 없이 선 기사를 보는 듯했다. 맞춘 듯 단정히 맞는 상하의에선 약간의 기시감이 느껴지기까지 했다. 제 친구처럼 컸고, 제 친

---
3) 스펀지.

구와 달리 두꺼웠다.

저런 무방비한 모습을 석양의 부두에서 보다니. 언뜻 보면 상단의 일원처럼 느껴지기도 했다.

물론…… 아니지.

그녀는 입속에서 그의 이름을 굴려 보았다.

"안스카리우스."

그는 안스가 아니었다. 이제 그를 보면서 안스를 떠올리는 것은, 마치 어린 시절 키우다 죽은 강아지를 추억하는 것과 같았다.

한데 그때, 안스카리우스가 옆을 돌아보았다. 제게 시선이 멈추었다.

절대 들렸을 리가 없는데…… 티티라의 걸음이 우뚝 섰다. 꽤 먼 거리였는데도 그가 자신의 눈을 바라보고 있다는 사실을 알 수 있었다.

안스카리우스는 다시 고개를 돌렸다. 앞에 선 군인과 끊겼던 대화를 잇기 시작했다.

티티라 역시 멈칫했던 걸음을 옮겼다. 바닷바람에 후루룩 날리는 망토를 양손으로 꽁꽁 싸맸다. 얼른 방으로 돌아가 이른 잠이나 자야겠다.

"소조폴 상주."

그녀는 한순간 알아듣지 못했다가 휙 뒤를 돌아보았다.

나?

안스카리우스가 턱짓했다.

"잠시 따로 보지."

그녀는 불경한 표정을 숨기지 못한 채 터덜터덜 돌아 내려왔다.

"하문하십시오."

"아니. 따라와."

티티라는 심술 난 얼굴로 그를 쫓았다. 어딜 가시는진 모르겠지만 또 설탕이나 찍어 먹으라고 할지도 모르겠네. 이 도시에서 반년 가까이 머물러 놓고 설탕 맛 하나 모르는 멍청이 같으니라고.

그는 골목으로 들어갔다. 티티라는 더더욱 의심스러운 얼굴이 되어 따라갔다.

좀 더 걷다 보니, 왠지 주변이 낯익었다.

티티라는 기억을 되짚곤 정색했다.

"총독님, 어딜 가시는지 압니다. 싫습니다."

"아니야."

"뭐가 아니에요? 싫습니다."

그러나 두 번 거절했을 때 그들은 이미 익숙한 건물 앞에 서 있었다. 의사 파르훈 오피오가 자신을 데려간, 마지막으로 라요나의 주검을 보았던 곳이었다.

그녀는 그를 노려보았다.

"여기엔 왜 부르셨습니까?"

안스카리우스는 대답도 하지 않고 문을 열었다. 안은 휑뎅그렁하게 비어 있었다.

그가 들어가라는 듯 고갯짓을 했다. 티티라는 참새처럼 눈치를 살폈지만, 자신이 도망친다고 해서 그가 순순히 보내 줄지 좀처럼 파악하기 힘들었다.

결국 문 안으로 들어섰다. 천장이 넓은 공간에 들어오자 적막감이 더 커졌다. 등 뒤로 문이 닫히는 소리가 났다.

"굳이 위층으로 올라가지 않아도 좋다."

"……무슨 이유로 여기까지 온 거예요? 애초에 여긴 뭔데요?"

안스카리우스는 그녀를 무시하곤 먼저 왼쪽 방에 들어갔다. 그녀는 엄선한 욕설을 몇 가지 내뱉으며 그를 따랐다.

"총독님, 무슨 일인지 말씀해 주세요."

"이곳에 한두 시간 머물러라."

"지금 저랑 장난—"

"탈란타우에가 너를 어디까지 감시하는지 알고 싶군."

"……."

그는 안락의자에 앉았다. 대화를 하면서 자신에게 집중하긴커녕, 담쟁이 벽으로 꽉 막힌 창문을 바라보고 있었다.

티티라는 그를 올려다보기 싫어 탁자를 선택했다. 기우뚱거리는 탁자에 겨우 올라앉아 상대를 노려보았다.

"제가 감시당하는 걸 아셨어요?"

"당연하지."

"그럼 왜 저랑 여기로 오신 거예요?"

"사제왕인 내가 직접 너를 불렀을 때에도 감시당한다면, 탈란타우에가 무엇을 경계하는지 보다 명확해지겠지. '너'인지, '너와 나'인지."

티티라는 그가 상황을 정확히 판단하고 있다는 사실에 놀랐다. 물론 그녀와 탈란타우에 간의 적대적인 관계란 눈이 달린 사람이라면 모두 알 수 있었다. 하지만 적대감의 종류를 발라내는 것에는 기술이 필요했다. 그리고…….

그녀는 문득 둘 다 담쟁이덩굴을 응시하고 있다는 것을 깨닫곤 피식 웃었다.

"서로 보고 얘기해요."

그의 시선이 반쯤 돌아왔다. 티티라는 흐리고도 짙은 동공을 바라보며 물었다.

"총독님, 뭘 걱정하시는 거예요? 어쨌든 당신은 위세 높으신 사제왕이잖아요. 불안할 게 뭐가 있어요?"

"……탈란타우에가 너를 경계한다면 두 가지 중 하나다. 첫째는 특별히 믿음이 가지 않는 네가, 기밀을 훔칠 수 있는 이프루이우호의 한복판에 있기 때문일 것이다. 둘째는 너와 나의 관계를 싫어해서일 텐데…… 확실히 하고 싶었다. 첫 번째 이유 때문이라면 적어도 오늘 이 자리까지 감시하진 않겠지."

"관계를 의심한다는 게 곧 '저희가 예전에 알던 사이'라고 의심한단 뜻은 아니잖아요. '그냥 자는 사이'일 수도 있고. 아니, 이미 탈란타우에도 우리가 자냐고 물어봤는데."

"티."

"아, 그렇게 부르지 마시라고 말씀드렸잖아요."

"나는 너와 '그냥 자는 사이'인 척할 수도 없고―"

"차라리 그쪽이 더 편할 텐데요."

"―'예전에 알던 사이'는 더더욱 안 된다. 너는 내게 있어 소조폴의 기억 그 자체다. 너를 보고 있으면 불안하다."

방정맞게 떠들던 입이 꾹 다물렸다.

"사제왕이 시노드 신넬에서 소년기를 보냈기에 지금도 그 과거를 캐내고 있다는 사실을 들키면 상황이 곤란해진다. 최악의 경우에는 법황의 대리인 주관으로 불신자 재판이 열릴 수도 있다. 그러니 알려지면 안 돼."

이렇게까지 심각한 문제일 줄은 정말 몰랐다. 어차피 핏줄도 같고, 어린애일 때 본국에서 세례도 받았을 텐데, 고작 십 년쯤 멀리서 굴렀다고 쓰레기 취급을 하다니.

"……차라리 자는 사이인 척하자니까요? 그럼 문제 해결 아닌가? 저희가 바보짓을 해도 잠자리를 함께하는 사이라면 모두 이해해 줄 텐데. 당신도 떳떳하게 저를 과보호할 수 있단 말이죠. 무례하게 사생활을 침범한 탈란타우에 뺨도 갈기고."

안스카리우스가 기가 막힌다는 듯 자신을 응시했다. 티티라는 그에게서 그런 시선을 받은 적이 처음이라 다소 모욕적인 기분이 되었다.

"뭘 그렇게 보십니까? 내가 못 할 소리 했나?"

갑자기 안스가, 자신이 자자고 덤볐을 때 화를 냈던 기억이 떠올랐다. 설마 이 인간도 저 나이를 먹고 그러는 건 아니겠지—

"네가 싫다면서."

티티라는 할 말을 잃었다.

"사제왕과 붙어먹은 배신자 평판이 싫다지 않았나? 그래서 네 몸에 멍을 만든 것으로 기억하는데."

그가 갑자기 일어섰다. 그녀는 반사적으로 상체를 뒤로 했다. 그러나 탁자에 걸린 바람에 그다지 잽싸지는 못했다.

"지금도."

안스카리우스가 제 팔뚝을 잡았다. 그녀는 그가 누르는 힘에 작은 신음을 흘렸다. 망할 놈이, 그쪽 멍은 오늘 신입이란 말이야.

"꾸준히 노력하는 태도는 칭찬받을 만하군."

그는 팔을 밀치듯 놓았다. 티티라는 입술 안쪽을 깨물어 헉 소리를 참았다.

"말로…… 좀 하지. 아파 죽겠네요."

"너야말로 말로 해야지. 내가 훨씬 전에 감옥을 권유했는데. 아니, 그를 제치고서라도 교국인들이 괴롭힌다며 입소문을 내긴 어려웠나? 네가 바다에서 잡혀 왔을 땐 네 낯보다 다친 몸이 더 당황스럽더군. 그 정도일 줄은 몰랐다."

"어쩔 수 없잖아요. 사람들은 자기 혼자 눈치챘다고 생각하길 좋아합니다. 제가 말하면 그 재미가 떨어진다고요."

"가끔은 너를 이해할 수 없다. 그렇게 몇 달째 고생할 바에는 차라리 부두 한복판에서 군에 폭행당하길 요청하든가. 그러면 다들 수군거리기 좋겠지."

얼굴이 붉으락푸르락했다.

"총독님, 말도 안 되는 말씀하지 마세요. 좀, 신경 쓰지 마요. 저 알아서 하니까."

"알아서 한다면서, 나한테 너와 잔다는 소문을 내라고? 생각이 있는 건가? 지금까지 그 고생을 하고?"

"당신이 그 불신자인지 뭔지가 되는 것보단 낫잖아요. 나야 어떻게든 수습할 수 있으니까."

티티라는 그의 시선이 싫었다. 여전히 기가 막힌다는 듯, 이젠 짜증까지 섞여 있는 시선.

"내가 왜 널 떠났는지 알겠군."

누가 머리에 불을 지른 것처럼 발끈했다.

"뭐?"

"너는 스스로가 이기적이라고 주장하면서 조금도 몸을 아끼지 않는다. 그게 사람을 불안하게 만든다."

"신경 써 줘도 짜증을 내시네요."

"네가 나한테 왜 신경을 써? 필요 없다."

"'필요 없'어? 그럼 제가 탈란타우에한테 다 말해도 되죠? 당신 팔뚝부터 들춰 보라고?"

안스카리우스가 웃었다.

"못 하잖아."

티티라는 침묵했다.

망할 자식.

그의 얼굴에는 아직 희미한 웃음기가 남아 있었다.

"티, 너는 남을 책임지길 정말 싫어한다."

……손가락으로 머리를 쿡 찔린 것 같았다.

"내가 너 때문에 재판을 받느니, 차라리 네 평판이 망가지는 편이 낫다는 거지."

"……."

"나를 밀고한다고? 그로써 나의 사제왕 지위가 흔들리면 평생 부탁 하나 거절하지 못할 본인을 알 텐데."

안스카리우스가 제 밀고로 사제왕 위가 불안정해진다면, 그녀는 정말로 그럴지도 몰랐다. 자길 따라 교국으로 가자는 제안부터 잠자리까지 허겁지겁 승락할지 몰랐다. 순식간에 영원한 채무자가 되는 것이다. 생각하는 것만으로도 공포에 몸이 부르르 떨렸다.

티티라는 반사적으로 그의 허벅지를 걷어찼다가 지레 놀라 숨을 들이켰다. 그냥 때리고 싶은 마음이었지, 정말 닿을 줄은 몰랐는데.

물론 상대는 당황한 것 같지도 않았다. 몸을 숙여 발자국이 남은 자리를 털었다. 툭 내뱉는다.

"솔직하군."

티티라는 입술 안쪽을 깨물었다.

"아, 그렇다고 칠게요. 저에 대해선 당신이 멋대로 생각한 게 맞다고 쳐도, 그게 안스와 관련 있다는 뜻은 아닙니다. 참견하지 마세요."

스스로 단단히 세운 벽을 만질 수 있을 지경이었다. 알면서도 멈출 수 없었다. 아니— 벽을 세우는 건 당연하지. 애초에 내가 왜 저 놈이랑 속내를 나눈단 말이야?

물론 자신이 안스와도 터놓고 이야기하지 않았단 사실은 억지로 잊었다.

안스카리우스는 다시 안락의자로 돌아갔다.

티티라는 그가 자신을 훤히 들여다보는 듯해서 불쾌했다. 들여다보는 '척'이 아니었다. 그는 확실히 알고 있었다. 그리고 안스처럼 자신을 위해 감춰 줄 생각도 없는 인간이었다.

상대는 의자에 앉아 다시 아무것도 없는 창밖을 바라보았다.

……도통 속내를 알 수가 없었다. 그녀는 딱딱한 탁자 위에 팔다리를 벌리고 누워 버렸다. 돈깨나 들인 듯한 천장이 자신을 중심으로 동그란 문양을 그리고 있었다.

두 시간이나 버려야 한단 말이지.

안스카리우스는 잠든 티티라 돔니니를 내려다보았다.

차라리 바닥이 더 푹신할 텐데, 물푸레나무 탁자 위에서 꼿꼿이 버티는 모습이 이상했다. 아마 자신은 상상하기 어려운 이유가 있을 것이다.

그는 습관처럼 불렀다.

"티."

그녀는 깨어나지 않았다.

방 안은 어두컴컴했다. 담쟁이 벽 너머에서 흘러나오는 빛만이 아슬아슬한 그림자를 만들고 있었다.

티티라의 온기 어린 흑발이 탁자에 흩어졌다. 멋대로 동강 난 머리끝은 언뜻 벌칙에 당첨된 사람처럼 보였으나, 동시에 어린아이들을 닮기도 했다. 여름에 들어서며 점차 밝아지고 있는 낯빛 또한 그녀가 어려 보이는 데 큰 역할을 하고 있었다.

처음 만났던 10월의 첫날과는 확실히 달랐다. 피부는 어두워졌고, 머리는 살짝 바랬으며, 눈썹 숱은 적어졌다. 북부 고산지대에 사는 토끼도 아니고 사계절에 따라 정직하게 변하는 모습이 희한했다.

계절별로 달라지는 동물이 흔히 그렇듯 이렇게 누운 모습에서도 활동감이 느껴졌다. 미의식을 떠올리기도 전에 압도되는 젊음이었다.

글쎄. 입 맞추고 싶지 않은 것은 아니지만.

인내심 깊게 다시 불렀다.

"티."

그는 지난번의 입맞춤 이후 '티'가 그녀의 애칭이라는 사실을 분명히 깨달았다. '티'가 아무것도 아니라면 단순히 말투만 다듬은 제게서 옛 친구를 찾아냈을 리 없다. 덕분에 그전까지는 엇박자처럼 입 안에 맴돌던 이름이 이젠 자연스러웠다.

"티."

티티라는 여전히 잠들어 있었다.

그는 결국 손을 뻗어 어깨를 흔들었다.

"일어나."

그녀의 미간이 좁혀 드는 듯하더니 돌연 눈이 크게 뜨였다. 시체가 되살아난 모양처럼 갑작스러웠다. 그는 놀랐지만, 그보단 곧 닥칠 일을 예상하여 작은 탁자로 향했다. 화병의 꽃을 쏟은 뒤 빈 유리병을 말아 쥐었다.

티티라 돔니니는 잘 달궈진 쇠공 같아서, 어마어마한 속도로 주변을 부수다가도 갑자기 닥친 소나기에 김을 내뿜으며 멈춰서는 경향이 있었다.

그 순간순간을 그는 아직도 예상하기 힘들었다. '안스'와 관련된 것이라 추측했다가도, 그보단 소조폴 함락이 더 고통스러운 듯했으며, 종내에는 갑작스레 닥친 모든 압박감에 반응하는 것이 아닌가 생각하게 되었다.

안스카리우스는 곧 호흡 곤란을 겪을 티티라에게 다가갔다.

그녀는 눈을 깜빡이다가, 그의 존재를 깨달은 양 고개를 돌렸다.

"네?"

그는 화병을 들어 보였다.

"문제가 생긴 줄 알고."

"문제없어요."

티티라는 튕겨 오르듯이 일어섰다.

그녀는 한순간도 기우뚱거리지 않았다. 전혀 부축받을 필요가 없는 인간이었다.

"용건은 끝나셨습니까?"

"끝났다."

"저희가 감시당하던가요?"

"그래. 나가면 다시 감시인이 붙을 거다."

"총독님은 여기 계속 계셨는데 그걸 어떻게 아셨어요?"

"디아세 대대장이 살펴 주었지."

티티라는 놀란 듯 입을 다물었다.

"……다 괜찮은 거죠?"

"라요나는 잘 묻었다. 이름은 우리 방식으로 변환하여 묘비에 새겼다. 나중에 위치를 알려 주마."

"아니요. 그걸 여쭤본 게 아닙니다."

안스카리우스는 잠시 생각하다가, 의심쩍은 어조로 답했다.

"디아세 대대장이 괜찮은지 묻는 건가?"

티티라의 얼굴 위로 순식간에 여러 표정이 스쳐 지나갔다. 미안함, 부끄러움, 안타까움.

"네."

"괜찮지 않아."

다시 여러 표정이 겹쳤다. 걱정, 분노, 불안감.

그는 그녀의 표정을 좋아했다. 그녀를 향한 감정 중 제 과거와 별개로 볼 수 있는 것은 극히 드물었는데, 다행히 표정에 대한 호오는 그중 하나였다.

티티라 돔니니는 대부분의 경우 제 감정에 완전히 솔직한 사람이었다. 색이 각양각색으로 아름답고 풍부하여 한 가지만으로 표현할 수 없었다. 아주 작은 감정마저도 얼굴 위로 희미한 그늘을 드리우고, 그 위로 그늘 혹은 빛이, 또다시 그늘 혹은 빛이 겹겹이 붙어 어느새 신이 심혈을 기울인 석양과 같은 색이 되었다. 가끔은 색이 변하는 수평선을 바라보듯 무의식적으로 그녀의 표정을 관찰하게 되기도 했다.

"요새 디아세가 너무 안 보이던데요."

그는 그녀가 디아세를 만나고 싶어 한다는 사실을 깨달았다.

"장교 선실에 가면 만날 수 있을 거다. 아직 탈란타우에 앞에서 냉정하긴 힘든 시점이라 바깥 외출이 잦지 않거든."

"……기회가 오면 좋겠습니다. 사실 지금 그를 만나는 게 맞는지는 잘 모르겠지만요. 전 요새 제가 죽은 사람들한테 너무 잔인하고 무례하단 생각을 해요. 반대편에 있는 건 목숨인데, 자꾸만 저울에 뭔가를 달고 있어요. 정말 제게 정이 떨어져요."

티티라는 문득 자신이 너무 길게 토로했다는 것을 깨달은 듯 계면쩍게 웃었다.

"아까 잔뜩 짜증 내고도 이럽니다. 총독님 얼굴에 언제쯤 그만 속을지 모르겠어요. 정말 혼잣말처럼 중얼거리는 때가 있네요."

안스카리우스는 느릿느릿 말했다.

"내가 널 속이지는 않지."

"알아요. 제가 속는 거죠."

티티라는 담백하게 말하곤 기지개를 켰다. 그녀는 이제 처음과 달리, 제 앞에서 대수롭지 않게 옛 친구에 대해 이야기하곤 했다. 종종 착각하긴 하지만, 적어도 완전히 다른 사람으로 여기는 듯하여 시간이 많이 흘렀다는 느낌이 들었다.

자신이 그렇게 시간이 흐르길 바라는지는 잘 모르겠다.

그는 사실, 스스로 텅 빈 과거에 애착을 가졌는지, 티티라 돔니니에게 애착을 가졌는지 구분하기 어려워했다. 그녀는 제 인생 속 검게 칠해진 십 년을 상징하는 존재였기에 누구든 그녀와의 관계를 손상시킨다면 머리에 총알을 박아 넣을 만큼 귀중하게 여겼다.

티티라 돔니니를 해치는 것은 제 잃어버린 십 년을, 그리고 분실품을 찾기 위해 애썼던 십 년을 모조리 해치는 것과 같았다.

티티라는 그에게 바닷속에서 발견한 보물 궤짝처럼 느껴졌다. 궤짝 안에는 제 온전한 과거, 감정이 담겨 있었다. 아직까지 어떻게 해독해야 할지 몰라 쩔쩔매는 그 이상한 암호들.

그러나 또 그런 갈증만으로 이해하기엔…….

안스카리우스는 몸을 돌려 창 너머 빛을 보느라, 잠시 제 손에 닿은 티티라의 새끼손가락을 바라보았다. 손가락 하나였다. 아니, 하나도 아닌, 벌 한 마리의 땅이었다. 아주 좁았다. 그러나 여름처럼 뜨거웠다.

티티라가 홱 돌아보았다.

그는 차분하게 시선을 받았다. 그 순간 그녀가 한 박자 늦게 손을 떨쳤다.

무슨 말을 하고 싶은 듯 보였지만, 겨우 몇 초간 손가락이 닿았다고 흥분할 단어는 남아 있지 않았다.

티티라는 저벅저벅 걸어 그를 스쳐 지나갔다. 문고리를 잡은 뒤 내키지 않는다는 양 물었다.

"꼬리가 붙은 게 확실하다면, 부두까지 굳이 함께 갈 필요 있나요?"

"나는 따로 돌아갈 이유가 없다고 보는데."

"그럼 손잡거나— 아니, 이건 아니지. 아무튼 이상한 짓 하지 말아요."

그는 기가 막혀 살짝 웃었다.

"내가 네 손을 왜 잡아?"

티티라는 잠이 덜 깨 말실수를 했다고 느꼈는지 얼굴이 벌게졌다.

"아니, 방금은 손이 닿았으니까."

점점 더 이상한 문장이 되고 있었다.

그는 그녀를 도와야겠다고 생각했다.

"멀리 떨어져 가지."

"얼간이 같잖아요."

"뭐가 그렇게 신경 쓰이나?"

"아닙니다. 가요."

티티라는 아까 전 자신이 그러했듯 문을 연 채 기다렸다.

그는 그녀를 지나 작은 홀로 나왔다. 뒤따르는 소리가 들려서 어련히 따라오고 있으리라 생각했다. 좁고, 쿵쿵거리며, 빠른, 한순간 발을 움켜쥐고 싶은 충동이 드는 걸음.

그가 한숨을 내쉬려는 순간, 상대를 전혀 모르는 듯한 목소리가 들렸다.

"총독님께선 제가 뒤에서 무슨 짓을 저지를지 걱정되지 않으시나 봐요."

그는 잠시 멈추어 뒤를 돌아보았다.

"네가 탈란타우에게 내 흉터에 대해 아무 말도 하지 못하는 이유를 믿지."

"……"

티티라는 들으라는 것처럼 투덜대더니, 먼저 문을 열어 작은 길로 떠났다.

안스카리우스는 작은 듯, 큰 듯 종잡을 수 없는 괴물 같은 그녀의 그림자를 바라보았다.

여유는 잠깐이었다. 곧 함께 따라나섰다.

그레슈카는 조용히 이프루이우호에 방문했다. 검소한 마차를 세워 둔 채 수행인 한 명과 함께 갑판 위로 올랐다.

하지만 수행인은 곧 군인들에게 가로막혔다. 긴장된 침묵 속에서 허가증을 확인한 군인들이 뒤로 물러났다.

놀랍게도 교국인들은 저 늙은 노인을 어려워하는 경향이 있었다. 아마 총독과 독대할 수 있는 사역관의 대상 지위가 한몫할 테지만, 애초에 그들은 모든 시노드 신녤인들을 무시하지 않는가. 그러니 보다 근본적인 원인이 있을 것이다. 예컨대, 사람의 신경을 거슬리게 하는 지팡이 소리와—

그레슈카는 지팡이를 꽉 내리찍더니 끼익거리며 끌었다. 마치 어떤 중대한 선언의 징조라도 되는 듯했다.

—그리고 저 불협화음을 일으키는 태도.

"존경하옵는 대대장께, 걸음이 불편한 늙은이에게 도움을 베풀어 주시길 간곡히 부탁드립니다."

그레슈카는 겸양과 짜증을 한꺼번에 부렸다. 당신네들이 내 수하를 밀쳐 낸 것이 기분 나쁘니 당장 나를 부축해라. 간병인은 최소한 오백 군사를 이끄는 대대장이어야 하며 그 이하로는 얼씬도 말라.

그녀를 둘러싼 군인들이 시선을 교환하는가 싶더니, 흘끗 저 너머를 바라보았다. 티티라는 그곳을 함께 바라보다가 싸늘한 기분이 되었다.

그 자리엔 디아세가 서 있었다. 아주 오랜만에 보는 얼굴이었다. 조금 말랐고, 항상 여유 있던 눈썹이 딱딱하게 굳어 있었다.

그는 본인에게 시선이 쏠리자 성큼성큼 걸어왔다.

그레슈카는 다소 반가운 표정이 되었다.

"일전에 뵈었던 디아세 대대장님이시군요. 영광입니다."

물론 그녀는 눈치가 귀신 같은 사람이었다. 디아세의 이름을 부르는 순간부터 무언가 이상하다고 생각한 모양인지, 순식간에 사무적인 말로 바꿔치기를 했다.

그녀는 의심쩍은 눈으로 디아세의 팔짱을 끼었다. 조심조심 제게로 다가오는데, 시선만으로도 '이 인간에게 무슨 문제가 있느냐.' 묻는 것이 빤히 보였다.

"아, 돔니니 상주. 보내 주신 편지에 한동안 고민을 하였는데…… 결국 직접 듣는 것이 낫겠노라 판단했습니다. 그래, 내 위로차 선물도 하나 가져왔지요."

노련한 상주는 텅 빈 제웅 같은 디아세를 보곤 쓸데없는 기 싸움을 했노라 생각하는 듯했다. 어디서 힘이 났는지 갑자기 그의 팔을 떨쳤다. 그러곤 한 손으로 지팡이를 꾹꾹 누르며 뱃전까지 혼자 걸어갔다.

노인은 아주 잘 걸었다.

그레슈카가 중간 크기의 상자 하나를 껴안고 다가오는 사이, 디이세와 눈이 마주쳤다.

그의 시선에선 감정을 찾기 힘들었다. 무슨 말을 해야 할까…… 아니, 그 이전에, 자신이 교국군과 공감하고 있다는 사실이 믿기지 않았다.

"티티라 씨는 저를 저로 안 보고 '어린 소조폴 여자애'로 보시고, 디아세 씨를 디아세 씨로 안 보고 '교국 군인'으로 보시잖아요. 그렇게만 보셨다간 아무것도 해결이 안 돼요."

갑자기 명랑한 목소리가 들렸다.
티티라는 주먹을 꽉 쥐었다. 갑자기 제 겁 많은 세계가 흔들렸다. '교국 군인'을 한데 몰아 불사 지르고 싶다는 바람이 비겁하게 느껴졌다.
"선물은 들어가서 볼까요?"
티티라는 흠칫 놀라 고개를 들었다.
그레슈카는 그녀와 디아세를 흘끗 바라보곤 턱짓했다.
디아세는 인사 없이 뒤돌아 떠났다.
티티라는 딱딱하게 굳은 얼굴로 그레슈카를 안내했다. 짧은 복도로, 선실로 들어갔다.
그레슈카가 상자를 탁자 위에 올려 두었다.
"웬 대상주의 집무실 같은 곳에서 생활하는군."
이제 그 확확 바뀌는 말투엔 익숙해졌다.
"여긴 총독의 배잖아요."
"그게 곧 네가 좋은 생활을 누릴 수 있는 이유가 되는 건 아니지. 볕이 잘 들고 위치도 근사하군. 음, 선장실의 바로 옆이고?"
"하실 말씀이 있으시면 그냥 하셔도 됩니다."
"둘이 자는 거지?"

"그렇게 으스대며 말씀하시면 살아온 날들이 좀 쪽팔리지 않으세요?"

"이 나이 먹고도 재미를 느끼는 게 별반 다르지 않단 사실을 알려 주고 싶지만, 아쉽게도 넌 앞으로 수십 년 뒤에야 깨닫겠구나."

티티라는 고개를 흔들었다.

"안 자요."

"하지만 자지 않는다 해도 너와 총독 간의 관계가 무시무시하단 걸 나는 지난 라스폴로제 극장에서 배웠지."

"……."

"총독이 너 때문에 뒷방에 달려들어? 너, 내가 총독이 들어오는 모습을 보고 배우들 엉덩이를 얼마나 걷어찼는 줄 아느냐? '어서 나가거라! 어서! 쓸데없이 뒤는 왜 돌아보는 것이야? 빨리 무대로 가지 못해!'"

"……그때 별거 없었던 것 같은데요."

그레슈카의 표정이 처음으로 정직해 보였다. '기가 막히네.'라는 문장을 그대로 읽어 낼 수 있었다.

"다행히 내 덕에 아무도 못 봐서 망정이지, 애들이 티끌이라도 눈치챘다면 이미 온 이즈버르에 총독의 애정사가 자자했을 것이다."

"총독의 행동일 뿐, 저와는 상관이 없죠."

"그럼 설마 그가 너를 열일곱 소년처럼 몰래 좋아하기라도 한다는 말이냐?"

"이 이야기는 그만하면 안 될까요? 중요하지 않습니다."

"글쎄, 네 편지 한 줄에 달려온 노친네를 이렇게 대우하는 건 무슨 경우인가?"

"만나자마자 잤냐고 꼬치꼬치 캐묻기만 하시면서, 대우는 무슨 대우예요."

그레슈카는 웃으며 대답했다.

"우리 상주도 나이를 드실 만큼 드셨으니 직언하는 바, 총독과 관계를 가지면 안 되는 이유는 잘 아시겠지요?"

장난스러운 상대의 말에는 진심이 배어 있었다. 때문에 순식간에 이해하고도 고통받았다. 아마 스스로 라요나에게 건넸던 말이 기억났기 때문이겠지.

"다 좋은데, 자지 마라."
"뭐라고요?"

티티라는 뒤로 물러서다 의자에 걸려 털썩 주저앉았다.

그레슈카의 의심쩍다는 시선이 뒤따라왔다.

"설마 그러면 안 되는 걸 몰랐다는 말이냐?"

티티라는 눈가를 짚었다.

"잘 압니다. 지금도 이미 팽당하기 쉬운 마당에, 더 취약해져선 안 되겠죠. 관계가 지속될수록 제가 냉정해지기 힘들기도 하고요."

"음."

티티라는 아무것도 흐르지 않은 눈가를 비볐다. 역시 아무것도 흐르지 않은 코를 훌쩍이며 손끝 너머로 그레슈카를 바라보았다.

"상주님."
"그래."
"독을 마련해 주세요."

가볍게 흔들리던 지팡이 끝이 우뚝 멈췄다.

그레슈카의 시선은 거푸집 같았다. 평범한 색에 방심하다가도, 속을 털어놓으면 그 순간 그녀의 의도대로 찍혀 나왔다.

그것은 서로를 민감하게 바라볼 때 더 섬찟한 감각이었다.

하나, 둘, 셋.

티티라는 숫자를 센 뒤 천천히 부연했다.

"제 자살 용도예요. 만에 하나를 대비하는 거니까, 만일 죽음에 의문을 품은 이가 검시하더라도 나오는 것이 없도록 조용한 독으로 부탁드립니다."

"……."

"저는 교국 협력자이므로, 그런 여자가 살해당하면 이즈버르가 꽤나 고통받지 않겠습니까? 그러니 들통나기 어려운 것으로 잘 구해 주세요."

티티라의 말투는 마치 음식점에서 바질을 빼고 후추를 많이 넣어 달라고 요청하는 듯 들렸다. 그만큼 차분했다.

물론 그레슈카는 당황하지 않고 성큼성큼 대화를 밀고 들어오는 사람이었다.

"내가 왜 네게 독을 건네주어야 하는지 먼저 이야기해 보지."

티티라는 준비한 대로 부드럽게 대답했다.

"제 평판은 뜻하신 대로 손상되었습니다. 저는 이제 사리사욕으로 교국에 이즈버르를 고발한 뒤 바보같이 배반당한 상주가 되었습니다."

"그래서?"

"이 부분을 교국이 괘씸하다고 느낄 수 있습니다. 근사한 침략

명분을 만들고자 저를 끌고 왔는데 엉망이 되었으니까요.”

“그래서?”

그레슈카는 어디까지 지껄이나 보자는 투였다.

“때문에 불필요하게 살려 두느니 어느 날 물에 빠뜨려 죽일 수도 있죠. 더 이상 신경 쓰기 귀찮으니까요.”

“널 죽이는 게 더 귀찮은 짓이라는 건 잘 알지?”

“만에 하나를 생각한 겁니다.”

그녀는 바닥에 꾹 짓누르고 있던 지팡이를 탁자 위에 턱 하고 올려놓았다. 마치 어떤 경고라도 하는 듯이.

“네 수행인, 라요나였던가? 어디 갔지?”

각오했다.

티티라는 다시 고개를 숙였다. 연기를 하자고 생각했는데, 막상 상황이 닥치자 꾸며 낼 수가 없었다. 모든 것이 진심이었다.

눈가에 열이 올랐다. 라요나에 대한 추억을 일일이 되새기지 않더라도…… 이름을 떠올리자마자 뒤집어지는 배 속이 고통스러웠다. 이렇게 표현하긴 싫지만 정말 서러웠다. 그 애는 아무 잘못도 없었는데.

그레슈카가 주인의 허락도 없이 침대에 걸터앉는 것이 느껴졌다. 그녀다웠다. 그 행동만으로도 상대가 무슨 생각을 하고 있는지 알 수 있었다. ‘예상이 맞았’고, ‘이년은 자기 수행인이 죽어 두려워하고 있다’고 생각하고 있겠지. 이제 모두 알아냈다는 태도로 느긋하게 앉은 것이고.

티티라는 흐린 시야를 꾹 누르며 고개를 들었다.

눈을 문지르곤 겨우 앞을 보았다.

그레슈카는 무표정했다.

"살인을 명한 자가 누구지? 사유는?"

티티라는 침묵했다.

"독은 누구를 위한 건가?"

절대 대답할 수 없었다.

"저는 제 고통이 두려워 독을 부탁드린 겁니다."

"네가 정직해지기 전까지 절대 독을 제공하지 않겠다."

"왜 제가 살인을 쉽게 저지를 거라 생각하십니까? 전 태어나서 한 사람도 죽인 적이 없어요."

"소조폴에서 가까스로 죽지 않은 이들은 네 오래된 별명을 기억하고 있지. '사마귀'."

티티라는 입을 다물었다.

그레슈카는 도저히 꿰뚫어 볼 수 없는 눈으로 그녀를 뜯어보았다.

"상단의 오래된 계약 용병과 관계를 가지다가 죽었다고."

결국 소문이 그렇게 났나 싶어서 눈물 속에서도 킬킬 웃음이 났다. 그녀는 다시 손안으로 숨어들어 미친 사람처럼 끅끅거리며 웃었다. 돌겠네!

갑자기 절뚝이는 소리가 들렸다. 갑판 바닥을 탁, 탁 건드리는, 의지를 가진 걸음. 제 앞에서 우뚝 섰다.

갑자기 손목을 쥐는 온기에 깜짝 놀랐다. 티티라는 눈을 크게 뜬 채 손을 빼앗겼다.

그레슈카는 미련히 무표정했다.

"내가 말했지. 총독과 관계를 가지면 안 된다고."

티티라는 딸꾹질을 했다. 갑자기 자기가 열몇 살짜리 어린애가 된 기분이었다. 전혀 닮은 구석이 없는데도 그레슈카의 얼굴에선 투크 바하 씨가 보였다.

그녀는 멍하니 있다가, 그레슈카가 제 양 뺨을 움켜쥐자 흠칫 놀랐다.

그 순간 뺨을 맞았다.

홰에 불이 붙듯 정신이 확 들었다.

그레슈카의 얼굴은 이제 약간 일그러져 있었다.

"이제야 정신을 차려."

"……."

"이 멍청한 년이, 그걸 그렇게 잘 알고도 총독과 자서…… 이제야 두렵다는 거지. 네 수행인이 교국군과 친밀해진 죄로 죽자, 저놈이 질리면 너도 끝이라는 걸 깨달았구나. 독을 받으면…… 그래, 총독을 죽일 수 있지만, 그를 죽여 봤자 네가 더 위험해지기만 할 뿐이라는 사실을 너도 알겠지. 그러니 독은 죽음으로 도망가기 위한 용도일 것이고."

"……."

"젊고 아름다운 애들은 마음을 쉽게 써선 안 된다. '저 남자가 놀랍다. 경외심이 들고 존경스럽다.' 그딴 목 졸린 물귀신 같은 생각을 하면 안 된다고. 그걸 핏덩이일 적에 겪고도 배우질 못했나, 가련한 것."

모든 게 사실이 아니었다. 자신은 총독에게 경탄한 적도, 오트카저트를 존경한 적도 없었다. 심지어 라요나조차 디아세의 '권력'에 혹하지 않았음을 이젠 안다.

하지만 그레슈카의 말은 살을 베는 듯했다. 그녀는 자신이 총독에게 홀렸다고, 그래서 쉽게 마음을 내주었다고 착각하고 있었다.
진실이 아니니 적당히 놀음에 맞춰 주면 되었다……

하지만 마음먹은 만큼 거리를 두기가 쉽지 않았다.

티티라는 말끝을 흐렸다.

"전……"

"내가 총독과의 치정 소문을 내지 않은 것은 그가 너를 죽일까 걱정해서이기도 했다. 똑똑한 애를 한순간 실수에 희생시킬 생각은 없었어. 시간이 지나면 어련히 제 길을 찾아가리라 믿기도 했다. 그런데 칼이 상당히 빨리 닥쳤구나. 넌 그때까지 눈치를 못 챘고."

그레슈카의 착각에 맞춰 주는 편이 좋을 것이다……. 그녀는 자신이 라요나처럼 죽을까 두려워한다고 생각하고 있었다. 교국군의 처형이 무서워 급히 독을 찾는 것이라고, 그것은 남을 죽일 수도 있지만 결국 본인을 위한 독이기에, 그 파괴적인 결말을 씁쓸하게 여기는 것이라고 믿었다.

티티라는 그렇게 생각하여 대답하지 않았다.

그렇다고 울 필요는 없었는데, 눈물이 조금 났다.

라요나 때문은 아니었다. 오히려 그레슈카 탓이라고 속마음이 주춤주춤 고백했다. 나이 든 상주의 말과 공명하는 어떤 기억들이 티티라를 상처 입혔다.

한참 뒤, 그레슈카가 말했다.

"독은 마련해 주겠다."

"……"

"단, 똑바로 말해라. 누가 라요나를 죽였지?"

그녀는 라요나의 이름을 기억하고 있었다. 그 사실이 티티라를 부드럽게 건드렸다.

"……탈란타우에."

"그 광견병 걸린 총독?"

"네."

"디아세 대대장과의 관계를 트집 잡혀 처형당했나?"

"네."

"하필 골치 아프군. 탈란타우에는 초대 총독으로서 교국인들이 거역하기 어려운 상대다. 디아세 대대장이라면 당연히 찍소리도 못 했을 것이고, 바를라암 총독도 꽤나 쉽게 너를 포기할 것으로 보이는군."

"……."

"이것 봐. 같이 놀아도, 너 혼자 다치는 건 한순간이다."

이 끔찍한 기시감. 투크 바하 씨에게 느꼈던 바이기도 하고, 자신이 라요나에게 건넸던 진심이기도 했다. 모든 사실 관계가 다 틀려도 그 동질한 감정이 그녀를 움츠리게 했다.

딱딱하게 굳어 있는 그녀를 본 그레슈카가 한숨을 쉬었다.

"티티라 돔니니."

"……."

"독은 오로지 네 불안한 마음을 달래기 위해 주는 것이다. 자초지종을 들으니 이제야 좀 알겠어. 우리 상주께서 아직도 사랑하실 바를라암은 목표가 아니었군. 우리 상주의 적은 바를라암이 아니야. 탈란타우에, 탈란타우에. 오랜만에 돌아온 땅에서 기선을 제압하기 위해 사람을 죽이는 미친 놈팡이……. 그놈을 해쳐도 나는 상관없지만 애초에 불가능하단 점을 명심해. 실패하든 성공하든 사지 온전히 죽지는 못할 것이다."

"……만일 제가 탈란타우에를 해칠 거라고 조금이라도 의심하신다면, 불안하지 않으신가요? 제가 독의 공급처를 나불댈 수 있잖아요."

"아, 당연히 나는 일이 터지는 즉시 이즈버르에서 사라질 거다. 어차피 교국은 한동안 다른 항구로 세력을 확장할 수 없으니 말이다. 특히 탈란타우에가 죽으면 저놈들은 발이 꽉 묶일 게야."

사제왕 바를라암과 사제왕 탈란타우에, 그리고 법황의 대리인. 이 균형에서 한 사람이 사라지면 당장에 저울이 기우는 것은 당연한 일이다.

티티라는 그레슈카에게 반박하지 못했다. 그녀 또한 법황과 사제왕들 사이에 도사린 살기를 느낄 수 있었다. 그레슈카가 어떻게 아무것도 모른 채 추론했는지는 세상 놀라운 일이었지만, 더 이상 거짓이라고 쏘아붙일 수 없었다.

갑자기 멍청한 욕구가 들었다.

티티라는 툭 내뱉었다.

"탈란타우에를 죽이는 저를 상상하세요."

"……"

"절대 불가능한 일이라곤 생각하지 마세요. 사지가 찢겨 죽어도, 감당해야 한다면 그래야죠. '죽느냐, 죽이느냐'의 사이라면 저는 결정할 수 있습니다."

"알겠다."

"그런데도 독을 주시겠다고요?"

"그래."

"진짜 상주님도 늙어서 감이 다 떨어지신 거 아니에요? 상주님

안위에 무슨 해가 가면 어쩌려고요?"

그레슈카는 고개를 기울였다. 티티라는 상대 표정을 읽길 완전히 포기했기 때문에, 불만스럽게 앉아 그녀의 주름 개수나 세고 있었다.

"돔니니, 내가 가장 바라는 바는 이 항구에서 교국이 꺼지는 거다."

"……."

"나는 저 덜떨어진 인간들이 내 이득을 좀먹는 것이 싫다. 불필요한 허례허식과 무의미한 말들이 싫다. 또한 언젠가 저들이 종교를 강요하는 시점이 왔을 때, 죽어도 받아들일 생각이 없다. 나는 '교화'당하지 않을 것이다."

"……."

"지금은 매우 민감한 시기다. 십 년 만에 새로운 도시를 침공한 사제왕, 그에 불만을 품은 법황. 여기서 법황이 패배하면 시노드 신넬은 항구 도시들부터 모조리 점령당한다. 슬프게도 우리가 그에 대비하여 할 수 있는 일은 없지. 오로지 법황이 사제왕의 욕심을 잘 틀어막길 바랄 뿐이다."

"……."

"내가 왜 네게 교국의 정당한 명분이 되지 말라 했을까? 이젠 알아? 제발 좀 알아, 어린 친구."

아마 혼자였더라면 몰랐겠지만, 사제왕들, 그중에서도 탈란타우에의 솔직한 고백은 단 한 가지만을 가리켰다.

"……허가 없이 군을 부린 사제왕들에게 정당한 개전 사유마저 없었더라면, 앞으로 벌어질 재판이 그들에게 더욱 혹독했을 겁니다."

그레슈카가 희미하게 웃었다.

"더 자세히 설명해 보거라."

"교국은 시노드 신넬 시민의 안위를 위해 통치한다고 주장했기 때문에, 시민이 부당하다고 항의하면 그를 교정할 의무를 가지죠. 마치 대상단들이 거래를 방해하는 도적 떼 토벌을 요청하면 지체 없이 죽여 주는 것처럼. 이즈버르도 그런 나쁜 놈이었다고 우기면 되거든요. 해석에 있어 충분히 정상 참작될 여지가 있습니다."

"좋군."

"제가 협박당해 교국에 협력했다는 평판이 일거나, 혹은 교국이 이즈버르를 점령한 뒤 저를 구박한다는 평판이 생기면 애초에 이 즈버르를 침공한 이유부터가 모호해지겠죠. 시노드 신넬인을 위해 침공했는데, 최초 고발자를 학대해? 모든 내용이 재판에 반영될 거 예요."

"잘 알고 있어."

"……"

"나는 이즈버르의 대상이지만, 내 손에 쥐인 무기는 너뿐이다."

"……"

"'그레슈카 대상주'는 시노드 신넬에서나 유효한 명패지. 교국에 있어 나는 불신하는 협력자에 불과해. 아무리 아첨을 떨어도 그뿐 이다. 그러니 차라리 네가 중요한 셈이다. 너는 어쨌든 재판을 목 격할 수 있는 유일한 시노드 신넬인 아닌가. 나는 그날 부두에 가 까이 가지도 못할 외부인이고."

티티라는 잔뜩 솔직해진 그레슈카를 진지하게 바라보았다.

"교국이 향방은 이번 재판에서 결성될 것이야. 적어도 앞으로 십 년 동안은 그 결과에 따라 움직일 터. 너는 정신을 똑바로 차려야 한다."

"……."

"그래. 넌 총독과 잤다. 내가 멍청하다고 욕한들 이미 접붙은 걸 돌이킬 수는 없지. 그렇게 네가 자살하면 나로선 재판의 증인이 없어지는 셈이니 나쁘지 않다. 네가 탈란타우에를 죽이면 법황이 승리할 테니 더더욱 좋다. 나는 절대 손해 보지 않으므로, 네가 직접 파고 들어간 구덩이를 구태여 탓하겠느냐?"

티티라는 퉁명스레 내뱉었다.

"제가 죽길 바라지 않으신다면서요. 다 들키셨어요."

"네가 죽길 바라지 않는다. 하지만 죽으면 애도할 마음도 언제나 가슴 한편에 지니고 있지."

그녀는 기가 막혀 웃었다. 그레슈카는 눈썹을 치켜떴다.

"왜, 상주의 미덕을 네가 모를 리도 없을 테고."

"당신은 저를 너무 좋아해요."

이번에는 그레슈카가 기가 막혀 웃는 듯했다.

"저는 젊고 팔팔하죠."

"자기를 가판대 위의 생선처럼 묘사하는군그래."

"적당히 영리한 데다 열심히 노력하고요. 하지만 저를 보며 당신 어렸던 시절을 떠올리지는 마세요."

그레슈카가 콧방귀를 뀌었다. 티티라에게 그것은 긍정하는 답이나 마찬가지였다.

"저라면 아펭글로를 안 보내 줬을 겁니다. 애초에 지원해 주지도 않았을 거고, 그놈을 경계했을 거라고요. 당신은 너무 물렀어요. 그러니 저는 당신 젊은 시절과 달라요."

더 이상 그레슈카의 옛 친구를 이야기하며 안스를 떠올리지는 않았다. 그보단 안스카리우스가 마음 한구석에 있었다. 걸쩍지근한…… 불쾌감이자, 호기심이자, 흥분이자…….

"글쎄, 돔니니. 네가 그럴 수 있는 위인이라고는 생각 안 하는데."

"아, 그래도 인정하시네요. 당신이 물러 터졌다는 거."

"아펭글로는 대단한 인간이었다. 내가 지금 그를 경멸하는 것과는 별개의 문제지."

"정말이지, 사십 년이 지났는데 이게 무슨 꼴이야. 그 사람이 무슨 책을 가져갔는지는 확인하셨어요?"

그레슈카는 창 너머를 바라보았다. 해가 중천에 뜬 이즈버르의 근해는 에메랄드색으로 빛났다.

"……「남해의 연인에게 고함」."

티티라가 웃음을 터뜨렸다.

"하하! 그 사십 권짜리 애정시詩를!"

책은 삼백 년 전 유명한 시인이 쓴 소설이자 애정시였다. 당시의 제본 기술이 좋지 않아 한 권의 두께가 얇았고, 후대가 그를 존중하여 유지했다. 때문에 말이 사십 권이지, 지금 기술론 열맷 권도 채 안 될 터라 숨기기 어렵지 않았을 것이다.

티티라는 한참 동안 웃다가 내뱉었다.

"진짜 친구 맞아요? 거짓말 치지 마."

그런 책을 들고 갔다면 아펭글로에게 무슨 목적이 있었을지 짐작하기 어려운 일은 아니었다. 침공을 부추기기는커녕, 오히려 연인을 추억하는 기념품 아니겠는가.

티티라는 그레슈카가 저토록 태연한 게 정말 대단하다고 생각했다. 나도 뻔뻔스럽기로는 어디 가서 지지 않지만 저 여자는 더하네.

"내가 어떤 책이 사라졌는지 몰랐던 것도 이상할 일은 아니다. 그딴 책은…… 누구나 구비해 놓는 장식품이지. 어차피 대시인의 작품에는 시노드 신넬의 여러 도시들과 생활상이 묘사되어 있으므로 여전히 유출죄가 있다고 생각한다. 저들이 어떻게 소조폴을 '먼저' 침략할 생각을 했겠느냐?"

"하지만 당신이 처음에 상상했던「시노드 신넬 항구 백 년 개괄」같은 건 아니었잖아요."

"그렇다고 별로 달라질 건 없다. 다시 처음으로 돌아왔을 뿐이지. 좋은 추억, 그 이상도 이하도 아니다."

티티라는 그녀가 왜 자신에게 냉정하지 못한지 알 것 같다고 어렴풋이 생각했다. 그레슈카는 엄청나게 노련하고 현명한 상주였지만 결국 그 또한 평생토록 기른 껍데기일 터다. 그 속은…….

"상주님, 독을 마련해 주세요."

"그리한다고 했잖느냐."

"예후도 없고, 사후에도 눈에 띄지 않는 독을요."

"……."

"그리고 잘 생각해 보세요. 제가 자살할까? 아니면 죽일까?"

"……."

"당신 젊었을 때를 돌이켜 봐도 좋겠네요."

그레슈카는 한참 동안이나 티티라를 바라보았다.

"그러면 너도 잘 생각해 보거라. 나는 네가 자살하길 바랄까? 아니면 탈란타우에를 죽이길 더 바랄까?"

티티라는 선문답에 찔린 사람처럼 인상을 찌푸렸다.

그레슈카는 그녀의 어깨를 툭툭 건드린 뒤 지팡이를 찾았다. 그리고 인사 없이 뒤돌아 나갔다.

안스는 배에서의 생활에 익숙해졌다. 심부름이라곤 고작해야 가끔 장교 식당에 오가거나, 항해사를 부르거나, 멜로스 로볼레호의 대대장에게 명령을 하달하는 것 정도였다. 그마저도 하루 두어 번이면 더 엉덩이를 뗄 일도 없었다.

그보다 빡빡하게 일정을 채운 것은 탈란타우에의 가르침이었다. 안스는 그와 비밀을 공유한 후 매일같이 수많은 지식을 배웠다. 자기가 어떤 상황에 처해 있는지 그다지 신경이 쓰이지 않을 정도로, 정말 압도적인 규모의 앎이었다.

예를 들어, 한때 지배 세력이었던 사제왕들이 어떻게 신앙에 굴복하게 되었는지. 왜 무력하게 법황과의 공동 통치자로 전락했는지. 그들이 멍청했는지, 아니면 신을 모시며 평화롭길 바라는 마음이 그토록 컸는지. 꾸준히 권력을 상실하여 지금에 이르러선 법황의 불만스런 하인이 된 이들을 무슨 심정으로 바라봐야 하는지.

아주 옛날, 사제왕과 그 혈족들은 '북쪽에서 내려온 인간들'이라는 명칭으로 존경받았다. 그들 사이를 묶어 주는 끈은 아예 없다고 해도 과언이 아니었지만, 그래도 대륙의 절반을 그럭저럭 잘 지배하고 있었다. 모두가 서로를 경계했기에 교류가 활발하지 않았으며, 지언스러운 수순으로 그들의 재산 또한 각자의 땅에서 나는 것만으로 충당되었다.

그렇게 흩어져 있던 그들을 신앙이 주워 담았다. 한 바구니 안에 단단히 집결시켰다. 처음으로 지방 토호들이 같은 자리에 모였다. 처음으로 전투 이외의 공간에서 각자의 군사를 마주 보았다. 신 앞에 손을 잡았다.

물론 그렇게 모여도 고작해야 대륙의 절반. 나머지 절반을 얻기 위해 용맹하게 싸웠으나 손발 안 맞는 꼭두각시처럼 처참하게 졌다. 전혀 모르는 땅, 엉망진창인 보급, 수많은 방언들.

그들은 다시 서부에 꽁꽁 뭉쳤다. 법황은 그때까지만 해도 신앙심을 도닥여 주는 좋은 조언자에 불과했다. 법황이 처음부터 '돈'을 건드렸다면 토호들도 반항했을 텐데, 영리한 지배자는 당연히 그러지 않았다.

법황은 어리둥절해하는 무식쟁이들 앞에서 울며불며 교육 제도를 새로이 세울 것을 주장했다. 승리하기 위해 필요하다고 했다. 부끄럽게 패배했던 기억이 나지 않습니까? 이 멍청한 것들아. 각자는 안 돼. 같이 배워야 해. 다들 같은 생각을 해야 해. 그 주장은 전혀 불순해 보이지 않았다. 하여 토호들은 동의했다. 신의 영광을 위해 필요한 처사임을 이해했다.

그 명목으로, 서로 이어진 덕분에 만들어진 세금들— 그러니까 제대로 된 통행세와 관세가 걷히기 시작했다. 미친 듯한 반항이 있었지만 군사를 쥐고 있던 토호들이 무자비하게 진압했다. 이때 처음으로 '불신자'니, '이교도'니 하는 어휘가 사용되기 시작했다—맞다, 보통 돈을 안 내면 '불신자'다—. 토호들은 신앙에 돌아버려 제정신이 아니었다. 제 손으로 들어오는 돈도 아닌데 지극정성이었다.

몇 번의 시행착오가 있었으나 이렇게 거둔 돈으로, 마침내 얼기설기 중앙 집권에 가까운 체제가 만들어졌다. 법황은 새로운 세금과 제도를 얻은 뒤 신성한 뒷간에서 뚱땅거리며 사제들, 기술직들, 학자들, 교육받은 군인들, 무엇보다 신민들을 찍어 냈다.

토호들은 곧 무궁한 신의 제국이 건설되리라는 희망에 부풀어 올랐다. 어쨌든 당시 그들은 사람들에게 직접 권력을 행사하고 세를 걷는 지배자였기 때문에, 눈 뜨고 코를 베였느니 하며 멍청하다고 비웃기는 어렵다.

그렇게 내부를 견고히 한 것은 성과를 냈다.

서사시처럼 말해 보자. 육백 년 전, 여러 지역 토호들—사제왕들—의 지지를 받아 서부의 지역 국가로 성립되었던 교국은 백오십 년간 국력을 쌓았다. 그렇게 기틀이 마련되자마자 다시 사방을 침공했다.

마침내 그들은 대륙을 정복하는 데 성공했다.

그 뒤 기존의 '사제'들은 '법황의 대리인'들이 되었고, '법황의 대리인'들은 온 대륙에 퍼져 길을 만들었다. 신앙으로 다져진 우호적인 길은 곧 교역으로 이어졌다.

교역은, 돈이었다. 돈은 법황청으로 갔다.

법황청은 전쟁 이후 교육과 신앙을 지원하기 위해서라는 핑계하에 몇 가지 필수품들의 전매제를 갖춰 냈다. 더 나아가 상단 조합 형태의 조직들을 신설했다. 그들이 관리하는 길에서 운수, 교통, 숙박 시설은 신의 이름 아래 보호되었다.

웃기지. 안스는 진짜 웃었다.

내륙을 쥠에 넣은 뒤, 전매와 통상을 통해 이윤을 독점했다고. 이건 시노드 신넬 상주들이 감동받아 눈물을 흘릴 게 분명한 꿈이다.

게다가 그간 사제왕들은 대륙을 정복하며 배로 늘어난 신민들을 회유하기 위해 —법황의 제안하에— 세율을 낮춘 뒤였다. 다스리는 군인 수는 늘어났는데 세율은 낮아졌다면, 자비롭게 '지원'하겠다는 법황의 제안을 받아들였어도 이상하지 않을 것이다.

물론 '지원'은 역시 '돈'이고, 돈이 가는 곳에는 감사관이 따라간다. '법황의 대리인'들 말이다.

그렇게 하나씩 빼앗겼다. 예컨대, 분명 법을 만들고 재판하는 권한은 사제왕의 땅에서 사제왕의 것으로 남아 있었다. 그러나 여러 지역을 넘나드는 일들—그러니까 대부분의 '중요한 일'들—은 법황의 판단에 달려 있었다. 결국 시간이 지나자 집 앞 개울과 관련된 재판이 아닌 이상 법황의 성스러운 판결만이 의미가 있게 되었다.

물론 사제왕들이 땅과 군대를 보유하고 있었다는 사실은 꾸준히 강조할 만하다. 다만 꾸준히 강조한다는 것은, 자꾸만 말하지 않으면 잊힐 정도로 무가치해졌다는 뜻이다. 이제 각자 얻는 세금은 법황의 새로운 세금 앞에선 수수깡처럼 연약해 보였다.

안스는 흥미롭게 공부하며, 대충 이 부분쯤에서 사제왕에게 복종하는 군대가 법황을 죽였으리라고 생각했다. 이렇게 벼랑 끝까지 밀려났으면 한번 죽여 줘야 하지 않나?

그런데…… 신을 믿는 군대는 법황의 권위와 세금에 어떤 의문도 품지 않았다. 그들은 사제왕들을, '불신자'들과 싸우는 선봉대이자 세속적인 일을 해결하는 고귀한 하인들로 여겼다. 현실의 주인에게 복종하지 않은 것은 아니지만, 신앙은…… 조금 다른 문제라고 했다.

좀처럼 이해가 가지 않았다. 베오메네스의 태도에서 단서를 얻어 보려 노력했다…….

아니, 그래도 잘 몰랐다.

자신이 궁금증을 토로하자 탈란타우에는 말했다.

"아직도 교국의 본질을 모르는군."

안스는 신앙이 본질이란 소리는 하지 말라고 투덜거렸다. 그의 불평불만을 들은 탈란타우에는 질리지도 않고 어린 바를라암의 순진함에 대해 일장 연설을 할 기세였다. 이에 안스는 바로 꼬리를 말고 다른 이야기를 꺼냈다—

아, 이런. 신앙에 대해 이야기하니 또다시 익숙해지지 않는 게 생각났다.

안스는 당연히 폭풍우를 자주 겪은 선원이었다. 물론 이런 망망대해의 파도와는 조금 다르지만, 그렇다고 또 눈이 뒤집어질 정도로 다른 것은 아니었다.

때문에 비가 쏟아지고 배가 울렁거리는 차가운 날씨에도 두리번거리며 손이 부족한 자리를 찾았다. 죽는다면 자신이 손쓸 틈도 없이 죽을 것이고, 산다면 제 도움에 힘입어 사는 것이다. 그는 이처럼 겸손한 선원의 자세를 일생토록 견지해 왔다.

그런데 멜로스 로불레호에서 폭풍을 겪은 첫날.

"여러분, 「일로피이시서書」 1장 마지막 절을 기억하십시오."

인ㅿ는 쐬ㅆㅎ한 瓲징으ᅐㅌ 누ㄹ번댔다. 뱃머리에 선 나이 든 남성 앞에 교국군이 모이는 모습을 발견할 수 있었다. 아니, 그런 모습은 '발견'할 수 있는 종류가 아니다. 이 혼란한 와중 묵상하다니, 장님도 놓칠 수 없었다. 그들은 이제 무릎을 꿇고 있었다.

그는 한순간 깨달음을 얻고 다시 한번 사람들을 둘러보았다. 갑판 위 몇몇 필수적인 인원들은 제자리에 남아 있었으나, 잠시 동작을 멈추는 것은 모두가 똑같았다.

'도망가야 해!' 소조폴에서 자란 안스는 생각했다.

"신을 섬기는 사제왕 알렐링기에스는 모두가 잠든 사이 수평선 위에서 커다란 빛을 발견했습니다. 그것은 빛이자 어둠이었으며 격랑이자 고요였습니다. 기이한 일이었습니다. 수십 명이 어깨를 마주한 배에서 어떻게 그 혼자 빛을 바라볼 수 있었을까요?"

아. 도망가야 하는데…….

"알렐링기에스는 그것이 그와 모든 인간을 위한 장막임을 깨달았습니다. 그는 주저하지 않고 타륜을 돌렸습니다. 혼자 힘으로는 불가능한 무게였지만 그는 능히 거인의 위력을 발휘할 수 있었습니다. 그는 끊임없이 속삭였습니다. 구원하는 신이시여, 높은 바위와 깊은 빛 속에 이 부적절한 삶의 욕망을 숨기옵소서. 마음으로 주主께 아뢰되, 미련한 종을 구하소서. 그는 빛 속으로 배를 인도했습니다. 마침내 알렐링기에스는 그 홀로 카눈의 백사장 위에 서 있다는 사실을 깨달았습니다. 수십 명의 선원과 배는 온데간데없었습니다. 여러분, 여기서 알렐링기에스의 일화가 우리에게 주는 교훈은 무엇이겠습니까?"

다들 엄격하게 무릎을 꿇고 있었다. 아니, 이젠 고개를 쳐들고 입 모아 대답했다.

"주 앞에서 어찌 두려워하리오."

안스는 슬금슬금 그림자 속으로 들어갔다.

"옳습니다. 알렐링기에스가 폭풍우를 마주했을까요? 그래서 폭풍우로부터 벗어났을까요? 아니면 잠잠한 바다 위에서 오히려 배를 위험한 곳으로 인도했을까요? 우리는 알 수 없습니다. 그 홀로 영적인 경험 속에 남겨졌기 때문입니다. 그는 흰 모래에서 주를 찾았습니다. 그에게는 함께했던 자들이 모두 포악한 적에게서 벗어났다는 믿음이 있었습니다. 그는 두려운 항해를 피한 것이 아니라 주의 인도하에 죄악 없는 곳에 선 것입니다."

그 순간 안스는 선실로 도망쳤다. 폭풍 속에서 갑판 일을 돕고 싶었지만 이건 아무래도 안 될 일이었다.

그는 허겁지겁 문을 걸어 잠그곤 텅 빈 복도를 바라보았다. 항상 짐과 함께 누워 있던 베오메네스는 없었다. 그가 저 바깥의 설교에 깊이 감동받고 있으리라 생각하니 갑자기 소름이 오스스 돋았다.

안스는 출렁이는 배에 균형을 잃고 머리를 부딪혔다. 죽을 만큼 아팠다. 그러나 정신이 번쩍 들어 차라리 나쁘지 않았다.

이리저리 흔들리며 걸어갔다. 노크도 없이 선장실의 문을 벌컥 열었다.

탈란타우에가 의아하다는 시선으로 그를 바라보았는데, 안스는 태어나서 그가 반갑기는 정말 처음이었다.

"갑판에, 일을 도우러 갔는데……."

"그런데?"

"군목이 설교를 했습니다. 곧 노래도 부를 기세였어요. 비가 저렇게 내리는데 말이에요."

"그게, 뭐? 지금까지 군목 예배를 못 봤던 것도 아니잖아?"

"상황이 다르잖습니까. 지금은 폭풍우가 몰아치기 직전이라고요. 대해에 못 나와 본 저도 전조를 알 수 있을 만큼 명백해요."

"'곧' 폭풍우가 닥칠 예정이잖나. 저들에게 여유를 좀 줘. 까탈스럽기는."

"아니, 장범장[4]이 돛에 대롱대롱 매달려 성호를 긋고 있는데도요? 지금 이 상황에?"

"시끄럽다. 계속 종알댈 거면 다시 바깥 설교나 들으러 가."

탈란타우에는 말로 그치지 않고 문진을 집어 던졌다.

안스는 깜짝 놀라 피했다.

문진이 문에 턱 하고 찍히더니 튕겨 나갔다. 문 위로 움푹 팬 자국이 남았다.

오늘도 또다시 예배가 진행 중이었다. 안스는 그날 손상된 문을 바라보았다.

"너, 폭풍우가 칠 때마다 이렇게 기어들어 올 테냐?"

"폭풍우 때문에 들어온 게 아닙니다. 저는 정말 갑판 일을 돕고 싶습니다. 그런데 옆에서 자꾸만 성호를 긋고 노래 부르는 자식들이 거슬려요. 그 짓 좀 안 했으면 좋겠습니다. 심지어 아무것도 안 하던 베오메네스도 나와서 한 곡조 뽑더군요."

탈란타우에의 손이 멈칫했다.

"요새 베오메네스 백인대장이 따로 네 시중을 들 일이 있던가?"

안스는 동요하지 않은 척했다. 앞에 선 저 남자가 아무렇지도 않게 베오메네스의 목뒤를 잡고 바다에 빠뜨릴 인간이라는 데 제 전 재산을 걸 수도 있었다. 제 경계심을 들키지 않도록 대답을 잘해야 했다.

---

4) 돛을 유지, 보수하는 책임자.

"네. 그는 일부러 사환 쪽방 앞을 지키고 있습니다. 아마 저—사제왕의 부름을 받는 소조폴 사환이죠—를 향한 불만분자들이 나올 때 막으려는 모양입니다. 그들이 저를 죽이진 못해도 어디 한구석 못 쓰게 만들 순 있으니까요."

탈란타우에가 한 번 더 추궁했으면 그 인간이 팽팽 놀고 있단 사실이 완전히 들통났을 것이다. 그러나 사제왕은 예상외로 가볍게 어깨를 으쓱일 뿐이었다.

"그런가. 알겠다."

"……."

"아, 오늘은 말해 줄 게 하나 있다. 바를라암의 딸이자 네 동기."

안스는 바닥을 내려다보았다.

탈란타우에는 가끔 자신을 꽉 껴안곤 무자비하게 칼로 쑤시듯 대화를 시작하는 경향이 있었다.

"디아딜로테 세메라 바를라암."

푹.

"올해 스물다섯이지. 형제 사이에선 어린 고명딸이었지만 아무리 그래도 너보단 나이가 많다. 연치 차이가 나는 동기들에게 귀여움을 받으며 자랐다. 수녀원을 자주 오간 건 신앙이 깊어서라기보다는 공부를 위해서였지. 네게 처음 이야기할 때 이것저것 말을 꾸몄지만 솔직히 그 애에게 후계자 욕심이 있었을 거라곤 생각 안 한다. 손위 형제를 셋이나 두고 산 지가 스물세 해나 되었잖느냐. 불필요한 희망이야."

푹.

난데없이 이렇게 공격하는 것이다. 그게 비단 충격적인 사실일

필요는 없었다. 그저 진실과 함께 자신을 가둬 두곤 문을 잠글 수 있는 정도라도 충분했다.

안스는 한 번도 본 적 없는 제 '누님'에 대한 이야기가 불편했다.

"그렇지만 형제 셋이 매장된 뒤엔 디아딜로테도 현실을 받아들이겠노라 각오했을지 모르겠군. 내키지 않아도 바를라암에 장성한 핏줄은 그 애뿐이었으니까."

"……."

"바를라암이 내게 너를 찾아오길 부탁했을 때 그 애도 곁에 있었다. 잃어버린 동기를 찾는다는데 전혀 불쾌한 눈치가 아니었다. 너도 내 사람 보는 눈이라면 믿겠지? 그 애는 단지 좀 확신이 없는 듯했다. 너를 찾든, 찾지 못하든 제 인생에서 별로 결정할 게 없는 친구처럼 보였다."

"……."

"얌전한 건 아닌데, 이것 참, 설명하기 어렵군. 아무튼 바를라암이 다른 선택지도 손에 쥐고 싶어 할 정도의 인간이라 보면 된다."

안스는 가까스로 말을 만들어 냈다.

"당신 지금 제가 무슨 후계자 후보라도 되는 것처럼 이야기하는 거 알아요?"

탈란타우에는 거친 파도에 한순간 기우뚱 흔들려 탁자를 짚었다. 그는 몸을 돌려, 가는 비가 내리는 창 바깥을 확인했다. 혀를 찼다.

모든 동작 사이사이의 빈 공간이 일부러 저지르는 범죄처럼 여겨졌다. 정말이지 긴장하는 자신이 싫었지만, 아무리 대화를 많이 나눠도 그 인상의 본질은 바뀌지 않았다.

"폭풍우가 오래가진 않을 텐데……. 반 시간, 한 시간……. 아,

무슨 이야기를 하던 중이었지?"

"……제가 바를라암 후계자 후보인 것처럼 이야기한다고요, 당신이."

"아, 그렇지. 그야 당연하지."

물론, 언제나 오락가락하며 뒤통수치는 걸 좋아하는 탈란타우에에게 이 정도는 배신도 아니었다. 어차피 이만한 지식을 알려 주면서 아들이 그리워 부른다는 변명을 해 봤자 더 우스워질 뿐이었으니 그러려니 했다.

"그런데 그렇게 군목 예배 때마다 도망쳐 들어오면 절대 사제왕이 못 된다. 바를라암이 용납할 리가 없다."

"당신은 눈곱만큼도 신을 믿지 않는다면서요."

"바를라암은 믿는데? 신앙심이야 각자의 자유 아니겠나."

"잠깐…… 사제왕들은 다 불신자들 아니었어요?"

"교국인이 들으면 거품 물고 쓰러질 소리를 하는군. 아니야. 나는 유별나게 제정신이 아닌 거고, 대부분 신을 믿는다. 법황을 믿지 않을 뿐."

"아, 헷갈리네요."

안스는 지끈거리는 이마를 감싸 쥐었다.

"그런데 당신은 사제왕이고, 교국인들 앞에서 신을 믿는 척하려면 지금 당장 나가서 예배에 참석해야 하는 거 아닙니까?"

"지위 문제가 있지. 갑판으로 나가면 당장 내가 설교해야 하는데 난 싫다. 사제왕들은 군에 부대끼기 싫어서 약식 예배에 참석하지 않아. 홀로 기도를 올리기만 해도 충분하다."

"당신은 안 하잖아요."

"나는 안 하지."

그는 한입으로 두말을 하는 데 최적화된 인간이었다. 이해가 되지 않는 건 아니지만, 그래도 짜증이 났다.

"탈란타우에—"

"좌우간, 네 누이 말이지. 디아딜로테. 그 애가 네게 바로 인사를 오지 않을 수 있다. 수줍은 게 아니라 어떤 상대인지 경계하는 성격 때문이지. 그러니 그 애가 언제 나타나든 놀라지 마라. 처음에 좋은 인상을 심어 줘서 나쁠 건 없으니까."

"……."

"굳이 경쟁자로 생각하지 마. 너 스스로를 증명하는 게 먼저다. 글자 하나 모르는 천치는 아니라고 증명해. 먼바다로 흘러갔다 후계자 후보로 돌아오려면 그 정도는 해야지."

안스는 제 품에 떨어진 진실 조각들을 바라보았다. 아귀가 하나도 맞지 않아, 맞추려면 꽤나 시간을 들여야 할 것 같았다.

"땅이다!"

갑자기 바깥에서 들리는 큰 소리에 휙 뒤를 돌아보았다.

탈란타우에를 다시 보니— 아니, 선장실 창 속의 수평선을 보아하니 그들은 아직까지 망망대해에 있는 것 같았다. 그런데 '땅'이라니, 무슨 일이지?

안스는 곧장 선장실을 뛰쳐나갔다.

강렬한 햇살에 시야가 부서질 것 같았다.

그의 시야 앞에 나타난 것은…… 고개를 돌릴 필요도 없이 매우 작은 섬이었다. 넓적한 냄비 뚜껑처럼 생긴 섬. 화산으로 만들어진 듯, 둥그스름한 땅 중앙에 높은 산이 떡하니 버티고 있었다.

안스는 괜히 맥이 빠지는 것을 느꼈다. 물론 교국을 기대하긴 일 렀지만 그래도 이 신의 콧물 같은 섬은 좀 초라한 것 같은데.

문득 제 뒤를 따르는 발걸음이 느껴졌다.

탈란타우에는 안스를 스쳐 지나가 선미루 갑판으로 올라갔다. 흥분으로 웅성거리던 이들이 쥐 죽은 듯 조용해졌다.

사제왕은 항해사, 갑판장과 작게 말을 나누는 듯하더니 섬을 손짓했다.

"지난번 항해에서 우리를 살렸던 이우니오 제도군."

"……."

"일정상 알게라스를 정박지로 점찍어 두었지만……."

탈란타우에는 간절한 시선의 군인들을 둘러보았다.

"이것도 인연이니 땅을 밟지."

소리 없는 희열이 퍼져 나가는 것이 느껴졌다.

안스 또한 예외는 아니었다. 그들은 벌써 석 달째 파도가 넘실거리는 배 안에 갇혀 있었다.

물론 숙련된 선원으로서 배 생활 자체가 힘들지는 않았다. 그러나 보급 문제를 무시할 수는 없었다. 자신이 육지의 보급 없이 항해한 것은 정말이지 이 주가 최대였다. 처음에 즐겼던 사제왕의 과일들은 몇 주 안에 바닥이 났고, 목장 또한 그다지 건강한 상태가 아니었다. 음식 때문에 죽을 것만 같았다.

그는 신에게 예배를 올리는 교국군들과 아주 비슷한 마음으로 바다에 긴 기깼니. 이무리 '뇪눈의'니, '경선의'니 자랑해도 결국 항해에는 운이 작용하기 마련 아닌가. 저희 앞에 섬을 보여 주시니 정말 좋군요. 두 발로 땅을 디디면 감사 인사를 좀 더 잘해 보겠습니다…….

안스는 이제 소리 없이 교국군들을 도와주는 일에 익숙해졌다. 그들 또한 이상한 가면을 쓴 소조폴 하인이 능란하게 일손을 채우는 데 익숙해졌다.

평소에는 그를 향한 경멸의 눈빛이 가시지 않았지만, 이번에는 어찌나 기뻐하던지 자신이 옆에 있는데도 콧노래가 오갈 정도였다.

그 또한 눈에 띄지 않게 기쁨을 즐겼다. 점차 가까워지는 땅을 보자니 즐겁지 않기가 실로 불가능했다.

몇몇 군인들이 우렁찬 목소리로 자원하여 선발대를 맡았다. 작은 배는 마치 땅 위를 달려가듯 했다. 선발대는 순식간에 모래톱에 내려 오와 열을 정돈했다. 바닥에 격자형의 진을 그린 뒤 산이 있는 방향으로 전진했다.

안스는 가장 높은 갑판에 올라갔다. 구경하기 위해 목을 빼던 중, 누군가 어깨를 짚어 크게 놀랐다.

"뭐— 아."

하긴, 누가 자신을 건드리겠는가. 탈란타우에였다.

"양을 데려올 거다."

안스는 제 귀를 의심했다. 뭐? '양'? 그 하얗고, 털이 많고, 땅콩처럼 생긴 뿔이 달린 양?

"다시 한번 말씀해 주시겠습니까?"

탈란타우에는 싱긋 웃었다.

"저들이 양을 데려올 거라고. 지난 항해에서 풀어 두었거든. 몇 마리로 늘었을지 궁금하군."

그는 불친절했다. 안스는 천천히 추리해 갔다.

시노드 신넬로 오던 뱃길에서 풀어 준 모양이었다.

하지만 도저히 이해가 가지 않았다. 갈 길이 안전하다고 생각했으면 모르되, 교국군들은 한 해가 넘도록 헤맸다. 그 와중에 그나마 먹을 만한 동물을 풀어 주는 것은 불필요하게 양식을 바닥내는 행위였다.

탈란타우에는 그의 의아한 표정을 보며 더 크게 웃었다.

"어차피 그 양들을 도축한들 나 홀로 먹을 수밖에 없었겠지. 그럴 바엔 나중을 기약하며 함께 고통을 겪기로 했다. 이우니오를 떠나고 몇 주 뒤, 우리는 순하고 빠른 해류를 만났다. 그 해류를 연구하여 남쪽으로, 남쪽으로 내려갈 수 있었지. 그야말로 주의 축복 아니겠는가."

사제왕은 듣는 귀를 의식하는지 신을 들먹이고 있었다.

물론 안스는 예리하게도 탈란타우에가 말하지 않은 부분까지 파악해 냈다. 어차피 먹어 봤자 몇 끼니 되지도 않을 고기를 독차지해서 내부의 불만을 키우느니, 예배를 올린 뒤 동물들을 풀어 주는 편이 더 낫다고 판단했을 것이다.

신앙심 깊은 자들에겐 마음의 힘을 키워 주었을 것이고, 주판을 튕기는 자들에겐 추후 돌아왔을 때 번식해 있으리란 희망을 주었을 터.

안스는 그 순간, 탈란타우에가 맨손으로 대해를 넘어왔다는 사실을 갑작스레 자각하곤 아연해졌다. 저 잔인한 인간은 어울리지 않게도 미친 모험가였다. 단순히 말로 지껄이는 것과, 이렇게 허무맹랑한 오지에서 되새기는 것은 차원이 달랐다.

저자는 아마 양을 풀어 주었을 때 바다에서 죽을 각오를 했겠지.

안스는 입을 꾹 다물곤 섬을 바라보았다.

어느새 코앞이었다. 닻을 내리는 요란한 외침들이 들려왔다. 작은 배들이 청새치처럼 수없이 바다로 떨어졌다. 몇몇 군인들은 아예 맨몸으로 뛰어들기까지 했다. 몸을 돌리자 멜로스 로불레로호를 따라온 다른 두 배에서도 꽤 많은 인원이 내리고 있었다.

"가자. 땅을 밟아야 소중한 줄 알지."

안스는 바라 마지않는 태도로 탈란타우에를 따라 작은 배에 들었다.

사제왕이 가장 먼저 뭍에 내린 뒤, 안스 또한 천천히 한 발을 내디뎠다.

턱 하고 흰 모래사장에 내려왔다. 환희에 몸이 부르르 떨렸다. 흔들리지 않고, 굳건한 땅. 낮은 키의 관목과 양치류들, 멀리 보이는 검은 바위산들.

그러다 문득 정신을 차리곤 비틀거리며 탈란타우에를 쫓았다. 젠장, 똑같이 배에 머물러 놓고 어떻게 저렇게 멀쩡할 수 있지. 시종처럼 그의 뒤에 달라붙어 섰다.

"양을 데려오면 먹기라도 하실 겁니까? 어차피 일 년 반 정도면 몇 마리 안 늘었을걸요."

"씨를 말리는 한이 있더라도 나누어 먹어야지. 그야말로 우리가 승리한 증거인데."

잘 이해가 가지 않았지만 저 인간은 미쳤으니 그러려니 했다.

"아, 네. 천오백 명이 양 열 마리쯤 잘 드셔 보세요. 기적이 일어나지 않는 한 불가능할걸요."

"한 점씩 먹으면 되지. 그조차 어려우면 핥고."

"……."

탈란타우에는 농담을 한 게 아니었다.

한참 뒤, 큰 탁자와 교국 깃발, 수많은 도구들이 옮겨졌다. 그 사이에 정말 조리 도구들이 있었다. 많은 군인들이 빈 물통을 굴리며 들판으로 향했고, 더 많은 군인들이 양식을 찾으러 산으로 향했다.

탈란타우에게 영문을 물어보니, 토착 동물은 없으니 양을 찾으러 갔거나 벌레라도 씹으러 가지 않겠느냐는 조롱 섞인 답변을 받았다. 안스는 입 다물고 서서 근질거리는 걸음을 참았다.

그렇게 어스름 질 녘, 마침내 군인들이 산에서 줄줄이 내려왔다.

양들은 아주 순했다. 새끼 양까지 포함해서 하나, 둘…… 스물다섯 마리. 대체 몇 마리나 풀어놓고 간 거야? 기가 막혀 돌아보았다.

그러나 군목의 우렁찬 외침이 들리자 몸을 움츠렸다.

"주의 역사하심이다!"

……군목이 신에게 감사를 올리는 동안 도열한 군인들이 엄숙하게 고개를 끄덕이는 모습이 보였다.

그리고 몇 명은 엄숙하게 양의 가슴을 쨌다.

안스는 얼굴을 찡그린 채 고개를 돌렸다.

다행히 모든 양들을 줄줄이 죽이는 것은 아니었다. 한 마리만을 본보기로 죽이더니, 나머지는 조리장에게 맡겼다.

긴 설교가 끝나자 안스는 잠시 안쪽 들판에 다녀와도 되겠느냐고 물었다. 탈란타우에는 마음대로 하라며, 다만 베오메네스와 동행할 것을 명했다.

안스는 별말 없이 물통 하나와 햇불, 베오메네스만을 챙긴 채 내륙으로 걸음을 옮겼다.

"아, 그러고 보니 나 때문에 고기를 못 먹게 생겼군."

베오메네스는 어이가 없다는 듯 웃었다.

"양고기? 다들 숟가락 한 번 담글 만큼 먹겠군요."

"……."

"신경 쓰지 마십시오. 안전한 항해를 축하하고 주께 예배를 올리는 데 의의를 두는 겁니다. 애초에 양을 버린 건, 사제왕 각하께서 일반 군인들과 고통을 함께하겠다는 의사 표시였으니까요. 이제 거꾸로 뒤집혀 승리한 상황에선 모두 함께 먹어야지요."

"왠지 무례한데. 당신은 진짜 신 빼곤 아무것도 안중에 없는 것 같아."

"예?"

"예배에는 진심으로 참여하는 거야? 군목은 믿어?"

"당연히 진심입니다. 군목께선 저의 등불이십니다."

"그런데 방금 그 설교를 무시했잖아?"

"무슨 말씀이신지 잘 모르겠군요. 저는 양을 맛보는 데 신경 쓰지 않을 뿐, 같이 먹는 의식에는 공감합니다. 저희가 이 무인도를 안전하게 떠나 시노드 신넬에 닿았다는 사실, 항로를 기록하고 되짚으며 여기까지 다시 왔다는 사실이야말로 '주의 역사하심'입니다. 저희는 주께 감사드리고 양식을 나눔으로써 형제애를 돈독히 해야 합니다. 그래야 남은 항해도 든든한 마음으로 보낼 수 있으니까요."

안스는 입을 다물었다. 전력으로 불신하는 탈란타우에와, 신이 삶의 기준점인 이놈과…… 둘 다 질렸다.

"그나저나, 이 밤에 왜 나오신 겁니까? 당신이야말로 고기 한 점이 아쉽진 않으십니까?"

"신선한 물을 마시고 싶어서."

그 말이 끝남과 동시에 그들은 마치 누가 명령하기라도 한 듯 우뚝 섰다. 조용한 가운데 시냇물 소리를 찾았다.

아무리 우스워도 군인을 무시할 수는 없는지 베오메네스가 먼저 방향을 잡았다. 이번에는 그가 앞장서기 시작했다.

"석 달 동안 생각은 해 보셨습니까?"

안스는 베오메네스가 무슨 이야기를 하는지 알고 있었다.

"아."

"저는 언제나 당신 뒤에 있었습니다. 눈치채셨을지 모르겠지만."

"분명한 건…… 탈란타우에에게만 의존하다간……."

말끝을 흐렸다. 마음은 확실했지만, 확실하게 답해 주기가 조금 계면쩍었다. 내가 뭐라도 된다고 '살려 주겠느니' 한단 말인가.

때마침 한 뼘 넓이의 시냇물이 나타나 공연히 몸을 숙였다. 허겁지겁 엎어져 두 손으로 개울을 퍼먹었다. 짜릿할 정도로 시원하고 맛있었다. 생각할 틈도 없이 상의를 벗어 얼굴과 목덜미를 씻었다. 어깨, 등, 가슴팍. 그간 바닷물로 씻긴 했지만 그 찌뿌드드한 느낌은 차라리 더럽게 지내느니만 못했다.

"'안스카리우스.'"

안스는 물을 뚝뚝 흘리며 뒤를 돌아보았다.

문신을 읽은 모양이었다. 베오메네스가 새삼 흥미롭다는 듯이 자신을 바라보고 있었다.

"바를라암이 어떤 가문인 줄 아십니까?"

안스는 대꾸할 말을 찾지 못하고 다시 좁은 개울가로 몸을 돌렸다.

"말했지. 너는 신을 제하곤 모든 사람을 대할 때 이상하게 무례하다고."

"바를라암에 대해 모르시는군요?"

"그게 그렇게 중요한가? 어차피 사제왕은 스물두 명이나 된다면서."

"그렇다고 그 스물두 명의 사제왕께서 모두 같으신 건 아니죠."

그는 어두컴컴한 시냇물을 바라보았다. 베오메네스의 얼굴이 비쳐 보였다.

"바를라암, 테티케, 알렐링기에스. 가장 높은 사제왕 세 분이십니다."

"……."

"세 분은 성전聖戰에서 가장 많은 피를 흘렸고 또 그만큼 용맹하셨습니다."

안스는 기억을 더듬었다.

아, 그래. 법황과 사제왕들이 서부에서 내실을 다진 뒤 두 번째로 대륙 정복을 외쳤을 때. 그걸 성스러운 전쟁이라고 했지—실패한 처음은 안 쳐주나 봐—.

그는 혼자 농담하곤 소리 없이 낄낄댔다.

즐겁게 반문했다.

"성전? 후하게 쳐줘도 삼백 년 전 일 아냐?"

성전. 사제왕의 군대는 끝없이 승리했지만 대륙 또한 끝이 없었으며, 중간중간 반란에 시달리기도 했다. 그래서 모든 지역을 복속시키기까지 도합 이백 년이 걸렸다.

지금까지 배운 걸 생각하자면, 사제왕들은 종전終戰까지 법황을 진심으로 경애했을 것이다. 비린 웃음이 났다. 원래 시체가 넉넉할 땐 독수리와 들개들 사이도 좋은 법이다.

성전을 끝낸 법황 테오카레스. 대륙 건너에서 보자니 그가 얼마나 똑똑했는지가 명백하여 감탄만 났다.

법황은 전쟁이 끝나자마자 그동안 포교차 군대를 따라다녔던 군목 제도를 개편하여 '법황의 대리인'직을 만들었다.

사실, '법황의 대리인'직은 오로지 세금을 위해 만들어진 건 아니었다. 그들은 모든 지역에 촘촘히 뿌려져 지역민과 함께했다. 당시에는 대륙에 있는 사탕수숫대 수보다 '법황의 대리인'들이 더 많았을 것이다.

그들은 정복당하고도 온순해지지 않은 지역에서 숱하게 핍박당하고 살해당했다. 신앙의 상징물 하나만 들고 총총 걸어간 바람에 원시적인 날붙이에 아주 많이들 죽었다.

그리고 그 시체 위로 몇십 년에 한 번씩 사제왕의 군대가 몰려가 마침내 신께서 승리하시곤 했다. 실제로 지역민들을 복종하게 만든 것은 군사인데, 어쩐 일인지 혈혈단신으로 지역에 들어가 신의 말씀을 나눈 '법황의 대리인'만이 진정한 개척자로 취급되었다.

사실상 법황은 '법황의 대리인'들을 분노한 군중의 먹이로 쥐여주어 존경을 산 것이다.

검은 옷을 입은 방랑자들이 저렇게까지 하는 것은 진실된 신앙 덕분이다. 대체 그 신이란 무엇인가? 아, 깨달음을 얻었다. 종내 눈물과 함께하는 후회.

물론 그동안 법황은 교읍지에서 시원하게 얼린 포도나 먹고 있었을 거고.

진짜 어마어마하게 똑똑하군. 하나의 제도로 대체 얼마나 많은 일들을 해낸 거야? 안스는 감탄했다.

법황이 지역을 장악하는 동안, 사제왕들은 무엇을 했을까?

사실 그들은 당장 자신들이 다스리는 땅이 두 배가 되었다는 사실에 만족한 양 떼였다. 배부른 양 떼는 정신을 못 차린 채 메에에 울며 돌아다녔다. 시간이 지난 뒤 무언가 이상하다는 느낌을 받아, 발전된 서부에 머물고 싶다며 탄원해도 신의 영광 아래 오지奧地를 순환하는 제도에 당하고, 법황과 갈등을 빚다가도 휘하 장병들의 거대한 신앙심과 벼락같은 문신의 고통에 당하고⋯⋯.

사제왕들은 신을 너무도 사랑하여 한동안 정신을 못 차렸던 게 틀림없다.

정말 여러 번 생각했는데, 이 이상으로 요약할 수가 없었다.

그들은 오랜 시간 지역 토호로 살며 굳건히 쌓았던 발밑의 주춧돌이 하나둘 빠져나가는 것을 무시했다. 뻔히 알고도 무시했다면 할 말이 있을 리 없다.

우리는 존경하고 사랑하는 법황의 영도하에 미개한 대륙을 정화했노라. 도타운 신앙심으로 성전을 함께했으니 앞으로도 영구히 함께하리라. 신의 터전을 다지는 것은 우리 모두의 일, 성하께서 사제왕의 보필을 가까이하길 원하신다면 언제든 명하소서.

그리고 정신을 차려 보니 대충 목매달 기둥과 걷어찰 주춧돌 하나만 남아 있었겠지.

"바를라암, 알렐링기에스, 테티케. 그들은 마지막 산맥에서 신의 증거를 가져오신 분들입니다. 그것은 선지자께서 계시던 시대 이후 유일하게 발견된 성물聖物입니다."

안스는 상념에 빠져 있다 갑자기 번쩍 정신을 차렸다. 턱 아래로 뚝뚝 떨어지는 물이 선뜩했다.

베오메네스는 상대가 잠시 한눈을 팔았다는 것을 아는지 모르는지 무감동하게 말을 이었다.

"성전은 길었습니다. 이백 년에 가까웠으니까요. 마땅히 해야 할 일이었지만 사람이 지치는 건 당연합니다. 가끔 군단 반란이 일어날 정도로 말입니다. 눈앞에는 미개하여 감사할 줄도 모르는 야만인들뿐, 언제 뒤통수를 맞아 포위당할지 몰랐습니다. 마음이 빈곤해지면 밤하늘이 어두워져, 별 같은 신앙심은 극히 일부만 볼 수 있습니다. 그 시대도 마찬가지였겠지요."

"……."

"세 명의 사제왕은 동북부의 얼음장 같은 마지막 산맥에 다다랐습니다. 저희가 알기론 대륙의 끝이었지만, 한갓 인간이 무엇을 알겠습니까? 그럼에도 사제왕들은 호위를 두지 않고 떠났습니다. 기록에 따르면 십수 일간 험지를 지나도 정상은 가까워질 기미가 없었다고 합니다. 그러다 동굴을 발견했습니다. 세 명의 사제왕은 그곳에서 마지막 밤을 나기로 결심했습니다."

"……."

"그날 밤, 세 명의 사제왕은 천사의 계시를 받았습니다."

안스는 천사를 전혀 믿지 않았으나, 그를 비웃을 생각도 없었다. 대신 그 속에 숨겨진 내용을 파악하려 했다.

"천사 그라폰탄은 말했습니다. 부르짖는 자여! 스스로의 신앙을 다스리지 않고 내세우매, 죄를 짓고 속량贖良[5]에 기대는 모습이 안타깝노라."

"……."

---

5) 신이 인류의 죄를 대신 씻어 구원함.

"그리고 전능하신 주의 이름으로, 저희가 신을 모시며 저지른 과오를 엄중히 지적하시고, 그럼에도 해낸 일을 칭찬하셨습니다. 선지자의 시대 이후 처음으로 보내심을 받아 저희에게 나타나신 겁니다. 천사께선 저 멀리 교읍지에 보존되어 계실 선지자님의 다리뼈를 건네셨습니다. 세 명의 사제왕이 모두 한 번에 잠에서 깨어났을 때, 그들은 이디로 가야 할지 알고 있었습니다. 사제왕들께선 희미하게 빛나는 사람의 뼈를 천에 감싸들고 내려왔습니다. 그리고 이 모든 이야기를 하나도 숨김없이 장병들에게 말해 주었습니다."

"……."

"병사들은 희생이 헛되지 않았다는 사실을…… 성물임이 분명한 뼈로 깨달았습니다. 순식간에 전군의 사기가 치솟았지만, 세 명의 사제왕은 더 이상 나아가면 안 된다고 연설하였습니다. '우리는 겸손함을 알고 우리 품의 신민들을 먼저 돌보아야 한다.'"

"……."

"전갈을 받으신 법황 테오카레스 성하께서도 감격하셨습니다. 결국 주요 요충지에 군을 배치하고 교읍지까지 퇴각했습니다. 법황 성하께서는 세 명의 사제왕을 특별히 치하하고 왕 중의 왕이라는 찬사를 내리셨습니다."

아, 그 똑똑한 놈.

"성물은 당연히 법황청의 가장 깊숙한 곳에 보관되었고, 이제는 법황의 승계식 때에만 대중에게 공개됩니다. 저희가 하는 일이 항상 천사의 감시 아래 있음을 명심하고 숭앙하는 삶을 실기 위해서입니다."

안스는 천천히 생각했다. 썩어 가는 뼈가 똥 같은 거짓말이라는 전제하에 추리하면 생각보다 이해하기 쉬웠다.

그들은 오랜 전쟁으로 좋지 않은 상황에 놓여 있었고, 실익 없는 전투에서 퇴각하길 원했을 것이다. 그래서 천사와 가짜 성물을 꾸며 냈을 터.

그 펑계를 사제왕 홀로 만들었는지, 법황과 작당하여 만들었는지는 잘 모르겠다. 하지만 분명한 것은 진실을 아는 자는 저 세 가문과 법황뿐이라는 사실이었다.

"그 뒤 저희는 천사 그라폰탄의 의지를 받들어 교국을 더욱 깨끗이 하고자 했습니다. 그때 만들어진 것이 '법황의 대리인'이십니다. 그분들께선 온 대륙으로 달려가 신을 전파하셨습니다. 야만인들이 판을 치고, 저희 군은 고작해야 일부 요충지에만 버티고 있는 상황에서요. 아주 많은 대리인이 야만에 고문당하고 순교하셨지만 그분들께선 개척하는 삶에 한 점 부끄럼이 없으셨습니다."

안스는 그 순간 확신했다. 전쟁이 지긋지긋하기도 했을 테고, 오랜 전쟁으로 지휘관을 향한 존경심이 신앙보다 강해질 것을 염려한 법황이 수를 쓴 것이다. 사제왕들은 단지 종전을 원했지만 그게 현재와 같은 결과로 돌아올 줄 몰랐을 것이 분명했다.

"그 덕분에 저희가 지금처럼 정결하고 안정된 교국을 누릴 수 있는 겁니다. 발전한 기술로 시노드 신넬까지 갈 수도 있고요. 교국이 잉태된 것은 선지자님의 드높은 신앙심 덕분이지만, 지금까지 발전할 수 있도록 도운 것은 그날 산꼭대기의 천사 그라폰탄 덕분이라 해도 과언이 아닙니다. 저희는 중요한 시기마다 신과 함께한 나라입니다."

"……."

"그러니 천사를 모신 세 분 사제왕의 명성이 다른 분들보다 높은 것은 자명한 사실입니다. 감히 말씀드리자면 법황 성하께서도 입지 못한 은혜를 입은 핏줄이시니까요. 때문에 교국 내에서는 왕 중의 왕으로 묶어 지칭할 때가 많습니다."

바꿔 말하면 공범자 중의 공범자들.

"법황께서도 세 분의 사제왕을 훨씬 예우하십니다. 어느 시대든 그러했습니다. 저 또한 당신이 다른 사제왕의 혈육이었다면 어차피 교국에서는 정당하지 않은 사생아에 불과, 지금만큼 진심으로 대하지는 않았을 겁니다."

안스는 눈썹을 찌푸렸다. 이놈의 사생아 명패는 어딜 가나 모욕받는군.

"하지만 주의 손길은 고작해야 인간의 제도에 구애받지 않습니다. 제도는 삶을 강직하게 만드는 것인데 강직함은 오로지 주를 위한 것이니까요. '바를라암'은 주의 은총을 입은 가문입니다. 인간의 알량한 규칙에 구애받지 않습니다."

안스는 개울물 속 평범한 광신자의 눈을 바라보았다.

"때문에 '바를라암'인 당신이 저를 굽어살피시리란 믿음을 가지고 있습니다."

안스는 더 이상 듣기 힘들어 수긍했다.

"알겠어. 탈란타우에가 널 죽이려 들면 막을게. 설마 이 장황한 말이 살려 달라는 연설은 아니었길 바라지만."

베오메네스는 웃었다.

"감사합니다."

"……."

"언젠가 저도 당신 선택에 도움이 되지 않겠습니까."

안스는 꽉 찬 물병을 흔들며 자리에서 일어섰다.

찰랑이는 물소리를 듣다가 문득 인상을 찌푸렸다. 어, 방금 뭐라고?

"무슨 뜻이야?"

"말 그대로입니다만?"

"백인대장, 나한테 숨기는 게 있나?"

"왜 그렇게 생각하시는지 모르겠습니다."

"내가 무슨 선택을 하는데 당신 도움이 필요할 거란 거야?"

"별 뜻 없습니다. 가능성에 대해 말씀드린 겁니다."

"……."

더 추궁해 봤자 나올 게 없을 듯했다.

안스는 한숨을 쉬며 윗옷을 입었다. 숨겨 봐야 얼마나 숨기겠어. 기껏해야 방금 전처럼 교국의 전설이나 소중하게 마음에 품고 있겠지.

"돌아가자. 가면 고기 냄새는 맡을 수 있겠다."

베오메네스는 어깨를 으쓱이곤 뒤돌았다. 횃불에 일렁이는 그림자가 왠지 불안했다.

그날 안스는 고기 냄새도 못 맡았다. 기껏해야 고릿한 양 기름 냄새 정도. 물론 흰 빵과 갓 조리한 식물을 배급받았기에 불평 없이 침낭 속으로 기어 들어갔다. 오랜만에 단단한 땅 위에서 잠들자 정말 살 것 같았다.

그렇게 구석진 곳에 처박혀 자다가, 갑자기 강한 고통에 깨어났다.

안스는 배를 움켜쥐며 몸을 웅크렸다.

"헉······!"

정신을 차릴 새도 없이 미친 듯이 옆으로 굴렀다. 지난번 산호 채취 배에서 당했던 이후 수없이 반복해 왔다. 생각하지 마. 무조건 튀어.

그는 침낭째로 구르다가 급하게 일어섰다.

보라색에 가까운 하늘 아래, 군인 다섯이 서 있었다. 안스는 기가 막혀 주먹을 꽉 쥐었다.

"죽이시려고요?"

목소리가 꽉 잠겨 있었다. 자다 깨서 그런지, 긴장해서 그런지 스스로도 분간을 못 할 만큼 정신이 없었다.

"그럴 필요까진 없지. 그저 아까 백인대장님을 모시고 가던 꼴이 불량해서."

"아, 그리고 상륙 기념이기도 해."

안스는 급하게 주변을 둘러보았다. 아무도 없었다. 탈란타우에를 찾지 못해 들판 가장자리에서 꾸물대며 잠들었기 때문이다.

모래톱 임시 군영에 머물 수도 없고, 그렇다고 배에 들어가기도 싫었지. 설마 누가 사제왕의 시종을 건드리겠느냐는 생각과, 지난 몇 달간 안전했다는 착각이 방심을 불렀다.

찰나, 둔탁한 몽둥이가 날아오는 것을 팔로 막았다. 부서질 것처럼 아팠다.

다섯이 하나를 패러 오면서 무기를 들어?

안스는 욕설을 내뱉었다. 이곳은 탁 트여 지형지물이랄 게 전혀 없었다. 물론 자신이 들 무기도 없었다.

그렇다면 단 한 가지 방법뿐이지.

안스는 과장되게 고통스러워하다가, 한순간 몸을 돌렸다.

그리고 순식간에 달리기 시작했다.

뒤에서 투덜대는 소리가 들렸다. 설마 뭘 쏘진 않겠지? 그는 돌아볼 겨를도 없이 줄행랑을 쳤다.

멜로스 로불레, 어디 있어? 탈란타우에는 땅에 있다면 가장 중앙 천막에, 배에 있다면 멜로스 로불레호에 있을 테니 어찌 됐든 그 배를 찾는 게 먼저였다. 젠장, 베오메네스 놈은 살려 준다니까 이런 순간에 사라져선!

한순간 어깨에 닥치는 충격에 숨을 삼켰다.

안스는 다음 발을 세게 내디디며 어깨를 숙였다. 어마어마한 고통이었다.

'버텨. 쓰러지면, 바로 잡혀.'

이를 갈며 몸을 세웠다. 뭘로 쏜 거지? 뾰족한 활촉은 아니었다. 찢어진 느낌이 아니라 거인의 몽둥이로 맞은 느낌이었다.

다시 달리려는 순간 다른 곳에 아픔이 닥쳤다. 잠시 멈칫하여 더 좋은 표적이 된 것 같았다.

고꾸라지진 않았지만, 다음 발도 고통스럽게 바닥에 내리찍었다. 꽉 깨문 이가 부서질 것만 같았다.

다음 순간 덜미를 잡힌 것은 필연이었다.

그는 서너 개의 손에 쥐여 바닥으로 나동그라졌다. 배를 밟혔다. 정신 차려. 곧장 양손으로 적의 발목을 붙잡아 꺾으려 했지만 다른 이에게 얼굴을 차였다 시야가 멍해지면서 한순간 이명이 들렸다.

"가만히 좀 있지."

소리가 컸다가, 작았다가, 다시 커졌다가…….

"상처가 흉하면 얼마나 흉하다고 얼굴을 가리고 다녀?"

혼란스러운 사이 갑자기 뺨이 시원해졌다. 언제나 얼굴의 절반 이상을 가리고 다니던 얇고 허술한 가면이 사라진 것이다.

안스는 얻어맞은 것보다 더 놀라서 손을 뻗었다.

"주십시오."

제 얼굴을 보면 탈란타우에가 그들을 살려 둘 리 없었다. 저 망할 개자식들이 죽든 말든 솔직히 상관없었지만, 누구도 아닌 바로 자신 때문에 사람이 죽는다는 게 정말 싫었다. 제 잘못은 하나도 없는데 죄책감만 켜켜이 쌓이는 것 같았다.

시야에 당황한 듯한 군인의 시선이 보였다.

"멀쩡한데? 상처는?"

"……달라고."

상대는 하대가 불쾌했는지 그의 뺨을 갈겼다. 아주 정확한 동작으로, 강하게. 짝, 짜악, 짝.

"아, 젠장! 달라고!"

군인이 가면을 던졌다. 그것이 신호였는지, 곧장 긴 무기로 배를 얻어맞았다.

컥 하고 숨이 막혔다. 기침이 터졌다. 반사적으로 몸을 굴려 엎드렸다. 기침 사이사이로 피가 뚝뚝 떨어졌다. 숨 쉴 틈도 없이 등을 맞았다. 허물어졌다. 이미 피하거나 도망가는 건 불가능해서, 재빨리 벌레처럼 웅숭그렸다.

저들이 쥔 무기는 사거리가 길어, 함부로 체술을 썼다간 지금 자세마저 놓칠 것만 같았다. 웅크리지 않으면 맞아 죽을 공격이었으므로, 차라리 군인들이 질릴 때까지 버티는 게 나았다.

온몸이 부서질 것 같았다. 처음에는 어디를 맞았는지 짚을 수 있었는데, 순식간에 모든 부위가 욱신거려 분간하기 힘들었다. 맞을 때마다 악문 잇새 사이로 신음이 흘러나왔다. 비명을 지르기엔 너무도 비효율적이다. 차라리 기절할 때까지—

"뭐 해?"

갑자기 구타가 뚝 멈췄다.

"뭐 하는 건가?"

안스는 그 목소리를 알았다.

"입이 없어?"

자신에게 공대하면서도 항상 어딘가 불만스럽고 무례한 티를 감추지 못하는 광신자 놈.

"디아디카시아."

"주께서 성을 세우시어 파수꾼이 수치를 당하였나이다."

"멜로스 로불레호 적색 백인대장 아르손 베오메네스. 직위, 이름."

"멜로스 로불레호 1대대 4백인대 알렉세스 테마입니다!"

그들은 딱딱하게 암호와 관등성명을 교환했다.

"너, 일어날 수 있겠나?"

안스는 천천히 웅크렸던 몸을 폈다. 그러나 차마 일어설 엄두를 내지 못했다. 젠장, 찢어진 바다에 가둘 놈. 그렇게 얻어맞고도 죄책감이 들긴 싫다고.

"못 일어나?"

"……아닙니다……. 저, 얼굴이 흉해서, 가면을…….."

베오메네스는 곧장 무슨 말인지 이해한 듯했다.

"어딨나? 들고 와."

잠시 부스럭거리는 소리가 들리더니 제 앞으로 멀쩡한 가면이 던져졌다.

안스는 마구잡이로 가면을 썼다가 쓰라린 뺨에 신음을 흘렸다. 진짜, 아파 죽겠어.

간신히 일어섰다. 온몸이 비명을 질렀다. 비틀거렸다. 절뚝이며 몇 걸음을 걸어 보았다. 다리만 그럭저럭 멀쩡하지, 어깨, 하복부…… 도저히 제대로 움직일 수가 없었다.

"상태가 말이 아니군. 선의를 부르겠다. 너희도 따라와."

베오메네스는 탈란타우에가 머무르는 위치를 알고 있었다.

탈란타우에의 천막은 간소하고 작아 다른 대대장들의 천막과 구분되지 않았다. 그렇다고 내가 천막 하나하나를 다 열고 다닐 수도 없는 노릇이었을 테지. 안스는 자신의 과오를 되짚었지만, 아무리 생각해도 어쩔 수 없는 일이었다.

탈란타우에는 작은 천막 안에서 베오메네스의 보고를 듣는 모양이었다. 새벽 속에서 두런거리는 목소리만 들려왔다.

잠시 뒤, 탈란타우에가 덮개를 걷고 나왔다.

그는 베오메네스가 줄줄이 무릎 꿇린 다섯 군인들을 바라보곤 혀를 쯧 찼다.

"왜 그랬어? 이해가 안 가는군. 똑똑하여 내가 아끼는 시노드 신넬 것이라 하지 않았느냐."

"가, 각하. 하, 하지만 그럼에도 교국까지 데려가시는 이유를…… 알 수 없어…… 물어보려…… 했습니다."

"단순히 물어본 게 아닌 것 같은데."

탈란타우에가 가면 아래 퉁퉁 불어 터진 제 얼굴을 바라보며 말했다.

"저자가 저희를 모욕하고…… 저희에게 먼저 주먹질을 했습니다……."

"작은 잘못이 참 아쉽군. 땅에 머무르는 이 경사스러운 날에 말이지."

예고는 없었다.

탈란타우에가 베오메네스에게 손짓했다. 그는 눈 깜짝하지 않고 품속의 단검을 꺼내 건넸다.

탈란타우에는 칼을 뽑았다. 그러자 뒤에 굳건히 서 있던 군인들이, 보다 가까이 서서 아무도 들여다볼 수 없도록 벽을 만들었다.

"죄목은 명령 불복종. 처분은 즉결이다."

사제왕은 하얗게 질린 군인에게 한 걸음 만에 다가가, 머리채를 잡아 뒤로 꺾었다.

안스는 너무 놀라서 시선을 피할 생각도 못 했다. 얼어붙은 듯 굳어 있었다. 흐릿한 시야 가장자리에서 베오메네스가 고개를 돌리는 것이 느껴졌다.

"주께선 사랑하는 자녀에게 잠을 주시는도다."

탈란타우에는 군인의 턱에 칼을 겨누었다. 비명을 지르기 시작한 군인을 보지도 않은 채, 마치 귀찮은 일을 하나 치루듯 팔에 힘을 주었다.

끔찍한 소리와 함께 군인의 턱이 꿰뚫렸다.

비명은 이제 알아들을 수 없는 언어로 바뀌었다.

탈란타우에는 여전히 상대를 바라보지 않았다. 7보다는 저 멀리 산 중턱 어딘가를 무감동하게 응시하고 있었다.

그는 마지막으로 강하게 쳐올렸다. 턱을 꿰뚫은 칼이 입천장으로, 두개골로, 우드득.

컥 하는 소리와 함께 군인이 무너졌다. 쓰러진 팔다리가 부르르 떨렸다.

탈란타우에는 전혀 동요하지 않았다. 곧장 칼을 뽑아낸 뒤 한 걸음 뒤로 물러났다.

"걱정 마라. 다음엔 이렇게 하지 않을 테니."

안스는 처형이 끝난 뒤 한동안 바닷가에서 구역질을 했다.

한 사람은 턱부터 머리까지 꿰뚫렸다. 한 사람은 평범하게, 그러나 벌을 받는 도중 기절할 만큼 느리게 늑골 아래를 찔렸다. 한 사람은 겨드랑이 아래를 파여 비명을 지르다가 갑자기 다른 쪽 경동맥을 베였다. 한 사람은 눈을 꿰뚫렸다. 마지막 하나는 아슬아슬하게 쇄골 위에서 아래로 공격당해 최악의 고통 속에 심장을 잃었다.

탈란타우에는 사람을 원하는 시간만큼 정확하게 '살려 둘' 줄 알았다. 그 사실이 자신을 구역질 나게 했다.

사람을 죽이는 방법을 아는 사람들은 많았다. 심지어 자신조차 그에 대해선 누구보다 잘 알고 있었다. 그러나 사람을 아슬아슬하게 살리는 방법은…….

아주 많은 인간을 죽여 보았기에 발견한 결과물일 것이다.

"우웩!"

안스는 다시 올라오는 토기에 바닷물을 짚었다. 여러 번 구역질을 했지만 더 이상 배 속에 든 게 없어 머리만 어지러웠다.

그는 모래사장에 무기력하게 엎드린 자신이 한심했다. 흰 모래사장, 끝없는 수평선, 점점이 빛나는 바다 생물들도 전혀 감동을 주지 못했다. 추한 것은 사방이 아름다울수록 도드라진다. 결국 자신은 완벽한 풍경 속의 얼룩처럼 딱한 인간이 되었다.

그는 더 지저분해지기로 결심하곤 욕설을 내뱉었다.

"바보 멍청이 등신 같으니라고⋯⋯."

욕설이 신호라도 된 듯, 누군가 사박사박 제게 다가오는 소리가 느껴졌다. 그는 입가에 맺힌 맑은 침을 벅벅 닦아 냈다. 망가진 모습을 보여 주고 싶지 않았다.

"언제까지 토할 건가? 의사가 기다리네."

잊었던 것을 상기시키는 익숙한 목소리였다.

아, 그렇지. 나도 다쳤지.

안스는 경멸의 눈빛으로 탈란타우에를 돌아보았다.

사제왕은 피범벅이던 이전 차림을 벗고 새 겉옷을 걸치고 있었다. 세상에, 그딴 걸 신경 쓴다니, 생각하다가도 결국 저놈이 신경쓴 것은 불쾌한 피 냄새뿐일 거란 사실에 괴로웠다.

왜 죽였냐고 물어보지는 않을 것이다. 대답은 명백했다. 베오메네스가, 그들이 내 얼굴을 목격했노라 말했겠지.

하지만 '마땅한' 이유가 없었더라면 그들에게 가벼운 형벌을 내렸을지⋯⋯ 이제는 확신이 들지 않았다. 혼자서 정확히 살인하는 사람에게 굳이 주저할 이유가 어디 있겠어.

안스는 대뜸 씹어 뱉었다.

"사람 죽이는 게 재밌어요?"

바닷물은 어두컴컴하여 상대의 얼굴을 비추지 않았다.

"아니. 그게 왜 재밌어? 귀찮은 일이다."

"거짓말, 아까는⋯⋯."

"내가 판결했으니 내가 처형해야지."

"경동맥을 벨 수도 있었잖아요. 한 번에, 고통 없이 말입니다."

탈란타우에는 잠시 침묵했다.

"특별히 그래야 할 이유가 있나?"

"사람이 고통받잖아요! 어차피 죽는데 왜 괴롭기까지 해야 해요?"

"소리 죽여. 누가 듣는다."

"난 정말 당신이란 인간이 지긋지긋합니다……."

"어쩔 수 없었다."

안스는 죄다 본인이 선택해 놓고 마치 누가 떠민 듯 '어쩔 수 없었다.'고 선언하는 사제왕이 끔찍했다.

"뭐가 어쩔 수 없습니까? 당신이 잔인하게 죽이길 선택한 거예요. 본인 선택으로 인한 죗값을 모른 척하지 마세요."

"나는 이미 죗값을 치르고 있어."

일그러진 얼굴로 사제왕을 돌아보았다. 다친 곳 없이 멀쩡히 서선…….

"태어난 것이 죗값이지. 나는 숨을 쉬던 순간부터 해저를 걷고 있었다. 친족이 살해당한 것은 더 깊은 바닥일 뿐이다."

"당신이 힘들단 걸 변명으로 삼지―"

"나는 정말 이렇게 살고 싶지 않다. 삶 자체가 형벌처럼 느껴진다."

흥분하여 심장이 쿵쿵 뛰는 상황에서도, 저렇게 뻔뻔히 도망가는 탈란타우에를 잡을 방법이 없었다. 안스는 그가 무슨 심정인지 잘 알고 있었기 때문이다. 저 정신 나간 살인자의 절망감을 알다니, 미치고 팔짝 뛸 노릇이었다.

"발버둥 치고 있지만, 익사할 날이 와도 그다지 피할 마음은 없다. 아마 지쳐서겠지."

안스는 그냥 그의 뺨을 갈겨 말을 멈추고 싶었다. 침묵하는 허수 아비 앞에서 마음껏 혐오할 수 있길 바랐다.

안스는 양손으로 얼굴을 짚었다. 나는 왜 이렇게 인간이 무를까. 나를 이 지경으로 구타한 인간들도 불쌍해, 탈란타우에도 불쌍해, 베오메네스도 불쌍해, 나도 불쌍해.

"의사에게 곧 가겠습니다. 꺼져요."

"알겠다. 그러고 보니 베오메네스가 있었음에도 네가 다친 거로 군? 그에게 벌을 내려야겠다."

눈에 열이 올랐다.

"당신, 베오메네스까지 죽이기만 해 봐."

한순간 치솟는 증오로 말했다. 벌어진 손가락 사이로 그를 노려보았다. 저 인간 자체를 증오하지는 못했지만 이렇게 한순간 나타나는 살인자는 목을 틀어 버리고 싶을 정도로 싫었다.

탈란타우에는 어깨를 으쓱였다.

"안 죽인다. 갑판 청소나 좀 시킬 거야."

안스가 노려보는 가운데 사제왕은 떠났다.

그는 퍼석한 모래를 누르며 밤하늘을 바라보았다. 머리부터 수평선까지 점점이 박힌 별들이 자신을 지켜보는 듯했다.

'어두운 밤하늘에서, 별 같은 신앙심은 극히 일부만 볼 수 있다고?'

안스는 긴 한숨을 쉬었다. 자신은 여전히 그 신이란 걸 잘 몰랐다. 베오메네스 같은 인간이 태반인 교국에 가서 어떻게 버틸까.

품에 손을 넣었다.

오랜만에 친구를 꺼내 보았다.

티티라는 투명한 종이 너머를 바라보고 있었다. 그녀가 고민할 때면 흔히 그래 왔듯 조금쯤 인상을 찌푸린 채 멀리 보는 시선이었다.

너무도 진지한 얼굴이 제 미친 마음엔 귀여워 보였다가, 곧장 자신은 죽을 때까지 그녀의 목표가 되지 못하리라는 것을 깨닫곤 고통스러워졌다.

억지로 검게 칠해진 눈을 붙잡아 마주했다. 그럼에도 자신을 응시하는 눈이 아니었다. 부정할 수 없었다. 그녀는 홀로 상념에 빠져 있었다. 말도 안 되게 중요한, 어떤 기괴하고도 재미있는 일을 위해서……. 그러니까, 내가 아니라…….

그러다 갑자기, 검은 눈이 자신을 바라보았다. 그림이 움직일 리가 없는데 정말 그랬다. 동공이 확 수축하여, 멀리 보던 장대 같은 시선이 뚝 부러졌다.

티티라는 고민을 내려 둔 채 제게 집중하고 있었다.

'소조폴로 돌아와.'

……잘 모르겠어, 티. 나는 미쳤나 봐. 방금 전 잔인한 살인을 봐 놓고도, 저 정신 나간 인간이 죽일 만큼 밉지는 않아. 물론 내가 이기적인 놈이어서겠지. 날 절대적으로 보호하면서 한편으로는 취약해 보이는 인간을 어떻게 증오해…….

티티라는 무표정했다. 자신에 대해 옳고 그르다는 판결을 전혀 내리지 않는 좋은 친구처럼 말이다.

위로받았다.

'너 알아서 해. 도움이 될 거야.'

눈을 감았다.

다시 떴다.

나는 바다 한가운데 홀로 둥둥 뜬 채 너를 생각해.

너는 수많은 사람들 사이에서 나를 생각해 줄까.

그는 한참 뒤에야 초상을 품에 넣었다.

해가 뜨자 그날 밤 일어난 불상사에 대해 아무도 떠들지 않았다. 증거라곤 홀로 갑판을 청소하는 베오메네스뿐인 듯 고요했다.

그들은 일주일 동안 무인도에 머문 뒤 떠났다.

멜로스 로불레호를 지키던 대대는 그다음으로 큰 배인 안탈라호의 군사와 교체되었다. 아마 죽은 이들로 누군가 흥분하여 자신을 해칠까 염려됐기 때문일 것이다.

소문으로만 사건을 들은 안탈라호의 군인들은 자신을 건드리면 불타 죽을 감자처럼 여겼다. 더 이상 뱃일을 돕기는커녕, 탈란타우에의 심부름으로 장교들을 방문해도 저가 가까이 오는 것 자체를 싫어하는 것 같았다.

잘됐다. 죽음을 목격한 안스는 차라리 아무와도 부딪히지 않기를 바랐다. 탈란타우에는 정말로 그 모두를 죽일 것이다. 이제는 그것이 바를라암 후계자의 안위를 위한 살인인지도 잘 알 수 없어 착잡했다.

안스는 더 이상 할 일 없이 가장 높은 갑판의 구석진 곳에 누워 있었다. 지겨워 죽을 때까지 먼바다를 바라보았다. 제 인생에 아무 불상사도 발생하지 않았다는 듯이, 가끔 가까이 나타나는 거대한 혹등고래에 감탄하곤 했다.

현명한 고래는 거리를 둔 채 인간들에게 묘기를 부렸다. 여러 층짜리 건물이 솟아올랐다가 쾅 하고 떨어졌다. 짜릿한 기분에 '와!' 소리를 지르다가도 쉽게 떠나는 고래를 보며 가끔은 눈가가 찡해졌다. 그는 울타리에 갇힌 한심한 인간이었으니까.

그렇게 자유로운 고래들을, 가오리들을, 빛나는 황새치들을 배웅했다. 눈이 시릴 정도로 파란 바다를 보며 수없이 허탈해져 진짜로 무언가를 포기해 낸 것 같기도 했다.

그렇게 뱃일과 거리를 둔 시간이 길어지자, 반대로 항해는 점점 더 빨라졌다. 그들은 일주일에 한 번씩 무인도에 멈추었다. 첫 섬을 마주했을 때만큼의 희열은 없었기에, 그 뒤부턴 보급을 위해 이삼 일 정도 머물렀을 뿐이다.

섬을 발견하는 건 일상이 되었다. 얼마나 일상이 되었느냐 하면, 처음으로 사람이 사는 섬이 나타났을 때에도 감동이 덜했을 정도로.

그들은 거주민이 아니라 교읍지에서 주기적으로 파견하는 보급 선단의 일원이라 했다. 덕분에 멜로스 로불레호는 수개월 만에 신선한 식량을 두둑이 챙겨 길을 떠날 수 있었다.

섬에서 출항하며 깨달음이 들었다. 정말 교국이 코앞에 있구나.

그 뒤 그들은 이름 없는 섬들을 거쳐 '에드스나'에 일주일간 정박했다. 안스는 그 이름을 기억하고 있었다. 탈란타우에가 이르길, 형제들이 자신을 유배시키려 했던 섬이라고. 이상한 기분으로 겨우 수백 명이 거주하는 외딴섬을 둘러보았다.

내가 만일 표류하지 않았다면 이곳에서 일생을 보냈을까. 큰 배가 몇 주간 헤매지 않았더라면, 내가 탄 배가 남하하는 해류에 떠밀리지 않았더라면…….

아주 심심한 삶처럼 보였다. 인생은 정말 이상했다.

배는 에드스나를 떠난 뒤부터 앞마당을 거닐듯 움직이기 시작했다. 어떤 폭풍이 불든 전혀 당황하지 않고 키를 잡았다. 속도는 그 어느 때보다도 빨랐고, 군인들 또한 점점 더 활발해졌다.

그리고…… 어느 동틀녘이었다. 불침번이 멜로스 로불레호의 모든 인원을 깨웠다. 바깥소리에 심장이 쿵쾅쿵쾅 뛰었다. 여기저기 부딪히며 갑판으로 뛰어나갔다.

안스는 마침내 끝없이 이어진 땅을 발견했다.

이번에는 탈란타우에에게 질문할 필요도 없었다. 많은 사람들이 시끄럽게 떠들었다.

'교국의 입구, 에예우.'

교국이었다.

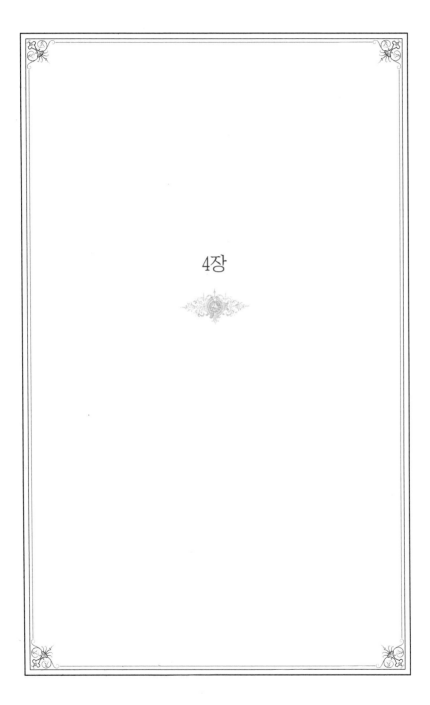

4장

4장

길게 누운 지평선 너머에 따뜻한 석양빛 건물들이 줄지어 서 있었다. 한 번도 보지 못한 건축 양식이었다.

성벽은 안쪽 도시로 갈수록 서서히 높아지는 세 개의 단으로 이루어져 있고, 가장자리는 끝없이 규칙적이었다. 거인의 팔뚝처럼 핏줄이 툭툭 튀어나와 뭉툭하고 두꺼운, 강한 벽이 인상적이었다. 일정 거리마다 배치된 감시탑들은 마치 사람의 손아귀처럼 생겼다. 언제라도 공격자를 움켜쥘 수 있는 손아귀 말이다.

햇살 아래 어찌나 크고 생동감이 넘치던지, 당장에라도 대지를 짚고 일어설 것만 같은 거인.

안스는 조금 감동받았다.

"아—네가다! 하후르!"

그는 이상한 단어에 당황하지 않았다. 교국군들은 항해 명령을 내릴 때 이따금 토착 언어를 쓰곤 했다.

그들의 기묘한 언어를 들으며 멍하니 뱃전에 기댔다. 면은 천처럼 매끈하지만, 선은 보풀처럼 울퉁불퉁한 성이 점차 커졌다.

이제 성에 이어진 부두도 보였다.

세상에. 안스는 기가 막혔다. 멜로스 로불레호만큼 큰 배가 수많은 줄에 묶여 옆으로 기울어 있는 모습을 발견했다. 그 아래 사람들이 새까맣게 달라붙어 용골을 청소하고 있었다. 비슷한 방식을 시노드 신넬에서 사용하지 않는 것은 아니지만, 규모 자체가 달랐다.

아니, 저건 또 뭐야— 부두 구석진 곳에 큰 둑이 있었다. 둑 안쪽은 바닷물을 빼내 반질반질한 땅이었다. 그 맨땅에 엄청나게 큰 범선이 고정되어 있었다. 저 신기한 구조물 역시 배의 유지 보수를 위한 것이겠지. 귀신 같은 교국 기술들을 눈앞에서 목격하자니 기가 죽었다.

"에케이—!"

안스는 움츠렸다. 이젠 비단 기가 죽어서만은 아니었다.

한겨울이었다. 그럭저럭 견딜 만큼 추웠다. 물론 시노드 신넬 남부보다는 서늘했지만 가혹할 정도는 아니었다. 바람이 미친 듯이 불었다. 오늘 아침 누군가 달아 둔 검은 깃발이 후루룩 요란한 소리를 내며 흔들렸다.

점차…… 성에 못지않을 만큼 거대한 부두 위로 채비하는 일꾼들의 모습이 보였다. 아니, 그 이상이었다. 부둣가 광장에는 빈틈을 찾기 어려울 만큼 많은 사람들이 붐비고 있었다.

이 배는 몇 해 동안의 고난 끝에 돌아온 승리자였다. 교국인이 열렬히 반길 만하지. 안스는 쓸쓸하게 곱씹었다.

멜로스 로불레호는 연인의 손에 깍지를 끼듯 부드럽게 입항했다.

닻이 떨어지고, 외침과 함께 수많은 밧줄들이 공중을 떠다녔다.

판자가 턱하고 내려갔다.

탈란타우에가 기다렸다는 듯 발을 내디뎠다. 기수旗手[6]가 허겁지겁 발 빠른 사제왕을 따라나섰다.

그가 부두에 내려서자, 기다리던 세 사람이 깊이 절했다. 단단한 부두 돌바닥 위로 머리를 댄 그들이 입 모아 말했다.

"주의 이름으로 개척자를 송축드립니다. 바닷물에서 샘물이 나게 하시고 별의 법도를 읽으시는 사제왕 탈란타우에시여, 저희를 복되게 하소서."

"예. 스스로를 낮추신 대리인들이시여, 주의 율법을 지키겠습니다."

세 명이 천천히 일어났다. 기억을 되짚어 보니 저들의 흰 옷차림은 소조폴에서 보았던 '법황의 대리인'의 것과 닮아 보였다. 그곳에서는 '법황의 대리인'이 탈란타우에를 복종시켰는데, 여기에서는 무려 셋이나 탈란타우에 앞에 무릎 꿇고 있었다.

안스는 이제야 탈란타우에가 본국에서 누리는 위명이 어느 정도인지 조금 짐작할 수 있었다. 그를 맞이하는 이 자리에서는 대리인들조차 굴종해야 하는 최고의 선봉旗手이 바로 '사제왕 탈란타우에'였다. 쉬운 말로는 영웅이라고나 할까?

때문에 안스는 탈란타우에가 길을 걸어가면 수많은 교국인들이 환호할 거라고 생각했다.

그러나 모든 부두가 침묵에 잠겨 있었다. 탈란타우에와 기수, 그 뒤를 따르는 법황의 대리인들. 그들이 돌을 내리찍는 굽 소리만이

---

6) 기를 들고 신호하는 일을 맡은 사람.

쥐 죽은 듯한 정적을 채웠다.

부두 광장에는 몇 안 되는 사람만이 지나갈 수 있는 길이 트여 있었다. 그 좁고도 하얀 땅이 까맣게 몰려든 군중의 폐부를 찌른 듯했다. 그런 게 아니라면, 이렇게 많은 군중이 이토록 조용할 수 있나? 안스는 오랜만에 또 정신이 이상해질 것 같았다.

갑자기 대오의 중앙에 선 법황의 대리인이 말했다.

"주께선 권능으로 우리의 원수怨讐를 다스리신다."

안스가 어리둥절해하는 사이, 땅을 울리는 음성이 터져 나왔다.

"주께선 권능으로 저희의 원수를 다스리십니다."

부두가 웅성거렸다.

그러니까, 웅성거린 건 '사람'이 아니었다. 사람들이 모두 같은 순간에 단 한 문장을 말하자 돌바닥이 부르르 떨린 것이다. 그 위를 감싼 공기가, 지나가던 겨울바람이, 가장 높은 곳에서 흔들리던 깃발 소리가……. 순서대로 수런댔다.

"주께선 우리의 지도자와 함께 성채를 세우신다."

"주께선 저희의 지도자와 함께 성채를 세우십니다."

"주의 이름을 찬양하라."

"주의 이름을 찬양하나이다."

멍하니 지켜보느라, 어떤 신호가 오갔는지는 잘 몰랐다.

갑작스레 환호가 터져 나왔다.

외침, 비명, 휘파람, 칭찬과 경탄의 목소리들.

심지어 몇몇 이들은 탈란타우에게 검은 손수건을 던졌다. 그것을 시작으로 죽은 새 떼처럼 우수수 천이 쏟아졌다. 하늘을 날아다니고, 부딪히고, 아니, 손수건이 아니라 고함과 부딪히고, 모든 것이 정신없이 파닥거렸다.

안스는 온통 검은색으로 뒤덮인 부두 바닥을 보며 저들이 장례식을 치르는 것인지, 사제왕을 축하하는 것인지 모르겠다고 생각했다. 물론 그 와중에도 교국인들의 기쁜 감정이 자신의 것과 다르지 않아 조금 안도했다.

그러다 한순간, 얼굴 앞으로 가리개가 씌워졌다.

안스는 반사적으로 몸을 숙여 뒤를 걷어차려 했다.

"가만히 있어."

베오메네스였다.

안스는 우뚝 멈췄다.

주변에서 약하게 킬킬거리는 소리들이 들렸다. 이제 바다를 넘어왔으니 쓸모없어진 사제왕의 시종이 처형되리라 생각하는 것 같았다.

베오메네스는 자신의 오금을 걷어차선 굴복시켰다.

"따라와라."

"……."

안스는 아무것도 안 보이는 상황에서 비틀대며 내리막길을 내려갔다. 더듬거리며 방향을 꺾었다.

베오메네스가 누군가에게 소리 높여, 사제왕 각하의 명령을 수행하고 있다고 전했다. 상대는 방향을 알려 주었다.

안스는 자신이 지나치는 인간들의 온기를 느꼈다. 덩치가 큰 인간들, 작은 인간들, 남자, 여자, 아이, 노인들. 각양각색이었다. 이만한 인파를 마주하는 것이 대체 얼마 만인지. 군인들만 모여 있을 때와는 완전히 다른 감각이었다.

통제된 구역으로 가고 있는 듯 적어도 사람들과 부딪히진 않았다. 그러나 머리에 두건이 씌워진 자신을 향해 몇 마디 내뱉는 소리들은 잘 들렸다.

"뭐야?"

"쳐다보지 말렴. 죄인인가 봐."

"무슨 죄를 저지른 거야?"

"배에서 남의 양식을 훔쳤을지도."

"에드스나로 가는 배에서도 그러면 목이 매달리는데, 대양은 어떻겠어?"

안스는 비현실적으로 인간다운 잡담에 소리 없이 웃었다.

그들은 부두를 벗어났다. 그리고 어떤 건물로 들어갔다. 추측하건대 감시탑 같았다.

계단을 올라가는데? 어디 탑에서 뛰어내릴 곳이라도 있나? 생각하는 순간, 복도로 접어들었다. 돌로 만든 복도 속 홰가 불타는 소리, 엇갈리는 발걸음 소리가 들렸다.

베오메네스는 길을 지나는 도중 여러 번 이것이 사제왕 탈란타우에의 직속 명령임을 증명했다. 그러자 다들 감격하여 탈란타우에의 치적에 대해 떠들려 했다.

기가 막혀. 그걸 따돌리는 게 베오메네스에겐 가장 어려운 일이었을 것이다.

그들은 마침내 다른 장소에 도달한 듯했다. 이번엔 계단을 내려갔다. 안스는 눈이 보이지 않아 이리저리 찢은 무릎이 슬슬 임계점에 다다랐다고 생각했다.

"두건 벗겨 줘. 가면 쓰고 있잖아."

"안 됩니다."

안스는 욕설을 내뱉었다. 그 순간 건물을 나왔다. 자신은 정말 삼십 분이 넘도록 눈을 가린 채 걷고 있었다.

그리고 조금 더 걸음을 옮긴 뒤…… 어떤 지붕 아래로 들어왔다.

안스는 뒤에서 문이 닫히는 소리를 듣곤 반색했다.

"이번엔 벗어도 되나?"

"예."

두건과 가면을 한 번에 뽑아 바닥에 던졌다. 겨울인데 입김으로 익사할 뻔했다.

안스는 찬물이 끼얹어진 말처럼 푸르르 고개를 흔들었다.

그는 곧 협소한 홀을 둘러보며 어리둥절해했다. 한 번도 본 적 없는 취향으로 이루어졌기에, 당최 이곳이 어떤 장소인지 추리할 수 없었다.

"여긴 뭐야?"

그때, 위층에서 부스럭대는 소리가 들렸다.

누군가 복도를 지나 내려오고 있었다. 걸음은 빠르지도, 느리지도 않았다. 자신을 만나는 게 기쁘거나 두렵지 않은 듯, 마치 자주 보는 여상한 동료들을 만나듯 했다.

마침내 계단으로 나타난 남자는 흐린 금발을 지닌 중년 남성이었다. 저 나이에도 눈이 깨끗하고 담담하다니 참 이상했다. 처음 보는 상황에서도 경계심이 들지 않을 정도였다. 그보다는 호기심과 호의 같은 것들이 느껴졌다.

그는 터덜터덜 걸어 내려와 안스 앞에 섰다.

짐깐 숨을 늘이켰다. 그 친절한 얼굴에는 한쪽 귀가 없었다.

"안녕하세요."

안스는 그의 인사에 한순간 할 말을 찾지 못했다. 귀, 귀가 없어. 아니— 손상된 신체를 무시하더라도, 지난 한 해간 만났던 인간들은 자신을 극진히 예우하거나, 완전히 무시하거나 둘 중 하나였다…….

안스가 허둥지둥 갈피를 못 잡는 사이, 낯선 이가 말했다.

"저는 아펭글로입니다. 성은 없습니다."

안스는 한 걸음 뒤로 물러났다. 그리고 자신이 그랬다는 사실에 깜짝 놀랐다.

"안녕하세요. 저는 안스…… 입니다."

"'안스카리우스 드라수스 바를라암'이십니다."

베오메네스가 뒤에서 고쳐 주었다.

안스는 무시했다.

"혹시 제가 아는 '그' 아펭글로십니까?"

아펭글로는 눈을 위로 굴렸다.

"'그' 아펭글로라니요? 당신이 어떻게 저를 아시는지 모르겠습니다."

"아펭글로, 이분은—"

"사제왕 바를라암 각하의 친자. 네, 압니다. 하지만 교읍지에 도착할 때까지 내내 예의를 차리다간 다 들켜요. 적당히 합시다, 적당히."

안스는 쿵쿵 뛰는 심장을 억눌렀다. 진짜 그 사람이야? 그 '아펭글로'? 삼십 년 전 이즈버르에서 온갖 깽판을 쳐 상주들을 휘어잡은 아펭글로. 그렇게 끌어모은 돈으로 배를 만들어 동쪽으로 떠난 아펭글로…….

사실 탈란타우에에게서 진작에 그가 교국에 도착했다는 사실을 들었지만, 제 토대가 안정적이지 않았을 때라 흘려 넘겼던 모양이다. 또한 단순히 말로 전해 듣는 것과 지금처럼 직접 만나는 것은 완전히 다른 이야기였다.

"저를 어떻게 아십니까? 혹시 시노드 신넬에서 이즈버르에 거주하셨습니까? 그쪽 상단이라면 이야기가 나올 법도 해서요."

"……."

"제가 당신을 어떻게 부르면 되지요?"

"'안스'로 불러 주세요."

"좋아요, 안스. 제 질문에 답해 주시겠습니까?"

안스는 그 호기심 어린 질문에 정신을 똑바로 차렸다.

"아펭글로. 시노드 신넬 남부에서 당신은 유명합니다."

"……."

"동쪽으로 가겠다고 큰 상단을 세 개나 휘어잡은 거잖아요. 더르잔, 세다텔, 그레슈카. 당신 빼곤 단 한 사람도 그런 미친 짓을 안 했습니다. 사람들이 대상주들이 뭐에 홀려서 그랬다고 아직도 떠들 정도니까."

아펭글로는 뺨을 한 번 쓸었다.

"음…… 오랜만에 이름을 들으니 뭘 가져다주질 못해서 참 미안하네."

"……."

"혹시 세 개 상단 다 살아 있어요? 정말 너무 오래되어서."

안스는 언젠가 호기심으로 뒷이야기를 찾아보았던 사실이 이 순간 너무 고마웠다. 마치 삼십 년 동안 무인도에 갇혀 있던 사람에게 처음으로 소식을 전달해 주는 새가 된 기분이었다.

"더르잔은 당신 항해 투자에 실패하고 투자자들의 믿음을 잃었습니다. 물론 아주 큰 상단이었기에 살아남아 여러 해 동안 괜찮은 거래를 이어 갔지만…… 비슷한 투자 실패를 연달아 두 번이나 더 겪었어요. 그래서 이십 년 전쯤 망했습니다."

"음."

"세다텔은 당신에게 가장 적게 투자한 곳이라 당시 별 타격 없이 잘 살아남았습니다. 그런데 기존 상주가 죽고 아들이 승계한 다음부터 이상한 선택을 하더군요. 결국 검은 거래가 공식 거래보다 커져서…… 불안정적이라고 판단한 투자자들이 빠져나갔습니다. 힘을 잃은 상주에게 보호 귀족들이 덤벼 죄를 물었고요. 아마 아직도 감옥에 있을걸요?"

"저런."

"그리고 마지막으로 참여한 그레슈카. 무슨 생각인지 셋 중에 가장 많은 돈을 부어선—"

"살아남았습니까?"

안스는 지금까지 차분하게 듣던 이가 갑작스레 끼어들자 눈을 동그랗게 떴다.

아펭글로도 문득 무례했다는 것을 깨달은 듯 헛기침을 몇 번 했다.

"아니, 아닙니다. 말씀하시지요."

"아, 네. 결론을 원하시는 듯하니 그것부터 말씀드릴게요. 그레슈카는 도이도흐를 기반으로 한 상단입니다."

"이즈버르가 아니라요?"

"네. 당신 항해 투자에 실패하고 파산할 뻔해서…… 그쪽도 어린 상주가 아버지의 자리를 승계한 지 얼마 안 되었었거든요. 게다가 여자라서 더 고약한 소문이 돌았어요. 그 소문들에—"

"무슨 소문?"

안스는 슬슬 언짢아졌다. 우리, 방금 만나지 않았나? 왜 자꾸 말을 끊어? 내가 위인을 만나듯 놀라서 만만하게 보는 건가?

"……당신이랑 나이 대가 비슷했다면서요. 당연히 치정 소문이죠. 아버지한테 물려받은 상단이라면 자기 능력을 증명하는 첫 투자가 중요한데, 진짜 거하게 말아먹었잖아요. 뭐, 당신이랑 사랑에 빠졌다, 어쩐다. 근데 사실이에요?"

안스도 무례하게 굴러 들어갔다.

"아니…… 아닙니다."

안스는 딱딱거리다가, 그의 얼굴을 보곤 갑자기 미안해졌다. 그는 정말 그레슈카의 소식이 급해서 자신을 재촉했던 모양이다. 얼굴에서 엿보이는 죄스러움과 그리움이 자신을 당황스럽게 했다.

음, 진짜로 '아닌' 게 맞나?

"어, 아무튼, 그레슈카는 잘 살고 있습니다. 당신이 실패했단 게 확실해진 뒤 바로 도이도흐로 옮겼거든요. 좀 작은 도시지만…… 그렇기 때문에 그레슈카 명패를 들고 할 만한 일이 많았죠."

"음……."

"아, 그런데, 이번에 도이도흐가 교국에 함락당해서…… 잘 도망가셨는지 모르겠네요. 사제왕 탈란타우에께선 상당히 잔인하시기 때문에 제때에 도시를 벗어나지 않으셨다면 안타깝지만 돌아가셨을 공산이 큽니다. 죄송합니다."

"그건 걱정하지 않습니다. 소조폴이 함락되는 바로 그 순간, 제 친구는 라수마 산맥 꼭대기로 도망쳤을 테니까요. 제 친구는 제가 지금까지 본 어떤 사람보다 영민합니다."

안스는 의심쩍은 표정으로 아펭글로를 바라보았다. 도이도흐보다 소조폴이 먼저 공격당했다는 걸 알고 있군.

처음의 충격이 가시자, 갑자기 불쾌감이 일었다.

"……당신이 시노드 신녤 침략을 이끌었군요."

아펭글로의 눈이 커졌다. 다시 가늘어졌다. 언뜻 모욕받은 듯 언짢아하는 얼굴이었다.

안스는 기가 막혔다.

"왜 그런 표정이십니까? 당신이 상단주들의 허가 없이 밀수한 책을 탈란타우에가 공부했잖습니까? 그리고 지금도 탈란타우에가 '직접' 저를 당신에게 숨겨 보냈을 정도니, 당신은 그 사람과 모종의 관계가 있는 게 틀림없습니다."

"말씀이 과하시군요."

"뭐가 과해요? 나에 대해선 탈란타우에게 들어서 아는가 본데, 나는 확실히 시노드 신녤인으로 자랐습니다. 당신은 표류해 온 낯선 교국인을 잘 대접한— 아니, 더 나아가서 금화를 쏟아부어 고향으로 보내 준 시노드 신녤을 배신했습니다. 이제 와 이게 다 무슨 소용인가 싶지만, 그래도 말하고 싶네요. 내가 이 개짓거리들을 당해 가며 여기까지 온 데엔 당신 죄가 적지 않습니다. 당신, 소조폴과 도이도흐에서 몇 명이나 죽었는지 알기는 해요? 사천 명! 적어도 사천! 전투 중에 죽은 것도 아니고 줄줄이 세워서 처형했지!"

"아, 저는 이만 멜로스 로불레호로 돌아가 보겠습니다. 심부름꾼을 처형하러 갔는데 안 돌아오면 의심을 사서 말입니다."

베오메네스가 높낮이 없는 말투로 지껄였다.

안스는 홱 뒤를 돌아보곤 나갈 거면 입 닥치고 조용히 꺼지라고 화풀이를 했다.

그는 양손을 들어 보이더니, 느릿느릿 문을 닫고 떠났다.

안스는 다시 아펭글로를 돌아보곤―

"안스, 내가 시노드 신넬에서 가져온 책은 「남해의 연인에게 고함」입니다."

안스는 갑자기 할 말을 잃었다.

「남해의 연인에게 고함」. 한 장에 열 줄이나 쓰여 있으면 다행인 그 애정시를 들고 왔다고? 게다가 대부분의 구절이 '사랑하는 연인이여, 당신과 만난 모든 순간이 제게는 처음이자 마지막입니다. 봄이자 겨울이고, 아침이자 밤이며, 청년이자 노인인 가운데, 당신은 언제나 놀랍습니다.' 이딴 식인데?

아펭글로는 그를 똑바로 바라보며, 마치 결백을 증명하듯 속삭였다.

"나는 내가 두 나라 간 건강한 교류의 시발점이 되리라 생각했습니다. 순진한 생각이라 비웃어도 좋아요. 새로운 세상에 떨어졌을 때 난 고작해야 열여덟 살이었으니까."

안스는 인상을 찌푸린 채 바닥을 내려다보았다.

아펭글로는 교국식으로 열여덟 살에 마주두 제일섬으로 흘러 들어왔다. 그곳에서 해적들을 홀려 이즈버르로 행차했고, 이즈버르에선 세 명의 대상주들을 홀려 대형 범선을 건조했다. 아펭글로가 시노드 신넬에 머문 것은 총 다섯 해로, 마지막 기록상의 그는 스물두 살이었다.

"이 항로가 열리면 얼마나 많은 사람들이 자유롭게 왕래할 수 있을지, 나의 동료들이 세계를 얼마나 바꿀 수 있을지, 그런 것 따위를 생각했지요. 그렇게 육 년간의 지옥 같던 항해를 끝내고 에예우에 입항했을 때, 나는 법황청에 포박되어 끌려갔습니다."

"······."

"나와 시노드 신넬 동료들은 이즈버르에서 출항할 때 도합 백오십이 명이었습니다. 에예우에 도착했을 때에는 고작 서른셋이 남아 있었습니다. 서른셋. 우리가 어떻게 되었겠습니까?"

"······."

"물론 사제왕 알렐링기에스 각하께서 이십이 사세왕들의 연판장連判狀[7]을 법황청에 제출하여 석방을 탄원했습니다만, 사제왕들께선 그날 입항한 사람이 몇 명이고, 누구인지 몰랐습니다. 그래서 단지 '대양 너머에서 돌아온 교국인'의 구명을 바랐고····· 법황 성하께선 그 청을 정확히 들어주셨지요. 그래서 생존자는 나 혼잡니다. 아, 내게서 귀가 하나 없어진 건 귀여운 꾸중이라고 해도 좋겠고요. 이천 일 동안 함께 생사를 넘나들었던 시노드 신넬 친구들은 다 죽었습니다."

안스는 고개를 살짝 들었다.

아펭글로의 친절한 눈에는 분노가 서려 있었다.

"그런 나한테 감히, 시노드 신넬의 '침략'을 이끌었느냐고?"

안스는 그를 뚫어져라 바라보았다.

생사를 같이 넘나든 서른두 명을— 아니, 백오십일 명을 잃었다면, 아펭글로는 자신보다 더 많은 친구들을 떠나보낸 셈이었다.

이해가 가지 않았다. 그래, 법황이 동료들을 다 죽였으니 그를 적대하는 것은 알겠다. 하지만 바깥으로 나가고 싶어 발버둥 치는 사제왕 놈들과 편을 먹었다가는 시노드 신넬이 어떤 꼴이 될지 몰

---

7) 여러 사람들이 서명한 하나의 문서.

랐던 걸까? 오 년간 그 많은 사람들에게 신세를 졌으면서 미안하지도 않았을까?

짧은 한숨 소리가 들렸다. 아펭글로였다.

"안스, 생각해 보세요. '침략'이란 단어에는 벌써 당신의 판단이 들어가 있습니다. 시노드 신넬— 아니, 서쪽의 대륙을 통틀어 보면 그 크기는 우리와 비슷하고, 우리와의 거리는 매우 멉니다. 게다가 내가 아는 시노드 신넬은 교국에 일방적으로 지배당할 만큼 후진적이지도 않습니다. 물론 무기와 항해술 수준은 아직 교국에 범접하기 힘들지요—우리는 성전을 이백 년 치른 미친 나라잖아요—. 하지만 시노드 신넬은 그 외 모든 것이 북극성에 닿을 만큼 뛰어납니다."

"……."

"교국은 자기보다 똑똑하고, 제 몸만큼 거대한 대륙을 총칼로 집어삼키지 못합니다. 기술? 그야 철포 스무 번만 해체해 보면 복제가 가능한 거고요. 당신은 내가 스무 살의 나이에 얼기설기 교국 범선을 만들어 대양을 건너왔다는 사실을 잊었습니까? 기초가 있다면 기술이란 건 모방이 가능합니다. 시노드 신넬이 기술을 모방했을 때, 탄압하던 교국은 오히려 그물망 속 고기떼처럼 잡혀 죽을 겁니다."

"……."

"그뿐일까요? 꽉 닫힌 제도에서 건너간 교국인들이 역동적인 대륙에 매력을 느끼면 어떻게 될까요? 생활 양식을 받아들이고, 가족을 꾸리고, 새 신앙을 받아들이면? 교국인들은 녹아들고, 시노드 신넬인들은 흡수하고……."

"……."

"법황 성하께서 제일 두려워하는 게 그거예요. '하수구가 역류하는 것.'"

"……."

"여전히 '침략'이라고 생각하십니까? 당신도 시노드 신넬과 교국을 봤잖아요. '침략'이라면 이건 정말 비효율적인 '침략'이에요."

안스는 입을 다물었다.

아펭글로는 고개를 절레절레 저었다.

"다만, 한 가지는 미안합니다. 나는 그런 학살이 벌어질 줄은 꿈에도 몰랐습니다. 탈란타우에 각하께서 왜 그렇게까지 하셨는지 정말 모르겠습니다. 교국의 기술은 아직 시노드 신넬에 한참 앞서 있습니다. 대양 너머 항구 도시들 정도는 별 피해 없이 진압할 수 있었을 텐데요."

아펭글로의 눈은 정직했다. 거짓말을 하는 것 같지 않았다. 아니, 애초에 자신에게 거짓말을 할 필요가 없기도 했다.

"사제왕 탈란타우에 각하께서 잔인하시다는 소문이 있지만, 실제로 그간 그렇게 많은 사람을 처형하신 것은 아니고, 불신자들을 진압한 뒤 주동자 몇에게 특별히 가학적이었기에 안 좋은 평판이 붙던 것으로 기억합니다. 더군다나 '그 일'이 있기 전까지는 다른 분들과 별반 다르지 않으셨으니, 불필요한 학살을 즐기실 분은 아닙니다."

'그 일'이란 아마 탈란타우에의 아내와 자식이 죽은 일일 테지. 안스는 몇 사람이나 법황에게, 그것도 다양한 방법으로, 이중 삼중으로 당한 것인지 몰라 언짢아졌다.

"……아펭글로, 난 여기 올 때 이우니오라는 섬에서 탈란타우에

사마귀가
친구에게

우리 사이엔 이제 넘어갈 수도 없는 바다가 있는데.

「사마귀가 친구에게」 3권 초판 한정 부록 | 비매품

윤진아 지음 | NOMA 그림

가 살인하는 모습을 봤어요. 그자들의 죄라곤 내 얼굴을 본 것밖에 없었습니다. 그런데 탈란타우에는 천천히 고문하듯 죽이더군요. 그 인간은 제정신이 아니에요."

"하지만 안스, 당신은 반항하지 않고 순순히 여기까지 왔습니다. 단순히 목숨이 아까워서입니까? 아니잖아요."

안스는 주먹에 힘을 주었다.

"내가 탈란타우에의 사정을 이해한다고 해서 그 인간이 멀쩡한 놈이 되는 것도 아니고, 죽은 사람들이 살아 돌아오는 것도 아닙니다. 지긋지긋해요. 차라리 제 아버지란 작자에게 맡겨지는 게 훨씬 나을 겁니다."

"아, 그건 아닐 텐데."

아펭글로가 나직하게 말했다.

안스는 입을 꾹 다물었다.

"사제왕 탈란타우에 각하는 인간적인 분입니다. 적어도 각하를 이끄는 욕망은 단 한 구절로 압축되지요. '탈출지로서의 시노드 신넬 병합'. 그분은 교국을 혐오하기 때문에 교국에서 멀리 떨어진 터전이 있기를 바라십니다. 거기서 포위당해 죽는대도 '도망칠 곳' 자체가 중요한 거예요. 그뿐이죠. 때문에 실질적인 통치 방식— 그러니까, 시노드 신넬인들을 뜯어고치는 정책에는 전혀 관심이 없으십니다. 오히려 그분에게 시노드 신넬은 교국과 다르면 다를수록 좋은 곳입니다."

"그야 맞는 말이지만……."

"당신은 이제 탈란타우에 각하를 공공연히 미친 사람 취급하는 사제왕들을 만나야 할 겁니다. 그분들의 욕망은 두루뭉술하죠. 탈출할 곳이 있으면 좋겠지만 신은 그대로 믿고 싶고, 권력도 그대로 누리고 싶고, 시노드 신녤이 준비된들 이 터전을 떠날 수 있을지 아직은 확신하기 어렵고, 무엇보다 그 욕망을 위해 아무것도 희생할 생각이 없는 이들이지요."

"……."

"그분들이 더 열등하다고 일컬을 순 없습니다. 탈란타우에 각하보다 훨씬 현명하신 분도, 계산에 능하신 분도, 신앙심이 고결하신 분도, 선량하신 분도 계시니까요. 하지만…… 세상을 그런 사람들이 바꾸진 않습니다."

"……'그런 사람들'?"

"첫발을 떼지 못하는 사람들."

아펭글로는 의미가 담긴 침묵을 만들어 냈다.

안스는 뒤늦게야 아펭글로와 탈란타우에의 명백한 공통점을 찾아냈다.

한 사람은 시노드 신녤에서 교국으로, 다른 한 사람은 교국에서 시노드 신녤로.

첫 항로는 육 년, 두 번째 항로는 이 년, 이번은 육 개월.

다음 항로에선 얼마나 더 줄일 수 있을까? 그들은 대해를 좁혀 가고 있었다.

"근 사천 명이 처형되었다는 소식은…… 안스, 저도 너무 잔혹한 처사라고 생각합니다. 하지만 시노드 신녤로 향하던 도중 병력의 절반이 사라졌으므로, 포위될지도 모른다는 공포에 저지른 비이성적인 행위라고 생각합니다. 잡혀 온 사람들은 모두 도시의 중요한 자리에 있었겠지요. 군은 발밑의 저항이 두려웠을 거예요. 주께서는 이를 절대 용서하지 않으시겠지만, 그 또한 막다른 곳에서의 군전략일 수 있으니까요. 주여, 용서하지 마소서. 죗값은 저희 모두가 치를 겁니다."

안스는 항복하듯 고개를 숙였다.

아펭글로 또한 우스페히와 같이, 자신을 주저앉힌 뒤 경청하게 만드는 사람이었다.

그는 하나부터 열까지 똑바로 설명해 냈다. 모든 묘사가 간결했으며, 설득을 위해 비굴하지도 않았다. 심지어 그는 어느새 '시노드 신넬 억양'을 쓰고 있었다. 눈앞에 선 '시노드 신넬 청년'을 감화시키기 위해 의식적으로 사용한 것이겠지만, 알면서도 이길 수가 없었다.

안스는 그제야 이즈버르의 대상주들이 무엇을 보았는지 알게 되었다. 잔인하지 않으나 냉정하고, 명석할 뿐 아니라 설득력 있고, 동시에 세상은 언제나 전진한다는 희망을 지닌 청년.

시노드 신넬의 누가 들으면 농담하느냐 하겠지. 우리들은 빈정거림을 부모처럼 소중히 간직하는 사람들이니까, 원천적으로 불가능한 인간상이거든.

티, 어렸을 때 우리가 이즈고랄 씨에게 같이 들었던 아펭글로 이야기를 기억해? 그 인간은 과장된 만큼이야. 만나면 너도 실망하지 않을 거야.

안스는 곰곰이 생각했다.

아펭글로가 침묵을 방해할 때까지, 얼마나 긴 시간이 흘렀는지 알 수 없었다.

"안스, 우리는 가는 길에 더 많은 이야기를 나눌 수 있을 겁니다."

안스는 마침내 고개를 들었다.

"'가는 길'이요?"

"사제왕 바를라암 각하를 뵈어야 할 것 아닙니까? 그럼 교읍지로 가야지요."

"저희끼리만 갑니까?"

"그렇습니다. 저쪽은 군과 함께 북진할 겁니다. 우리는, 특히 당신은 그 배에 못 탑니다. 그래서 탈란타우에 각하께서 제게 따로 부탁하신 것이기도 하고요."

"그럼 육로로 가요? 많이 느릴 텐데요."

"말은 잘 타십니까?"

"네."

"그럼 문제없습니다. 어차피 저들은 들르는 도시마다 연회에 붙잡힐 겁니다."

"언제 떠나나요?"

아펭글로는 계단 옆에 놓여 있던 짐을 들어 보였다.

"지금."

티티라는 방심하던 순간에 의외의 답장을 받았다.

[상주에게.

이제는 '오블레드', 내 이름을 듣는 것조차 불쾌하겠지. 하지만 나도 당신 이름을 듣기 싫긴 마찬가지야.

난 당신이 총독을 살해하려 한 중죄에서 살아남기 위해 교국과 거래를 했다고 생각한다.

총독에게 칼을 들고 덤빈 것은, 순전히 갑자기 미쳐 버린 당신 잘못이지. 대체 왜 그렇게 화가 나서 육 년 동안 지킨 상단, 당신에게 의지하던 동료들을 무시했을까. 우리가 그렇게 무책임하게 버려질 대상이었나.

그리고 기어이 살아남기 위해 교국의 이즈버르 침공을 돕다니.

모욕적이다.

돌이켜 보면 당신은 사역관 감옥에 갇혀 있을 때부터 계획을 세웠던 모양이다. 당신은 창살 너머로 이즈버르의 사탕수수 제안을 무시하라고 명령했다. 그 뒤 총독이 우리 상단에 이즈버르 관련 서류를 달라고 요구하더군.

결국 이럴 속셈이었지. '나, 티티라 돕니니는 그야말로 뼈대 굵은 소조폴 출신 상주로 아무도 내 정통성을 의심할 수 없다. 그런 내게 이즈버르 놈들이 부당한 제안을 해 왔기에 교국 총독에게 도움을 청한다. 나를 대리해 이즈버르를 침공하시오.']

티티라는 한때 애타게 소식을 바랐던 상대에게 이토록 무감동할 수 있다는 사실에 놀랐다. 고작 얼마 전까지 상단을 잃었다는 허탈감에 시달리던 자신을 떠올리자 더더욱 그랬다.

[소조폴 내 교국 지지자들은 처음부터 이즈버르기 얼토당토않은 제안을 했다고 믿는다. 욕심 많은 상주들은 제안을 받아들였고, 정의로운 당신만이 총독에게 고발했다고. 그렇게 떠들고 다닌다.

구세대 상주들을 경멸하면서도, 당신의 구세대 위명은 이용하려 든다. '저 인간이 누군 줄 알기는 해? 무려 우스페히가 키운 제1조장이었다고. 그자가 괜히 총독에게 고발했겠어? 이즈버르 놈들이 죄를 저지른 게 분명하지.'

한편으로 소조폴 학살에서 도망칠 수 있었기에 교국을 싫어하는 이들은 말한다. 저 여자가 작부처럼 총독 뒷방에 들었다고. 상단을 키울 욕심이 넘쳤던 나머지 총독에게 베갯머리송사를 하려 들었다고.

총독은 영악하여 이즈버르 침공의 명분이 될 것을 요구했고, 당신은 들어주었고, 그 대가로 온갖 영예를 입었으니 소조폴로 돌아오면 무력으로 자기들을 굴복시킬 거라고 말한다.

그리고 다리를 벌려 권력을 차지한 년에게는 마땅한 결말이 있을 거라고 수군댄다. '그 사마귀가 어딜 가진 않을 텐데. 꼬맹이일 적 상단의 제일용병을 이용하고 죽이더니, 이번에는 총독인가? 그런데 이를 어쩌나. 총독은 만만히 당하지 않을 것이야. 세상이 그리 호락호락하지 않지.']

티티라는 꿈쩍도 하지 않았다.

[난 이 이야기들을 듣기가 괴롭다. 당신 돌아올 자리가 남아 있다고 생각하지 마라. 나는 그 자리를 차지한 소문들을, 시큼하고 썩은 냄새가 나는 인간의 말들을 견디고 있다.

당신이 미쳐서 총독을 공격했지만, 그럼에도 살고 싶었을 당신 마음을 이해한다. 그래서 총독의 요구에 따랐다면 그 또한 어쩔 수 없다고 생각한다.

내가 당신을 이해하는 만큼, 당신도 내가 실망할 수 있음을 이해해라.]

그 아래는 띄엄띄엄 나열되어, 마치 모든 줄을 다른 시간에 쓴 듯 두서없는 문장들이 보였다.

[난 당신을 배신한 게 아니야. 단지 소문에서 당신을 지킬 생각이 없을 뿐이지.

총독이 검열할 게 분명한 편지를 이렇게 가감 없이 쓰는 것도, 당신에게 애쓰기 싫어서야.

나는 차라리 당신이 어떻게든 상황을 수복해서 돌아오길 바라. 하지만 절대로 돕지 않을 거야. 먼저 상단을 짓밟은 당신이라면, 내가 이 정도쯤 무시해도 상처 입지 않겠지.

난 상단을 수습하느라 바빠.

그러니 도움은 없어.

대가는 스스로 치러.

오블레드.]

그녀는 편지를 책상 위에 올려 두었다.

그리고 멀뚱멀뚱 편지를 전달한 사람을 바라보았다.

제 눈앞 안스카리우스가 무슨 반응을 바랐든 아마 이것은 아니었을 게 분명했다.

그들은 한참 동안 정적에 잠겨 있었다.

티티라는 그가 앉은 안락의자를 노려보다가, 느릿느릿 요청했다.

"확인했습니다. 이제 나가세요."

"괜찮나?"

방금까지 정말 멀쩡했는데, 일을 이 꼴로 만든 사람이 저렇게 묻자 갑자기 화가 치솟았다.

……아니야. 진정해. 오블레드가 진짜로 실망한 이유는, 내가 뒷일도 생각 안 하고 무려 교국의 총독을 죽이려 덤볐기 때문이야. 그건 누구의 계략도 아니었어. 나는 그때 확실히 상단에 너무도 무책임했지. 안스 때문에…….

"네. 괜찮습니다."

안스카리우스가 인상을 찌푸렸다.

"여섯 달 만에, 저런 편지를 받고?"

"각하, 편지를 훔쳐보셨으면 부끄러운 줄 아세요."

그가 일어섰다. 안락의자에 잔뜩 묻혀 있다 커지는 모양이 마치 해일 같았다.

티티라는 불쾌한 듯 책상에 기대었던 몸을 더 젖혔다. 그가 여러 걸음 다가오자 책상 위로 후다닥 엉덩이를 올렸다. 온갖 종이를 뒤로 밀치며 허벅지까지 올라왔다.

맨살로 드러난 종아리가 책상 모서리에 부딪힐 즈음, 총독이 제 코앞에 섰다.

"'사마귀'?"

티티라는 숨을 크게 들이마셨다.

"'꼬맹이일 적 상단의 제일용병을 이용하고 죽였다.'는 말이 무슨 뜻이지?"

"소조폴 시민들이 다 아는 소문을 당신만 모른다면, 그건 당신이 통치 임무에 소홀했단 증거 아닐까요?"

"네가 살인을 저질렀다는 사실은 안다. 하지만 '사마귀'와 '이용하고 죽였다.'는 말이 무슨 뜻인지 모르겠다."

"그렇다고 제게 보고할 의무가 생기는 건 아닙니다. 그리고 당신은 총독으로서 물어볼 게 그것뿐입니까? 어서 돌아가 불량 시민들을 잡아 족칠 생각이나 하십시오."

"이미 모든 것이 잘 처리되고 있다. 그러니 내가 궁금한 건 이것뿐이야. '사마귀'."

"아, 그렇게 답을 원하신다면야. 제 생김새가 사마귀를 닮았다고 놀리길래 죽였습니다."

안스카리우스의 눈썹이 좁혀 들었다. 티티라는 문득 저 사이에 손가락을 끼워 보고 싶다는 생각을 했다. 헛소리를 지껄이다 보니 나도 좀 제정신이 아닌가 봐.

"티."

그 순간, 티티라는 개를 길들이듯 급하게 거절했다.

"안 돼."

안스카리우스가 '안스'를 익히는 속도는 가히 기적적이었다. 가끔 그는 기억을 잃었다는 게 거짓말은 아닐까 의심스러울 정도로 안스 그 자체처럼 보였다.

안스는—안스카리우스는 제 손등 위를 감쌌다.

티티라는 반복해서 말했다.

"안 돼요."

그는 코앞에 있었다. 속눈썹을 셀 수 있을 정도였다.

"나는 질문할 권리가 있다."

"당신 꿈에서나—"

"내게 친구의 '사마귀'란 별명은 어떤 의미였나?"

티티라는 입을 꾹 다물었다.

이건 안스에 대한 질문이었다. 피할 수 없었다.

"……."

"우리는 약속을 했지."

티티라는 그가 징글징글했다.

포기했다.

"'사마귀'는 관계를 가진 후 상대를 죽이는 암컷을 의미하죠. 편지에서 읽으셨듯 제가 우스페히 상단의 제일용병과 쓸데없는 관계를 가진 뒤, 마침내 죽였기 때문에 생긴 별명입니다. 됐어요?"

"……."

"안스는 그자를 처음부터 아주 싫어했습니다. 그래서 상대가 제게 피해를 입혔을 때 더 힘들어했던 것 같습니다. 실제로 사람을 패고 다녔죠. 다들 절 '사마귀'라고 부르니까 그게 그렇게 싫다고 말입니다. 물론 사람들은 그 애가 그딴 식으로 굴자 더 신나서 저를 '사마귀'라고 불러 댔어요."

"……."

"하긴, 걔는 진짜 진심이긴 했어요. 황금 돛 1조장의 얼굴을 완전 피떡으로 만들어 놨더라니까. 미친 줄 알았지. 그 흉악한 모습에 가까이 갈까 고민하고 있는데, 나를 보고 얼굴이 달아오르더니 갑자기 눈물을 뚝 흘리는 거야. 당황해서 가까이 가니까 안아 달래. 안아 줬더니 나한테 변명을 하지 뭐야? '저놈이 널 '사마귀'라고 불렀어. 다 큰 어른이면서 부끄러운 줄도 몰라.' 숨이 꼴딱 넘어가는 사람이 저기 널브러져 있는데, 나한테 토로해서 뭘 어쩌라고? 저 1조장 놈한테 사과하란 소리가 아니라, 그냥 지금 나보고 울면 어떡하라는 건지, 내가 너를 위로할 처지인 건지…….”

티티라는 끝없이 말을 늘어놓다가 순간적으로 정신을 차렸다. 앞을 바라보았다.

안스카리우스의 눈썹이 움찔했다.

그는 의아하다는 듯이 물었다.

“그게 ‘친구’라고?”

“네. ‘친구’요.”

티티라는 태연하게 거짓말을 했다.

안스카리우스의 숨결이 느껴졌다. 부드럽게 빠진 눈썹이 살짝 처졌다.

가까이서 보아하니 제 헛소리를 조금도 믿지 않는 모양이었다. 그의 생각이 손에 잡힐 정도였다. ‘이걸 어쩐다.’

티티라는 시선으로 만든 방패를 위협적으로 휘둘러 그를 쫓아내려 했다. 그는 제 앞마당에 들어오려는 늑대나 마찬가지였다. 저리 꺼져—!

“티, 너는 왜 소문을 낸 소조폴인들에게 화를 내지 않지?”

그녀는 눈을 굴렸다. 한순간 이해가 가지 않았다.

설마, ‘사마귀’라는 별명에 왜 화내지 않았냐는 뜻이야? 그 모욕적인 별명을 왜 참느냐고? 당신이 그게 모욕적인 별명이란 걸…… 이떻게 알아?

“그 용병이라는 자가 폭행을 저지른 상황에서—”

가슴이 철렁 내려앉았다.

"안 당했어요. 익사할 소리 하지 마세요."

"—너를 탓하는 소문을 들으면 분노해야 정상 아닌가. 그걸 가만히 두었나? 무례한 별명을 왜 이토록 오랫동안 무시했지?"

"죄다 헛소리네요. 왜 맨날 당신 생각만 떠벌려요?"

티티라는 발로 그의 허리를 밀치려 했다. 그러나 그 동작은 꽤나 느렸다. 그녀가 주저하는 순간순간을 볼 수 있을 정도였다.

마침내 그가 손을 들어 그녀의 오른쪽 신발을 움켜쥐었다. 얇은 가죽 위로 그의 손가락이 느껴졌다. 찌릿했다. 저렸다. 희미한 온기를 느낀 발가락이 꿈틀거렸다. 마치 소금물 맞은 지렁이처럼.

그는 언뜻 천진해 보였다.

"그야 네가 솔직하지 않으니까."

"……."

"'나'와 있었던 당시의 너라면 '우리'는 매우 어렸을 것이 분명하다. 그랬던 네가, 나이 차가 상당했을 상단의 제일용병을 잠자리로 회유한다고?"

"……."

"티, 너는 자주 어처구니없는 설명을 던지고 도망간다. 나는 가끔…… 네가 진짜로 나를 속이길 바라며 거짓말을 하는 것인지, 아니면 본인 헛소리를 눈치채 주길 바라며 거짓말을 하는 것인지 잘 모르겠다."

"……."

어색한 침묵이 이어졌다.

그는 문득 그녀의 여름 신발을 내려다보았다.

티티라도 함께 그 자리를 내려다보았다.

큰 손에 감싸인 신발은 눈에 띌 정도로 움찔거리고 있었다.

그녀는 얼굴을 찡그렸다. 발목 위로는 평온한데 왜 발만 경련하는지 몰랐다. 제 몸이 아닌 것 같았다. 매 순간 번개에 맞은 듯했다. 고통스럽기보다는 아무 느낌이 없다는 말이 맞을 것이다. 정말 아무 느낌이 없었고, 아무것도 아니었다.

고개를 들자 안스카리우스와 시선이 마주쳤다. 그는 약간 화가 난 표정을 하고 있었다. 티티라는 도무지 그 이유를 알 수 없었다.

그의 손이 갑자기 신발의 끈을 풀어냈다. 그녀는 반사적으로 상대를 걷어차려 했지만 그가 훨씬 빨랐다. 얇은 신발이 순식간에 떨어져 나갔다.

끈 자국대로 탄, 건강한 맨발등이 보였다. 그러나 그뿐이었다. 신발 탓에 유난히 흰 발가락들이 그녀를 약한 인간으로 전락시켰다.

발가락이, 발등이, 발목이, 발작하듯 툭툭 튕겨 올랐다.

그가 양손으로 발을 완전히 감쌌다. 뜨끈한 열기가 확 올라왔다. 그제야 제 발이 얼음장처럼 차갑다는 사실을 깨달았다. 바깥으로, 바깥으로 맴돌던 미지근한 공기가 다시 안으로, 안으로……. 그의 손아귀 안에 갇혔다. 피가 점차 따뜻해졌다.

안스카리우스의 시퍼런 눈이 올라왔다.

티티라는 이유 없이 그가 욕을 하지는 않을까 생각했다. 지금은 완전히 그럴 놈 같았다.

"……너는 더 다치기 전에 용병을 죽였다."

왜 욕을 하지 잃지? 화난 씻 같은네. 네가 겨짓말해서 언짢은 거 아냐? 티티라는 혼란스러워졌다.

"그래서 어린 '나'는 '사마귀'라는 별명을 들을 때마다 분개했군.

겨우 혼자 헤쳐 나온 아이를 집단으로 모욕했으니까. 원래부터 친구는 아니었지만, 그때부턴 차라리 익사할지언정 더 이상 친구로 남을 수 없었겠지."

그의 시선은 여전히 화난 듯했다.

그러나 정반대편에서, 허탈함 또한 차오르는 모양이었다.

"'나'는 달아났군."

그는 자기 말에 공격받은 사람처럼 갑자기 여러 걸음 물러났다.

"난 네게서 달아났어."

그에게 잠깐 잡혔던 제 발이 툭 하고 책상에 부딪혔다.

티티라는 당황해서 손을 뻗었다. 손끝에 있는 안스카리우스의 얼굴은 해석하기가 너무도 어려웠다. 분노, 허탈감, 모욕감, 경멸과 고통.

그녀는 그중 단 하나도 이해할 수 없었다. 아니, 그래. 백번 양보하여 분노와 모욕감과 경멸은 이해할 수 있었다. 그동안 총독이 자신을 휘두르려 한 시도가 모두 실패해서 들끓는 것이다. 그러나 허탈감, 고통이라니. 대체 왜 그 감정들이 분수에도 맞지 않는 자리를 차지하고 있는지 몰랐다.

설마 나를 좋아해서? 그래서 내가 반항하는 걸 버티기 힘든 거야? 어이가 없었다. 좋아하긴 뭘 좋아해.

그녀는 책상 위에서 뛰어내렸다.

한쪽 신발이 없어 쩔뚝이는 걸음으로 안스카리우스에게 다가갔다.

"총독님, 뭘 달아나요? 아무도 달아난 적 없어요."

그는 오히려 경계하듯 한 걸음 더 물러섰다.

"'나'는 널 사랑하고도 감당하질 못했군. 그래서 도망간 거다."

가슴이 철렁 내려앉았다.

"아니에요. 안스는 달아난 적 없어요."

절반만 부정했다. 상대는 그것을 눈치챈 듯했다.

"내가 너보다 더 진실에 가까이 있다는 사실을 이제야 깨달았다. 너도 어린 '내'가 너를 좋아한다는 걸 알았겠지. 하지만 절대 받아 줄 인간이 아니지."

"총독님."

"그뿐이면 '나'도 버텼겠지만, 도저히 너를 설득할 자신이 없었을 거다. 아무 일도 없다고 되뇌면서 모래에 머리를 처박는 멍청한 동물 같으니라고……."

티티라는 인상을 찌푸렸다. 그녀는 개인적인 모욕에 화를 내는 사람이 아니었다. 내가 저자의 눈에 멍청해 보인다면 어쩔 수 없지. 인간들은 서로를 이해할 수 없으니까.

하지만 사실 관계는 정정해야 했다.

"저는 아무 일도 없었다고 말하지 않았습니다. 분명히 있었지만, 제 삶의 한순간으로 지나갔다는 거죠. 오트카저트―용병 일이나 소조폴 침공이나, 다 똑같습니다. 있었어요. 하지만 지나갔다고요."

"너는 너 스스로에게조차 솔직하지 않다."

"아, 정말."

"'오트카저트'. 살인하고 십삼 년이 지났는데 아직도 그 이름을 기억해. 그러고도 아무 일이 아니라고."

티티라는 아주 잠깐 입을 다물었다.

"오래 알던 사이에 이름을 기억하는 건 당연한 일입니다. 그걸 잊어버렸다면 제 지능이 어떻게 된 거겠죠."

"이렇게 또 머리를 처박지."

"마음대로 생각하세요."

안스카리우스는 대답하지 않았다. 대답할 가치를 못 느끼는 듯 불쾌한 표정이었다.

그에게서 약간의…… 아주 작은 조각의…… 안스가 보였다.

오래전, 안스는 확실히 자신을 좋아하느라 너무 지쳤었다. 단단한 벽에 이마를 박곤 매일같이 피를 보았다.

그녀는 자해하는 그를 보고도 이 벽이 절대 무너지지 않는다고 선언했다. 그리고 영원히 상처 입을 친구를 밀어냈다.

사실…… 안스도, 자신도 달아났다.

그때, 안스카리우스가 다가왔다.

"난 더는 못 달아난다."

"……"

"너도 마찬가지야."

주먹에 힘이 들어갔다. 저 인간은 마치 안스를 꿰뚫어 보는 것처럼 말하지 않나.

"'나'를 이렇게 만든 책임을 져."

그 순간, 티티라는 얼어붙었다.

갑자기 숨이 벅찼다. 눈물이 났다.

양손으로 눈을 누른 채 잠시 가만히 서 있었다. 그러나 손아귀 속 가득 들어차는 바닷물을 막을 순 없었다. 손목 힘줄 사이로 눈물이 투둑 떨어졌다. 마구 문지르자 이번에는 사방에 눈물이 뚝뚝 떨어졌다.

이내 온기가 느껴졌다. 제 콧등에 커다란 품이 와닿았다. 어깨

위로는 팔이, 등줄기로는 손이 느껴졌다. 훌쩍이자 향기가 났다. 나무가 죽어 가는, 아찔하고 매캐한 냄새.

그녀는 그에게 껴안겼다.

안스카리우스는 한숨을 쉬었다.

"그래. 네 책임은 아니지……."

제게서는 쌕쌕 숨 쉬는 소리가 났다.

"나는 옛날의 '나'를 전혀 모르지만, 너를 보면 알 것 같다. 너와 함께 있을 때마다 가끔 드러나는 파편에 숨이 막힌다."

"……."

"그래서 항상 어린 '나'를 따라 할 수밖에 없다. 행동만이 아니야. 생각부터 감정까지, 사라진 사람을 찾으려 애쓰고 있지. 결국 너를 사랑하듯 흉내 내는데, 이제는 어떤 것이 진짜인지 잘 구분이 안 된다."

등을 감싼 힘이 조금 강해졌다.

"티, 네게 다가갈수록 나를 찾지만…… 그렇게 찾아낸 것은 옛날의 고통뿐이다. '내'가 행복했던 기억은 전혀 없는데, 나는 너 때문에 죽을 것 같다. 사랑했던 기쁨 없이 고통만 있다니, 이렇게 수지타산이 안 맞을 수가 있나."

내 도움을 받아 안스의 고통만을 찾아냈다고……. 돌려받지 못할 애정 때문에 입은 수많은 상처들…….

티티라는 그제야 제 두려움과 마주쳤다. 안스카리우스가 기억 없이 돌아온 것은 가슴 아픈 일이었지만, 인스가 여전히 자신을 사랑한 채 돌아왔다면 그것은 끔찍이도 무서운 일이었을 것이다.

그를 여태 친구로 생각하기 때문이 아니었다.

나는 이제 네가 나를 사랑해도 괜찮은데.

곧장 입 맞추진 못해도 대화를 해 나갈 용기가 조금은 생겼는데.

그렇게 주저하던 동안 네 소중한 십 년을 허비해서.

그 죽을 듯한 기분에 너를 십 년 동안 담가 둔 것이 내게도 지옥이어서.

"너를 되찾은 깃을 후회하진 않는다."

티티라는 숨을 들이켜며 고개를 젖혔다.

안스카리우스와 눈이 마주쳤다.

"하지만 기억을 잃든, 잃지 않았든, 네가 좀 더 나아지길 바라서 한심하다. 너같이 딱한 인간을 붙들고 있는 나는 너보다 더 애처로울 수밖에. 더 안되었고, 더 어리석고, 정신이 나갔지……."

그들은 별다른 대화 없이 한참을 안고 있었다.

티티라는 그것이 정말 포옹이었을지 잠시 고민했다. 그가 힘있게 껴안고, 자신은 나무토막처럼 기댄 것도 '안는다'는 범위 안에 속한다면 그렇게 말해야겠지만.

어쨌든 그녀는 좀 더 차분해졌다.

안스카리우스는 크고 단단했다. 자신이 잠시 길을 잃어도, 문득 정신을 차렸을 때 같은 곳에 있다는 확신이 들 정도로 굳건했다. 안스였더라면 언제나 애정을 겨누던 사이라 초조했겠지만, 그는 달랐다. 향부터 품까지, 그리고 제게 가진 감정까지.

안스는 확실히 자신을 사랑했다.

그러나 안스카리우스의 감정은 '좋아한다'고 표현하기에도 조금 난처했다. 그에게 자신은 불씨를 지키는 사람이었다. 그의 기억이라는, 다 꺼져 가는 불씨 말이다. 짜증스럽게 소중하겠지. 피할 수 없기에 화가 날 것이고.

의외로 그 감정은 담백했다. '나는 절대 마음을 나누고 싶지 않'지만, 사람이 파도를 이길 수 없듯 '불가항력으로 너를 바란다'는 투였다. 뻥 뚫린 기억을 경험해 봤느냐고, 그 빈 공간을 채우기 위해선 먹고 죽더라도 너를 삼킬 수 있다고.

티티라는 그 불가항력을 이해했다. 어쩌면 안스의 감정보다도 더 잘 이해할 수 있었다.

"'사마귀'라는 오해를 왜 그대로 둔 거지?"

그래서 이런 질문에도 더 이상 감출 마음이 들지 않았다. 저자는 공허에 떠밀려 제게 끊임없이 부딪혀 올 테니까. 티티라는 상대의 감정을 설명할 수 있다는 사실에 완전히 안심하고 말았다. 미련해도 솔직한 심정이었다.

"불필요하니까."

그녀는 침대 위에 걸터앉아 있었다. 의자를 끌어온 안스카리우스와는 무릎이 가까스로 닿는 거리였다.

"폭행당했다고 고백할 필요는 없다. 살인이 단순 사고였다고 해명하면 되지."

"일단 그놈에게 폭행당한 적 없고, 단순 사고라 말해도 퍽이나 믿어 주겠다. 오벰 편지 못 봤어? 사람들은 믿고 싶은 대로만 믿어."

"네 후견인이었던 우스페히는 도시의 유력자였는데 그걸 못 막았나?"

"우스페히 씨는 내 살인을 묻은 것만으로도 하실 만큼 하신 거야. 어디 출신 모를 여행자를 죽인 것도 아니고, 사회적 지위가 있는 용병을 죽였는데 재판도 없게 만드셨으니까. 모두가 수군거리는 건 받아들이겠노라 각오하신 거지. 나도 그 정도는 감당했어야 하고.”

“상단을 만들고 돌아와 직접 바로잡을 수도 있었지. 네가 더 이상 애도 아니니.”

“총독님.”

“직위는 내려놔.”

티티라는 어이가 없어 조금 웃었다.

“그런데 ‘총독님’이셔서 이해를 못 하는 거잖아. 어차피 ‘사마귀’ 소문은 그 일이 있던 옛날을 잘 알지도 못하는 사람들 사이에서 이백 다리 정도 건너왔어. 그런 걸 바로잡겠다고 날뛰면 내 꼴만 우스워진다.”

“내가 돌아가 너를 소조폴의 대상으로 임명하면.”

“뭐? 말도—”

“소문을 퍼뜨리는 자들을 총독의 권한으로 처벌할 수 있다.”

그녀는 소름 끼치는 소리를 들었다는 듯 허리를 뒤로 뺐다. 제정신이야? 뜨악한 시선으로 그에게 물었고, 제대로 듣는 것 같지 않기에 다시 한번 내뱉었다.

“제정신이야?”

“왜 그렇게 묻지?”

“그렇게 주먹구구식으로 통치하다간 망해.”

“나는 어긋나게 행동한 적 없다. 너는 충분히 대상직을 받을 만하지. 문제라면 이즈버르를 팔아넘긴 대가로 지위를 받았다는 평가일 텐데—”

“잘 알고 있네.”

안스카리우스가 얼굴을 찡그렸다.

"나는 내가 해 줄 수 있는 일들을 이야기한 거다. 하긴, 너조차 스스로를 돌보지 않는데 이게 다 무슨 의미가 있나 싶군. 너는 무책임하게 자해하는 인간이니까."

"와, 안스카르, 여기 끌고 온 게 누구지? 저런 편지를 받게 만든 게 누구야?"

티티라는 삿대질을 하다가 그에게 손가락을 잡혔다. 양심이 있으면―

"티, 이즈버르는 전초 기지다."

그녀는 우뚝 멈췄다.

안스카리우스는 차분했다

"이번 재판만 넘으면 교국은 시노드 신넬의 모든 대항구들을 점령한다."

"……."

"지금 교국 반대파들이 존재하는 것은, 우리가 남부에만 머무르기 때문이다. 법황이 마음을 돌이키면 교국은 지금처럼 작은 규모로 머물지 않는다. 바다 너머에서 수백 척의 배를 동원하여 당장 시노드 신넬의 모든 항구를 점령할 수 있다. 그때 너는, 불쾌한 별명을 부를 엄두조차 못 낼 정도로 영예로운 협력자가 되어 있을 거다."

"아무리 그런 상황이 와도 난―"

"그러면 죽을 때까지 그 용병의 이름을 잊지 않는 게 네 계획인가?"

그녀는 어두운 곳에서 더욱 파도 같은 그의 눈을 바라보았다.

"그러면 왜 안 돼? 내가 죽였는데?"

그는 침묵했다.

"난 내가 죽인 사람 이름은 전부 기억할 거야. 다 이유가 있었을 테니까. 살인을 저지르는 이유가 가벼울 리 있어? 그러니 기억해야 해."

"……그러면 그 용병으로, 너는 뭘 기억하지?"

그의 손을 마주 잡았다. 호의적이지는 않았다. 으스러뜨릴 듯했다.

"'나를 지배하려는 인간은 죽일 거야. 정말 속 시원해.' 이런 걸 기억하지."

안스카리우스는 뚫어져라 자신을 바라보았다.

그녀가 제 말속 비장함을 소화할 때까지, 한참 동안이나…….

자랑스러웠지만 어쩐지 조금 부끄럽기도 했다. 자신이 지지 않는 사람이라는 것을 보여 주었기에 자랑스러운 한편, 그것을 드러냈기에 부끄러웠다.

"티, 나는 복수에 대해 잘 모른다."

그녀는 흠칫 놀랐다. 안스카리우스는 여전히 무겁게 자신을 응시하고 있었다.

"하지만 탈란타우에를 안다."

"……."

"탈란타우에는 증오하는 법황에게 죽음보다 더한 굴욕을 안겨 주었다. 법황에게는, 자신을 제한 누군가가 영웅이 되었다는 사실 자체가 치욕일 테니까. 신민들이 법황과 나란히 공경하는 사제왕이라니, 분노를 견디지 못할 거다. 완벽한 복수지."

"……."

"너는 그렇게 복수에 성공한 인간을 봤다. 멀쩡하던가?"

티티라는 대답하지 않은 채 손을 빼내려 했다. 그러나 그가 놓아주지 않았다. 꽉 움켜쥐곤 마치 그녀의 대답만이 그 손을 풀 열쇠라는 듯이…….

"티, 복수와 네 건강한 삶은 별개다."

그를 노려보았다. 그러나 그다지 맹렬하진 않았다.

사실 그의 말이 옳다는 사실을 안다. 이미 오래전에 안스와 이야기했다.

나는 오트카저트 때문에 짜증스러운 병을 앓게 되었고, 그 병은 소조폴 함락으로 조금씩 범위를 넓혀, 이제는 어두컴컴한 바닥이 보일 때마다 내딛기 전에 저것이 물인지 흙인지 판단하는 귀찮은 과정이 필요해졌다. 흙이면 다행이지, 물이면 그 순간 머리끝까지 잠겨 세상에서 사라지는 것이다. 누가 이딴 걸 건강한 인간이라고 하겠어?

"네 이야기를 털어놓을 필요는 없다. 바라지도 않고. 하지만 널 걱정하는 사람에게 책임감을 느끼길 바란다."

티티라는 반사적으로 비웃었다.

"당신이 날 걱정해?"

안스카리우스가 웃었다.

"그럼."

그녀는 눈썹을 치켜올렸다가, 눈을 이리저리 굴렸다가, 자유로운 손으로 이마를 꾹꾹 눌렀다. 순식간에 모든 행동을 해 놓고서야 자신이 얼마나 초조해 보였을까 하는 생각이 들었다. 무안해서 얼굴이 붉어졌다.

"나는 무슨 짓을 저지르든 나를 믿어도 좋다."

그는 여전히 웃음기 어린 얼굴이었다. 무엇이 저 사람을 한순간 즐겁게 만들었는지 알 듯 모를 듯 했다.

티티라는 그와 맞잡은 손을 내려다보았다.

"……마치 내가 위험한 일이라도 할 것처럼 이야기하는군."

"네가 바라는 게 없으니, 나머지라도 수습해야지."

"바라는 게 없다고? 있어요, 총독님. 날 보내 주는 건? 탈란타우에를 벌하는 건? 기억하실 텐데?"

"재판이 끝나면."

"사실 기대 안 했습니다. 내가 더 이상 이프루이우호에 머물기 싫다고 하면?"

안스카리우스는 자신을 빤히 바라보았다.

"진심인가?"

"가짜겠어? 물 위에 둥둥 떠 있는 것도 지겨워."

"그러면 전부 사역관으로 옮기지."

티티라는 조금 당황했다.

"당신도?"

"그래. 내일부터 채비시키면 다음 주 중으로 옮길 수 있을 거다."

"어……. 나한테만 저택을 마련해 줘도 돼. 그 정도로도 충분해. 혹시 불안하면 매일 보고하러 올게."

"두하 언덕의 귀족청은 이미 공사를 마쳤다. 시기를 조율하고 있었지만 충분할 것 같군. 추가로 필요한 게 있으면 말해라."

"진심이야……?"

안스카리우스가 손을 놓아주었다.

할 일이 많다며, 뒤돌아 제 선장실로 떠났다.

티티라는 얼떨떨한 채 등불만 약하게 비치는 의자 위를 바라보았다. 분명히 차분하고 농담이 섞인 대화를 하고 있었는데 갑작스레 폭풍이 지나간 것 같아 혼란스러웠다.

그녀는 중얼거렸다.

"뭐……?"

티티라는 대화를 나눈 이튿날부터 이프루이우호에서 쫓겨났다.

대신 일전에 끌려갔던 저택에서 사흘을 묵었다. 그동안 제게는 디아세가 엄격하게 붙어 있었다. 티티라는 항의하려다가, 디아세의 움푹 들어간 뺨을 보곤 아무 말도 하지 않았다.

라요나가 누웠던 이 층에는 감히 가까이 갈 엄두도 못 냈다. 그렇기에 혼자 일 층의 침실을 썼는데, 곧 자신 때문에 호위를 맡은 디아세가 이 층에 머물러야 한다는 사실을 깨달았다. 상상도 못 했다. 그녀는 차라리 자신이 양보하겠다고 했으나, 상대가 거절했다.

디아세는 괜찮다고 했다.

티티라는 이 장소에 자기들을 처넣은 안스카리우스에게 화가 났다. 수없이 느꼈지만 그에게는 열 번을 잘해 주고 한 번으로 망치는 신기한 재주가 있었다. 생각이 있다면, 라요나의 관을 보관했던 저택에 우리 둘을 넣지 말았어야지.

그러나 한동안 안스카리우스를 만나기는 불가능에 가까웠다. 선장실에 찾아가면 언제나 교국인들이 가득했다. 한 번은 탈란타우에와 마주치기까지 했으니, 티티라에게 사역관 이관으로 번잡한 이프루이우호는 갓 태어난 지옥처럼 보였다.

갑판 위에서 맞닥뜨린 탈란타우에는 기분 나쁘게 웃었다.

뒤에 선 디아세가 잠자코 바닥을 내려다보는 것이 느껴졌다. 처음으로 자신 때문이 아니라, 디아세를 위해 칼을 박아 넣고 싶다는 생각을 했다. 냉정한 듯하지만 어리숙하고, 신을 믿느라 사람을 증오하지도 못하는 인간을 위해서. 자신은 냉정하지도 않고, 어리숙하지도 않고, 신을 믿지도 않기 때문에 사람을 쉽게 증오하고 죽일 수 있었다.

"재판까지 기다리겠다. 돔니니."

탈란타우에는 여전히 답을 기다리고 있었다. 총독이 나를 어떻게 찾았는지, 무엇을 아는지, 왜 나를 보호하는지…….

"송구합니다."

티티라는 잔뜩 동떨어진 답을 한 뒤 서둘러 부두로 내려갔다.
디아세를 뒤에 두고 터벅터벅 걷는데 속이 턱 막혔다. 그와 단둘이 있을 때면 언제나 말을 꺼내기 어려웠지만, 그날의 침묵은 더욱 견딜 수가 없었다. 벽과 벽 사이에 끼어 죽는 느낌이었다. 무슨 이야기라도, 어떻게든…….

"디아세. 괜찮아?"
"지난번 저택에서도 말했듯, 괜찮다."
"그땐 그때고, 지금은 탈란타우에를 만난 거잖아."
"괜찮다."

그는 고장 난 인형처럼 괜찮다는 말을 반복했다. 수많은 질문을 했지만 그 외의 답은 얻어 낼 수 없었다.

그들은 죽은 아이를 둔 부부처럼 계단 앞에서 갈라졌다.

티티라는 제자리에 선 채 주먹을 꽉 쥐었다. 위층으로 올라가는 디아세의 군화 굽 소리를 들었다. 그의 얼굴이 담담해서 속이 더 안 좋았다.

그가 하찮은 시노드 신넬인인 자신과 고통을 나누지 않으려는 것인지, 아니면 정말로 라요나에 대한 슬픔을 잘 갈무리한 것인지 알 수 없었다. 어쩌면 그가 라요나에게 아무 감정이 없다고 생각할 수도 있었지만…… 그건 내게 너무하지 않은가.

내가 그것까지 감당할 수는 없어. 라요나를 애도하는 사람이 나뿐이라는 사실은, 그건 너무 고통스러워.

티티라는 이프루이우호에서부터 보관했던 라요나의 머리 장신구를 침대 옆 탁자에 올려 두었다. 매일 아침과 밤마다 확인했다. 그녀의 죽음을 슬퍼하는 마음이 바래지 않도록. 간혹 디아세가 방 안에 들어올 때 시선이 닿았을까 궁금했지만, 물어볼 엄두가 나지 않았다. 그들은 그토록 멀었다.

그들은 그 무덤 같은 자리에서 딱 일주일을 더 버텼다.

일주일 뒤 아침, 디아세와 함께 두하 언덕의 옛 귀족청, 새로운 사역관을 찾았다. 갓 만들어진 건물의 철제 울타리가 눈에 띄었다. 도자기로 빚어져 바람만 불어도 깨졌던 이즈버르의 사치는 온데간데없이 실용적으로 보였다.

이를 뒤로하고 동그란 상징이 그려진 사역관의 아치 안으로 들어섰다.

내부는 소조폴에서 보았던 것과 같이 채도 낮은 색으로 새로이 단장되어 있었다. 수많은 예술품으로 복작복작했던 홀은 텅 비어 신의 상징물들만 드문드문 도열된 채였다. 균형이 잘 맞아 그 또한 근사했으나, 어쨌든 시노드 신넬인인 제 눈에는 허탈한 임시변통처럼 보일 뿐이었다. 그녀는 아직 교국의 아름다움에 설득될 생각이 없었다.

디아세는 누군가와 짧은 수신호를 나누곤, 자신을 위층으로 인도했다.

티티라는 입술을 꽉 깨문 채 오랜만에 만나게 될 인간을 대비했다.

그러나 총독실에 들었을 때 안스카리우스는 자리에 없었다. 뒤를 돌아보았지만, 디아세가 문을 닫고 떠나는 소리만 들렸다.

그녀는 인상을 찌푸리며 주위를 두리번거렸다. 이즈버르의 귀족청이 소조폴보다 큰 탓에, 총독실도 수배는 더 컸다. 정말 완벽한 규모의 응접실이었다. 응접실을 가운데 둔 채 문이 세 개 더 나 있었고, 그중 하나는 반쯤 열려 있었다.

티티라는 조심성 없이 반쯤 열려 있는 첫 번째 문부터 확 열어젖혔다.

"사람을 불렀으면 나와 계셔야죠, 각하."

여전히 사람은 없었다.

이곳은 집무실인 듯했다. 머리 높이까지 쌓인 수많은 서류 더미들, 책들을 제하면 텅 비어 있었다. 그녀는 서류 한두 장이라도 들춰 보고 싶은 어마어마한 유혹을 느꼈으나, 억지로 물러났다. 방세 개 다 돌아본 다음에 아무도 없으면 훔쳐보자.

두 번째, 응접실 정면의 문을 열었다. 이곳은 좀 좁았는데, 청소가 안 된 듯 수많은 물건들이 줄지어 쌓여 있었다. 등불 없이 작은 창을 통해 들어오는 한 줄기 빛이 전부로, 둘러보니 공물을 모으는 창고인 모양이었다. 돼지 같은 놈들. 그녀는 못 볼 것을 봤다는 듯 재빨리 돌아 나왔다.

마지막으로 오른쪽 문을 소리 나게 열었다.

침실이었다. 넓게 파인 창문에서는 화사한 빛이 내리쬐었다.

아, 침대 너머 머리통이 하나 튀어나와 있었다. 드디어 찾았다. 어찌나 익숙하던지 당장 저 넓은 침대에 뛰어들어서, 또 굴러서, 친구의 뒤통수를 톡 치곤 '잡았다!'고 외칠 뻔했다.

가까스로 자신을 억누른 뒤 천천히 침대로 걸어갔다. 총독을 내려다보았— 티티라는 반사적으로 휙 고개를 돌렸다.

아주 찰나 본 그에게는…… 상의가 없었다. 벌거벗은 웃통에 오로지 이불만 망토처럼 걸쳐져 있었다.

그는 이마 위까지 양손을 모아 쥔 채 고개를 숙이고 있었다. 꼭 산사태에 묻힌 사람 같았다.

"각하? 아니, 됐다. 안스카르?"

그렇게 이름을 부르면서 꿋꿋이 안 보려는 짓은 좀 바보 같았다. 결국 몸을 돌려 다시 총독을 째려보았다.

"불러 놓고 뭐 해?"

대답이 없었지만 죽었다는 생각은 조금도 들지 않았다. 그의 맨 어깨가, 제게 드러난 안스의 상흔이 느리게 오르락내리락하고 있었다.

"물이라도 갖다 줘?"

자신은 너무 착했다. 일주일 동안 언짢은 곳에 디아세와 처박아 둔 것을 항의하려 했는데, 결국 꺼내는 첫마디가 이 모양 이 꼴이라니.

그의 시선이 돌아왔다.

"아니."

목소리는 지독히 낮았다. 티티라는 아닌 척했지만, 그가 조금 걱정되었다. 아파 보이는데.

그녀는 쭈그려 앉았다.

"왜? 괜찮아?"

답은 없었다. 대신, 그가 갑자기 자리를 떨치고 일어섰다.

티티라는 무인도에 버려진 선원처럼 당황하여 안스카리우스를 올려다보았다. 애써 걱정해 줬더니 이러기야?

그러다 한순간 그의 등을 발견했다.

주먹을 꽉 쥐었다.

어렸을 적 봤던 유려한 문신이, 이제는 화상火傷에 반쯤 먹혀 있었다. 오래되었지만 그 악랄한 아픔을 잊을 만큼 시간이 흐르진 않은 것 같았다. 붉은 핏줄이 꼭 살을 뜯어먹는 괴물처럼 꿈틀거렸다.

그는 등 돌린 채 마른세수를 하다가, 문득 문신을 떠올린 듯 다시 자신에게로 몸을 돌렸다.

"……."

"……."

"곧 나갈 테니 응접실에 있어라."

왜 그러고 있었어? 등은 왜 다쳤어? 아프진 않아?

티티라는 말을 꾹 삼켰다.

뒤돌아 침대를 돌아 나갔다.

아니, 나가려 했다.

어디서 그런 용기가 났는지 모르겠다. 사실 그게 '용기'인지도 딱 잘라 이야기하긴 어려웠다. 어쩌면 그 모든 시간 동안 송곳처럼 제 마음을 찌르던 죄책감이 등을 떠밀었는지도 모르겠다.

그녀는 그에게로 뛰어갔다.

껴안는 걸로는 안 돼. 부족해.

팔을 뻗어 멀리 있는 사람의 목을 끌어 내렸다. 수그러뜨렸다. 그렇게 고꾸라진 인간을 자신이 뭐라도 되는 양 움켜서, 안았다.

그는 바보처럼 머리를 잡힌 데 화를 낼 수도 있었다. 그 큰 몸이 제게 붙잡혀 오느라 자세도 어설펐고, 결국 제대로 안기지도 못했으니까. 몸은 수그리고 허리는 고통스러운, 오로지 그녀 혼자 악다구니로 껴안은 자세였다.

그러나 그는 몹시도 조용했다.

잠깐…… 아주 깊은 정적이 지나갔다.

이내 안스카리우스가 자신을 밀어냈다.

티티라는 기분이 상했다. 자기는 나를 달랜다고 마음대로 안아도 되고, 나는 안 되고?

뒷걸음질을 쳤다. 그의 묵묵한 얼굴이 꼴 보기 싫었다. 눈가가 벌건 꼴을 보니, 울었어? 쪽팔리지도 않아? 바보, 멍청이, 익사할 놈. 절벽에서 바다로 뛰어들다가 암초에 머리를 깰 놈. 부두에서 미끄러져 파도로 곤두박질칠 놈.

그녀가 속으로 욕설을 내뱉는 동안, 그가 다가왔다.

아니, 이럴 수가— 곧장 자신을 안으려고 팔을 뻗기에, 티티라는 기겁하여 몸을 피했다.

"안 돼."

안스카리우스의 고개가 기울었다.

티티라는 검지를 들어 그를 조용히 시킨 뒤, 다시 자신이 끌어안았다. 머리끄덩이를 쥐어 제 가슴팍까지 끌고 내려왔다. 그의 찌푸린 얼굴이 느껴졌다. 위로를 받으려면 나한테 안겨야지. 키 차이가 나는 건 네 잘못이고.

"티."

가슴팍에 입김이 느껴졌다.

티티라는 그의 짧은 머리칼을 쓰다듬었다.

"응."

"제대로 안아."

그녀는 미간을 좁혔다.

안스카리우스는 그의 뒤통수를 꽉 껴안은 티티라의 손을 떼어 냈다. 그녀는 버텼지만 밀렸다. 겨우 풀려난 그의 시선이 보이고, 제 손은 그에게 붙잡혀 단단한 등으로—

"하지 마!"

티티라는 손을 뿌리쳤다. 또 두 걸음 물러났다.

안스카리우스는 이제 멀쩡히 선 채 그녀를 내려다보고 있었다.

"왜?"

티티라는 주먹을 꽉 쥐었다. 조금 부끄러웠지만 거짓말을 할 이유는 못 되었다.

"당신 등……."

그가 느릿느릿 문신이 있던 자리를 만지는 모습이 보였다.

"흉터 때문에?"

"……."

"닿기 싫어서? 미안하군."

안스카리우스가 다시 몸을 돌리자 ─상처가 다시 드러나자─ 티티라는 견딜 수 없었다.

"방금 왜 그러고 있었어?"

한번 질문을 뱉자 남은 궁금증도 툭 하고 밀려 떨어졌다.

"등은 왜 다친 거야? 안 아파?"

그녀는 말로 그치지 않았다. 급히 뛰어가 그의 앞을 가로막았다.

"등은?"

그래. 어쩌면 그게 더 급했을 수도 있겠다. 그녀는 입맛 쓰게 인정했다.

"어떻게 된 거야? 문신은 지웠다면서……. 그러니까…… 설마, 저게…… 지운 거야……?"

그는 빤히 자신을 내려다보았다. 문신이 보이지 않아 숨통이 트였지만, 동시에 불안하고 초조하기도 했다. 흉은 등 뒤에서 그를 삼킬 거대한 거미처럼 보였다. 눈앞에서 사라지자 더욱 두려웠다.

"그래. 불로 지졌다."

그녀의 가슴이 크게 들썩였다.

"왜?"

"복잡하다. 사제왕들의 일이다."

"혹시 저걸 지워서 기억이 사라진 거 아냐?"

그녀는 어린 안스를 따라 마법처럼 자라던 문신을 기억했다. 그가 말도 안 되게 커졌음에도 일그러지지 않고 깨끗하기만 하던 글자. 그렇게 기이한 술수가 있는 문신이라면, 분명히 무슨 짓을 저질렀을 게 분명했다.

안스카리우스는 희미하게 웃었다.

"탈란타우에도 등을 지졌다. 그자의 기억이 사라진 것 같던가?"

티티라는 할 말을 잃었다. 그 인간은 인생의 단 한 순간도 놓치지 않았을 것처럼 보이는 살스러운 늙은이였다.

"아……. 그러면 왜……."

"설명하기 어렵다."

"설명해!"

"안 돼."

그녀는 그가 절대로 대답하지 않으리란 사실을 깨달았다. 꾹 다문 입과 고집 센 눈이 선연했다.

티티라는 이성을 잃었다.

"그래? 그러면 나도 탈란타우에게 무슨 말을 들었는지 이야기 안 할 거야."

그의 시선이 변했다.

"탈란타우에가 무슨 말을 했지?"

"그럼 당신도 털어놔."

그들은 방금 전 껴안은 온기라곤 온데간데없이 서로 적처럼 마주 섰다.

"네가 먼저 말해라."

"당신이 먼저 말해. 이거 안 끝나는 거 알지? 난 죽어도 안 말해."

티티라는 한꺼번에 모든 포탄을 쏟아부었다. 당신이 입 벙긋하기 전까진 아무 것도 안 말해! 내가 사소한 귓가의 상처 정돈 무시할 수 있었어! 팔뚝에 새긴 상흔도, 서로 모르는 지독한 비밀로 남겨 두겠다고 다짐했어! 하지만 저건……! 저 흉악한 상처는 안 돼!

안스카리우스는 한숨을 쉬었다.

"짧게 하지. 다만 먼저 약속해라. 너도 정직하게 털어놓겠다고."

"알겠어."

티티라는 양심이 찔리는 것을 느꼈다. 자신이 지금까지 파악한 바로, 탈란타우에는 바를라암보다 우위에 있었다. 권력을 잡은 미치광이 노인의 행동으로 봐서는 안스카리우스가 아무것도 모른 채 안전한 편이 더 나았다.

만일 '탈란타우에가 소조폴 시절의 당신을 안다.'고 전해 주면 어떻게 될까? 적게 잡아도 수년간 탈란타우에와 친밀했던 안스카리우스로서는 배신감을 느낄 수밖에 없을 것이다. 안스카리우스가 먼저 바보 같은 짓을 저지르지는 않겠지만— 아니, 솔직히, 잘 모르겠다. 그는 팔뚝에 새겨진 상처 하나만 믿고 과거를 찾아 댄 인간이었다. 당장 탈란타우에에게 달려들지 않으리라고 어떻게 장담해?

티티라는 쿵쿵 뛰는 심장을 숨겼다.

"알겠으니까 빨리 말해. 그럼 나도 말할게."

안스카리우스는 깊은 한숨과 함께 고개를 숙였다. 이마를 짚는가 하더니, 성큼성큼 걸어 이불이 바닥으로 떨어진 침대 위에 앉았다.

티티라는 몸만 빙글 돌려 온몸이 흉터투성이인 친구를 바라보았다.

정말 끔찍해. 왼쪽 어깨에는 삐뚤빼뚤한 글씨로 나를 찾을 단서가 새겨져 있지. 등은 흉악한 화상이 덮고 있시. 니무도 멋진 나무를 누가 질투하여 억지로 상처 입힌 것 같았다. 모든 곳이 반듯하고 예쁜데, 고통만 도드라져 자신을 아프게 했다.

"문 닫아. 혹시 모르니."

티티라는 처음으로 그의 말에 완벽히 따랐다. 재빨리 뛰어가서 문을 닫고 탁자를 밀어 막았다.

"그렇게까지는—"

"또? 필요한 건?"

"됐다."

"나도 들을 준비 됐어."

그녀는 그 앞으로 걸어가 바닥에 앉았다.

안스카리우스가 잠깐 웃었지만, 정말 잠깐이었다. 그는 결국 피하지 못하고 입을 열었다.

"교국에는 두 번의 대축일이 있다. 선지자께서 탄생하신 날과, 계시를 받으신 날이다. 그리고 그보다 작은 축일이 있는데, 사제왕의 직계 자식들이 태어난 지 열흘 안에 법황청에 가 문신을 새기는 계약의 날이 그것이다."

"이해했어. 당신도 태어나자마자 법황청에 가서 문신을 새겼겠군."

"그래. 사제왕의 자식에게 문신을 새기는 것은 교국이 성립된 이후 아주 오랫동안 이어진 전통이다. 신민들은 이 의식을 통해 사제왕이 신에 더 가까운 이라는 사실을 두 눈으로 목격하고 숭앙하게 된다. 우리는 거대한 대륙을 통치하기에 신민들의 신앙 없이는 순탄하기 어렵다. 때문에 어떤 일이 있어도 '문신을 새기는 의식'을 거역할 수는 없다."

"알겠어. 그게 중요하다고."

"그러나 사실 이 문신은 최초의 선지자께서 선종善終[8]하시기 전,

---

8) 임종 때에 성사를 받아 큰 죄가 없는 상태에서 죽는 일.

당신과 함께 대륙을 넘어온 법황의 종교적, 세속적 지배력을 공고히 하기 위해 사제왕들에게 새긴 것이다. 법황만이 선지자의 유일한 동반자이며, 사제왕들은 단지 지역에서 새로이 당신을 믿기 시작한 종에 불과했다. 아무리 선량해도, 근본적으로 야만스러운 하인들에게 고삐가 없으면 안 된다고 생각하셨던 것 같다."

그녀는 휙휙 넘어가는 책장을 열심히 정리했다. 문신. 지배력. 선지자. 법황. 쓰레기들.

"즉, 문신은 사제왕과 그 친족들을 다스리기 위한 법황의 도구다. 만일 문신을 새긴 자가 법황의 명령을 거부한다면 그는 죽음에 가까운 고통을 겪게 된다."

반사적으로 어이가 없다는 투의 말이 튀어나왔다.

"말도 안 돼."

"티."

"그런 노예 족쇄 같은 게 어디—"

"있다. 법황령에 복종할 때까지 살이 불에 타고 내장이 움켜쥐이는 고통에 시달린다. 별로 경험하고 싶지는 않지. 난 비슷한 고통을 겪어 봤지만, 오히려 겪으면 이를 어떻게 표현해야 할지 더더욱 인간의 말을 찾을 수 없게 되더군."

"……언제 겪었어?"

"'사제왕의 맹세'."

티티라는 입을 꾹 다물었다.

"물론 맹세는 내 의식에 기반한 주세다. 법황령으로 구속하는 문신과는 궤가 다르다. 하지만 원년부터 내려온 선지자의 유산이라는 점에서 비슷하고, 입으로 씌운 족쇄라는 점에서 비슷하고, 가장 중요하게는 고통이 비슷하다."

"말도……."

"티, 방금 내가 왜 그 꼴이었을까?"

"……."

"사역관에 탈란타우에가 찾아왔다. 다른 중요한 이야기를 마치고, 마지막으로 난데없이 내 이름을 부를 섯을 부탁하더군. 그는 내가 그렇게 극렬히 거부하는 이유를 알 수 없다고 했다. 하지만 이번에도 거절한다면 공개적으로 문제를 제기하겠노라 선언했지. 결국 네 이름을 부르고, 아주 짧게 버틴 채 내쫓았다. 곧장 침실로 — 아니, 욕실로 굴러떨어졌지."

그는 작게 난 욕실 방향을 가리켰다.

티티라는 더 말을 듣지도 않고 달려갔다. 바닥에 떨어진 윗옷을 발견했다. 들어 올렸다. 가슴팍이 피로 엉망진창이었다.

그녀는 옷을 양손으로 꽉 쥔 채 뒤를 돌아보았다. 안스카리우스가 고개를 옆으로 기울이고 있었다. 뭐가 자랑이라고, '봤지?' 같은 표정인지. 정말 죽이고 싶었다. 정말 죽이고, 나도 죽고 싶었다.

윗옷을 들고 분개하여 침대로 다가갔지만, 그 앞에 서자 자신이 정확히 무엇 때문에 화가 났는지 정리하기 어려워졌다. 왕창 엉킨 생각을 들여다보자니, 아무래도 그가 바보같이 아파서 화를 주체하기 힘든 것 같았다.

"안스카르, 내가 지난번 라스폴로제 극장에서도 왜 아파하느냐고 물었지……. 이딴 걸 줄 알았으면, 내가, 맹센지 뭔지를 시켰겠어?"

티티라는 분을 숨기지 못했다.

그가 웃었다.

"더 좋아하며 시켰을 텐데?"

"……."

"나는 차라리 네가 그 정도 부탁을 해서 다행이라고 생각했다."

"……."

사실 티티라도, 그랬다.

그녀는 만일 자신이 '이 일이 끝나고 다시는 보지 말자.'고 선언했다면 얼마나 고통스러웠을지 감히 상상하기 어려웠다. 그는 정말로 영영 자신을 못 보았을 것이다. 자신도, 자신도 영원히 그를 못 봤을 것이다.

살아 있단 사실을 알고도 코빼기도 못 보는 고통이라니. 간간이 들리는 소식만으로 그를 추억했겠지.

티티라는 부르르 떨었다.

"티, 아무튼 방금 이야기는 그 정도로 하고—"

그녀는 피범벅이 된 윗옷을 그의 얼굴 위로 던졌다. 제 몸이 돌아갈 정도로 강하게.

안스카리우스의 얼굴을 때린 옷이 그의 품으로 툭 떨어졌다. 그는 무덤덤하게 그녀의 무기를 떠밀곤 이야기를 이어 갔다.

"이미 너도 파악했듯, 법황과 사제왕 사이의 갈등은—"

"다시는 내 이름 부르지 마!"

티티라는 분해서 일그러진 얼굴로 외쳤다.

안스카리우스는 눈썹을 치켜올렸다. 의심스럽다는 표정이 스쳤다. 그러나 씩씩거리는 그녀의 표정을 보곤 결국 웃음을 터뜨렸다.

"이리 와."

그녀는 가까이 가서 다시 상의를 주웠다. 그리고 또 한 번 그의 몸에 내던졌다. 그리고 다시 상의를 주워 담아, 다시—

안스카리우스가 그녀를 끌어당겼다.

티티라는 균형을 못 잡고 그의 품에 쓰러졌다. 고개를 확 들다가, 그의 턱을 받아 버렸다. 물론 제 뒤통수도 부서질 것 같 않는 소리를 내며 침대에 기댈 수밖에 없었다. '당신 턱이 새끼 코끼리처럼 단단하다.'고 말하는 도중, 그가 재차 끌어당겨 품에 넣었다.

티티라는 깊은 한숨과 함께 수긍했다. 그의 품속으로 파고들었다. 어쩐지 딱 십 년 전 같다는 생각이 들었지만, 예전보다 훨씬 돌덩이 같아진 친구의 몸에 기분이 썩 좋지는 않았다. 내가 아는 안스는 이런 느낌이 아닌데. 어디서 수영하는 데 쓸데없는 것들만 붙여 와선.

"내게는 '티'로도 충분하다. 이름을 부를 이유가 없지."

티는 헛웃음을 터뜨렸으나, 구태여 투덜거리지는 않았다. 이제 이 정도는 속으로만 미친놈이라고 읊조리고 웃어 줄 만했다.

"그런데 내 설명을 듣고 싶긴 한 건가? 아까부터 방해하는데."

"아니야. 듣고 싶어. 빨리 말해."

티티라는 제 머리를 쓸어 넘기는 그의 손을 간신히 떼며 말했다.

"좋아. 이런 노예 사슬이 사용될 정도라면 법황과 사제왕들 사이의 갈등이 존재하지 않는다고 말하긴 어렵겠지. 그 갈등을 풀던 과정에서 백삼십 년 전, 사제왕 탈란타우에가 문신을 불에 태워 무력화시키는 방법을 발견했다."

"문신을 '지운다'면 그 방법밖에 없지 않아? 그 긴 시간 동안 그걸 못 떠올렸다니 너무한데."

"티, 법황령에 복종하지 않아 고통받았던 사제왕들은 문신을 지우는 것을 상상조차 할 수 없었다. 더 큰 죄일 테니까. 단순히 고통받는 게 아니라 산 채로 지옥에 던져질 거라 믿는 이들이 많았지. 옛 탈란타우에는 모두가 떠올렸던 방법을 최초로 실행한 용감한 이다."

"……."

"사제왕 탈란타우에의 선구자적인 행동으로 모든 사제왕들이 문신을 지울 수 있게 되었다. 이제 대부분의 직계손들은 화상을 입어도 제정신을 차릴 수 있는 나이에 —보통 열다섯쯤에— 문신을 지운다. 나는 기억을 잃어 정확하지는 않지만…… 사제왕 위를 승계하던 즈음에 지우지 않았나 생각한다."

그녀는 문득 그를 올려다보았다.

"그럼 등을 불로 지졌던 기억도 없는 거야?"

"없다."

"정확히 언제부터 기억이 사라진 거라고?"

"문을 열고 닫는 것처럼 뚝 끊기진 않는다. 다만 사제왕으로 인정받은 뒤의 기억만 지니고 있다는 것은 분명하지. 아버지와 사제왕 위 승계에 대한 이야기를 나누던 기억, 연무장에서 사제왕의 검은 수건으로 닦던 기억, 법황을 독대하고 승계의 변辯을 하던 기억……. 실질적으로 승계 절차가 완료되는 시점은 법황의 인주가 찍힌 문서가 내려올 때니, 그 전후로 애매하게 지워져 있는 것 같다."

티티라는 검지와 엄지 사이에 턱을 얹고 고민했다. 없는 수염을 매만지듯이 여러 번 쓸어내렸다.

"그건 생각해 봐야겠어."

"왜, 내 기억을 되살릴 건가?"

웃음을 참는 듯한 어조였다.

고개를 돌리자 그는 당연하게도 빙그레 웃고 있었다.

그녀는 문득 자신이 그를 너무 편견 섞인 시선으로 보았던 것은 아닌가 생각했다. 아니, 총독이라는 편견은 여전히 있었다. 그건 못 버린다. 익사할 교국 놈. 자신이 말하는 편견은, 안스카리우스의 일기수일투족을 안스와 비교해서 평가하려는 편견이었다.

불평불만을 터뜨리며 시도해 보았다. 비교하지 말고, 보이는 그대로 생각해 봐야지.

그의 웃음은…… 정직해 보였다. 아니, 정직했다. 티티라는 안스라는 친구가 없었더라도 아마 그 웃음에 당했을 것이다. 부두를 걷다가 신기한 것에 정신이 팔려 바다로 첨벙 떨어지는 꼴이었다. '정신 똑바로 차리고 앞을 바라봐!' 하지만 도저히 시선을 돌릴 수가 없었다.

그는 주로 종잡을 수 없는 편이었지만, 적어도 그녀는 이제 조금쯤 믿음을 지니게 되었다. 자신이 어떤 행동을 했을 때 그가 어떻게 반응하리라는 일관된 기대가 있었다.

그러니까, 자신이 이렇게 마주 미소 지으면…….

안스카리우스가 곧장 고개를 숙였다.

아니, 아닌데?

티티라가 당황하는 순간 그가 입을 맞추었다.

살짝 마른 입가와, 그 아래 연한 살이 닿았다. 어딘가 아픈 사람처럼 바르르 떨리는 입술.

그의 몸이 기울었다.

그녀는 그를 밀어냈다.

중얼거렸다.

"이게 아닌데……?"

그는 코앞에서 눈을 느리게 깜빡였다.

티티라는 그의 세 배는 되는 속도로 눈을 깜빡이다가, 문득 정신이 들자 입술을 문지르며 항의했다.

"작작 해."

안스카리우스는 대답 없이 웃었다.

"이제 네 차례다."

티티라는 욕설을 꿀꺽 삼켰다.

"나는 숨김없이 이야기했다. 그러니 말해. 탈란타우에가 네게 관심을 가지는 이유가 뭐지?"

그녀는 그의 눈을 피하지 않았다.

빛을 받으면 보석처럼 눈부신 눈. 저런 시선이 더 이상 친구가 아닌 낯선 이로 존재한다면 가끔은 신으로 오해한대도 이상하지 않을 것이다. 저 눈을 순진하게 경애하는 교국인들이 이해될 정도였다.

그러나 나는 더 이상 안 당해. 아주 익숙하거든. 내가 저걸 아름답다고 생각하면 나 스스로를 무너뜨리고 말아.

이제 진실을 섞어서 그에게 대적할 용기가 났다.

"……그렇게 원한다니 어쩔 수 없지. 소조폴에 있을 때, 탈란타우에는 우스페히를 가장 먼저 죽였다. 우스페히는, 당신은 기억 못 하겠지만…… 우리를 어렸을 때부터 키워 준 상단이지, 상주고……."

"안다."

그는 마치 남의 이야기를 하듯 했다. 티티라는 각오하고 말을 꺼냈는데도 조금 힘들었다.

"아무튼 우스페히는 당시 소조폴에서 가장 큰 상단이었지. 그래서 탈란타우에가 가장 먼저 붙잡아. 정보를 얻어 가며 말려 죽였어. 그런데 그렇게 고문을 해 대면서 우스페히 씨가 총독 놈한테 인상 깊게 남았나 봐. 처음 만난 나한테 우스페히 상에 있던 게 아니냐고 묻더군. 그리고 자꾸만 상단 인원에 대해 캐묻는 게, 어쩌면 당신 이름도 들어 본 게 아닌가 싶었다."

"······."

"나는 기록상 우스페히의 1조장이었지만, 당신은 우스페히의 상비였으니까. 나를 안다면 당신을 알기는 더 쉽겠지. '우스페히의 상비, 안스카리우스.'"

"······."

"다만 나는, 그가 당신 과거를 캔대도······ 당신 아버님은 당신이 시노드 신넬에 표류했단 사실을 알고도 받아 준 거니까 큰 문제 없을 거라고 생각했어. 게다가 둘이 친하다면서. 물론 썩 그래 보이진 않지만······."

안스카리우스의 표정에는 별다른 변화가 없었다.

그러나 그 시선은 더 이상 제게 있지 않았다. 텅 빈 바다 어딘가를 노려보고 있었다. 제 말을 의심하는 기색이라곤 전혀 없었기에 죄책감이 들었다.

모든 건 안스의 기억을 되찾아서, 복수할 대상을 명확히 하기 위해서야. 탈란타우에도 분명히 나쁜 놈들 중 하나일 게 분명해. 그러니까 내가 너를 위해—

"티, 앞으로는 내게 숨기지 마라."

티티라는 눈을 가늘게 떴다. 그의 목소리는 아주 낮았다. 방금 전까지 무슨 짓을 해도 웃고 치대던 인간이 아니었다.

티티라는 고개를 끄덕였다. 그렇게 끄덕이며 가까스로 시선을 피한 것 같기도 했다. 그가 명령해도 거부감이 들지 않았다. 오히려 상대가 자신을 무조건적으로 믿는 것 같아 미안하기만 했다.

"탈란타우에가 당신에게 이야기하지 말라고 날 협박했어. 하지만 이젠 미리 말했어야 한단 생각이 드네."

"티, 나는 네가 탈란타우에에게 내 과거를 직접 고발하는 것과, 이렇게 뒤에서 숨기는 것 간에 어떤 차이가 있는지 모르겠다."

그녀는 여전히 시선을 피하고 있었다. 제 입에서 나온 것이 진실이어도 미안할 텐데, 그조차 거짓이니 도저히 떳떳할 수가 없었다.

"일전에 위험해질 수도 있다고 말했지. 조금도 안 들었군."

"미안……."

기어 들어가는 목소리로 대답했다. 입술을 잘근잘근 깨물며 바닥만 노려보았다.

침묵.

한순간, 뜨끈한 손이 귓가에 와닿았다. 티티라는 문득 놀라 앞을 바라보았다.

그는 한숨을 쉬며 그녀의 머리칼을 넘겨 주었다.

"이상하게 미안한 체하는데."

티티라는 감정을 숨기기 위해 혀를 쯧 찼다.

"이상하다니. 잘못했으니 미안한 거지. 당신이 분명히 경고했는데도—"

"물론 이미 소조폴에서의 내 흔적은 사라진 지 오래다. 갓 대양을 넘어온 탈란타우에가 조사할 수 있을 만큼 일이 간단하진 않을 거다."

"……."

"게다가 대리인 소존데에게 한참 공을 들이고 있기도 하고. 재판이 벌어진들 그리 불리하지 않도록 말이다."

"……."

"하지만."

그의 손가락이 제 귓가를 살짝 눌렀다.

"네게 실망한 거지."

"……."

"예상 가능한 협박조차 고분고분히 따른 너에게. 내겐 알리지도 않고."

그의 엄지손가락이 귓불로 내려갔다. 힘이라곤 하나도 없는 손길이었다. 엄지가 귓불을, 턱과 이어지는 부드러운 연골을 소름 끼치게 쓸었다.

심장이 쿵쿵 뛰었다.

저 인간은, 정말이지…… 낯선 사람 같았다. 아니, 낯선 사람이지만, 더더욱 말도 안 되게 다른 세계의 사람 같았다.

티티라는 그의 손을 확 떨쳐 냈다.

이번이 마지막이라고 경고하려는 순간, 안스카리우스가 갑작스레 일어섰다.

"사역관에 불러 인사라도 할까 했는데."

그는 잠시 그녀의 얼굴을 바라보았다.

"이야기가 조금 길어졌군."

그녀는 어안이 벙벙해 침묵했다. 그렇게 녹녹하게 살갑다가 딱 자르는 모양새가 당황스러웠다.

그사이 그가 뒤를 돌았다. 성큼성큼 걸어 탁자에 걸린 옷을 꺼내왔다.

그는 그녀를 등진 채 성의 없이 흰 셔츠에 팔을 구겨 넣었다. 겨우 차려입은 셔츠 위로, 기장이 살짝 길고 통이 좁으며 빳빳한 검은 겉옷이 걸쳐졌다. 긴팔로 모든 부위를 뒤덮는, 도저히 초여름이라곤 생각할 수 없는 미친 옷차림이었다. 그는 그렇게 겉옷으로 몸을 감싼 뒤에도 다시 검은 띠로 허리를 동여맸다.

그녀는 멍하니, 그가 마지막으로 희고 넓은 깃을 목둘레에 두르는 모습을 지켜보았다.

머저리 같은 여름 차림은 저게 끝인가?

안스카리우스는 조용히 옷매무새를 다듬었다. 이미 착 가라앉아 단정한 깃을 더 고분고분하도록 짓눌렀다. 등 돌린 그의 몸은 어느 때처럼 가려진 채 두텁고 단단했다.

순식간에 시야에서 흉한 상처가 없어지자 마치 모든 게 꿈이었던 것처럼 느껴졌다. 상처뿐 아니라 그의 낯설고 부드러운 행동, 온기가 느껴지는 말까지…… 그의 모든 것이 저 무서울 정도로 금욕적인 옷 아래로 빨려 들어갔다.

어쩌면 '저것'이 자신을 돌아보면 탈란타우에의 얼굴을 하고 있을지도 모르겠다. 그 정도로 그의 차림이 주는 위압감과 역겨움에 질리고 말았다.

차라리 벗고 있는 게 나았지— 아니, 아니야. 잘못했어. 등의 상처를 보니 사제 꼴인 게 나아.

티티라는 속으로 갈등하느라, 그가 다시 자신을 바라보았을 때 당황하여 기침을 했다.

"큼!"

안스카리우스의 눈썹이 들렸다.

티티라는 손사래를 치며 일어섰다.

"이만 갈게."

그는 조용히 물었다.

"어디로 가야 하는지는 알고?"

그녀는 잠깐 고민했다. 물론, 어차피 대답을 바라는 질문이 아니었을 테니 미뤄 두었던 화풀이나 했다.

"그러고 보니 나랑 디아세를 그 저택에 재워? 정신이 있는 거야, 없는 거야? 며칠만 더 있었으면 우리 둘이 미쳐서 서로를 죽일 뻔했다고."

"지난번에 방문했을 때에는 문제없었잖나."

티티라는 답답했다. 그야 잠깐 머문 정도니 그렇지. 백번 양보해서 나 혼자 저택에 머무르는 것 정도는 가능했겠지만, 위층의 디아세와 단둘이 지낼 바에야 차라리 머리 위에 남부 흑곰을 열 마리 두고 자는 편이 더 나을 거다.

그러나 아무 말도 하지 않았다. 어차피 입 밖으로 화풀이를 하던 순간에도 평온했기 때문에, 구태여 주절주절 떠들 마음이 안 생겼다. 그의 무성의함에 새롭게 놀라는 척하기도 지쳤다. 저 옷을 입은 인간은 갓 태어난 셈이려니 무시하고 내 할 일을 하자, 생각했다.

"말을 말자. 어디로 가야 하는지나 얘기해 줘."

안스카리우스는 성큼 다가왔다.

티티라는 안전거리를 두듯 팔을 뻗었다. '다가오지 마.' 눈을 위로 치켜뜨며 경고했다.

그는 눈썹을 세웠지만, 특별히 불평하지는 않았다. 언제든 다시 거리를 좁힐 수 있다는 여유가 엿보였다.

"따라와."

티티라는 짜증스레 발을 내디뎠다.

안스카리우스는 그녀의 세 걸음을 두 걸음 만에 좁혀 따라잡았다. 곧장 탁자를 밀어낸 뒤 총독실마저 나섰다.

그들은 같은 층 복도를 걸어갔다. 티티라는 문을 셌다. 하나, 둘, 셋. 우뚝 섰다. 그녀는 총독실과의 거리를 눈으로 가늠하며 못마땅하게 생각했다. 너무 가까운데.

그가 문을 열었다. 꽤 큰 방이었다. 그러나 중간을 가림막으로 살짝 나누어 실제 크기만큼 넓어 보이지는 않았다. 가림막을 사이에 두고 손님을 맞이하는 공간과 침실이 분리되었으며, 작은 욕조 또한 저 너머에 있었다. 꽤나 호화로웠다.

"하인을 하나 세울 테니 그에게 명해라. 사역관을 나설 때에는 디아세의 호위를 받고."

"'호위'? '감시'겠지. 이프루이우호에 있을 땐 그런 거 없이도 잘 다녔잖아…… 요."

"네 입으로 고백한 내용을 생각하면 더 붙이지 않는 걸 다행으로 알아야지."

그는 티티라가 항의할 틈도 없이 뒤돌아 계단으로 사라졌다. 무언가 바쁜 듯 걸어 나가는데, 그렇게 단단히 싸맨 인간에게 또 누군가 망토를 가져와 대령하는 모습이 보였다. 그는 억센 옷을 급히 걸치곤 금세 떠났다.

쪄 죽어라.

티티라는 볼멘소리로 저주하며 방에 들어갔다.

티티라는 총독에게 반항하여 외출하지 않았다. 대신 하루에 한 번씩 새로운 사람들을 사역관에 불렀다.

그들은 사역관 최초의 손님 중 하나가 되길 너무도 바라 왔다. 총독을 만날 깜냥이 못 되는데도, 자신에게 '던지는' 선물과 총독에게 '올리는' 선물을 나란히 들고 오는 꼴이 아주 기회주의자들답고 익숙했다.

이미 그녀를 여러 번 만난 상주들은 슬슬 친한 척을 하며 당신에게 도는 고약한 소문을 들었다고 했다. 그러면서 그녀가 총독과 정말 잠자리를 가지는지 은근슬쩍 확인하려 했다. '같은 층에 머무르시다니 이 얼마나 친밀한 관계이신지요.' 운운하면서.

이에 티티라는 교국의 신앙을 빗자루처럼 들고 와선 그들에게 호통쳤다. 빗자루로 먼지가 나도록 때렸다. 우리들의 천박한 침상 문화와는 다르게 교국의 진실된 신앙인들은 함부로 행동하지 않는다고.

그 문장을 부정하면 그녀가 아닌 총독을 모욕하게 되므로, 그들은 찍소리도 하지 않고 받아들였다.

확실히 제 몸가짐을 변명하는 것보단 총독의 평판을 높이려 애쓰는 게 나았다. 좀 구역질이 났지만 참을 만했다.

안스카리우스는 같은 층에 사는 원죄로 하루에 한 번은 마주쳤는데, 꼭 자기가 무턱대고 부른 온갖 인간들과 함께 있을 때였다. 그는 매일같이 바뀌는 늙고, 젊고, 야비하고, 생기 넘치는 얼굴들을 보며 희한한 표정을 지었다. 그렇게 할 일이 없냐고 묻는 것 같기도 했다.

마주할 때면 그는 언제나 세 겹 이상의 옷을 껴입고 있었다. 아니, 사실 처음 만났을 때부터 지금까지 언제나 그래 왔다. 그러나 한 번 흉지고 벌거벗은 모습을 보자 종종 저 수도자 같은 착장이 혼란스럽게 느껴졌다. 허물없는 인간이 옷에 콱 찍혀 눌린 것만 같았다.

그리고 그렇게 생각할 때마다 꼭 제 머리를 쥐어박곤 했다. 속지마. 이러다가 저 인간은 또 디아세와 날 단둘이 저택에 처넣는 무성의한 짓을 저지를 거야.

사실 다시 생각해 보면 그런 일들이 무조건 나쁘지만은 않았다. 이는 단순히 그의 배려 없음을 보여 줄 뿐 아니라, 제 처지를 알게 해 주는 좋은 계기기도 했으니까. 자신이 그에게 중요한 조각이긴 했지만, 일이 바쁠 땐 굳이 '그 정도까지 신경 쓸 필요는 없는' 관계란 말이지.

그러니 탈란타우에의 협박에 대해 제대로 말하지 않은 것은 잘한 일이었다.

어차피 탈란타우에는 안스카리우스의 과거를 알고 있으므로 상황은 달라질 게 없었다. 안스카리우스는 탈란타우에가 자신을 추적한다고 생각해 경계할 것이고, 탈란타우에는 안스카리우스가 어디까지 알고 있는지 궁금하여 자신을 쫓을 것이다. 쫓고 쫓기는 동그라미. 그뿐이었다.

이제 나만, 탈란타우에가 안스카리우스를 의심하지 않도록 처리하면 돼. 그녀는 생각했다.

티티라는 안스카리우스와 안스가 완전히 무관한 사람이라 믿었으므로, 안스카리우스라는 낯선 이에게 불가역적인 피해를 입힐 생각이 조금도 없었다. 자신은 그의 인생에서 있는 듯 없는 듯 존재했다가 부드럽게 한 걸음 물러날 작정이었다.

물론 '이런 걸' 쓴 뒤에도 부드럽게 물러나게 해 줄까? 그건 궁금하군.

티티라는 희미하게 웃었다.

하인은 고개를 꾸벅 숙이며 그레슈카 상단의 우정 선물을 바쳤다. 남부의 어떤 섬에서만 나는, 주먹만 한 푸른 과일이었다. 매우 귀하게 재배되는지라 은쟁반에 과일만 하나 올라와 있어도 위압감이 느껴졌다.

그녀는 아주 많은 사람들이 지나가는 홀 안에서 보란 듯이 과일을 두드렸다. 그리고 곧장 두툼한 꼭지 부분을 잘라 밑부분을 하인에게 건넸다. 귀한 과일이니 총독께 올리라고, 나는 이 작은 부위로도 괜찮다며 꼭지가 달린 조각을 달랑달랑 흔들었다.

하인은 인사하고 사라졌다.

티티라는 과일 조각을 한입에 넣고 우물거렸다. 두 계단씩 걸어 올라가, 마침내 방 안에 들어왔다.

그녀는 탁자 위 작은 그릇 위에 단단한 무언가를 뱉어 냈다. 제 엄지 마디만큼 작은 유리병이었다. 안에는 투명한 액체가 들어 있었다.

티티라와 그레슈카는 서로 단 한마디 나누지 않고도 푸른 과일의 꼭지 아래 빈 공간에 독약을 숨겨 들어오는 데 성공했다. 교국인들은 이 과일이 어떤 구조인지 모르지. 하하.

그녀는 다시 한번 생각했다.

사제왕에게 '이런 걸' 쓴 뒤에도, 우리 친애하는 총독이 물러나게 해 줄까?

답은 확실하지 않았다.

안스와 아펭글로는 사제왕의 표지를 들고 여러 도시와 영지들을 지나쳐 왔다.

교국은 이상한 곳이었다.

그들은 시민이 아니었다. 신민神民이었다. 아펭글로는 주의 깊게 두 단어를 구분했다.

처음으로 이동한 마을에서 안스가 그 차이를 물어보자, 아펭글로는 난데없이 지나가는 사람들에게 말을 걸었다. 그들은 모두 검은 모자를 쓰고 있었다.

"신은 거룩하시나이다."

무슨 소리야? 안스는 생각했다.

"신은 거룩하시나이다."

상대가 마주 받았다. 그들은 오른손으로 작은 원을 그린 뒤, 왼쪽 가슴을 짚었다. 아무것도 모르는 안스마저 소름 끼치게 만드는 경건함이었다.

"혹시 신앙심 깊은 여행자를 위해 교회의 위치를 알려 주실 수 있겠습니까?"

"안내해 드리겠습니다. 문지기에게 이야기를 들었는데, 직접 말씀을 나눌 기회가 오다니 몹시 영광입니다. 더불어 저희 아이들이 손님께 가르침받을 수 있도록 부디 도움을 바랍니다."

"별말씀을요. 예. 그러겠습니다."

세 사람은 화기애애하게 오늘의 날씨와 올해의 농사, 아펭글로의 여행 목적과 —그는 본인이 사제왕의 심부름꾼이라 했다.— 신의 말씀에 대해 이야기했다.

그동안 안스는 찍소리도 못 했다. 아는 게 없는 데다, 아직 능숙하지 못한 교국식 억양을 쓰다간 이상한 놈이라고 눈초리를 받을지도 몰랐다.

마침내 당도한 '교회'에서는 '법황의 대리인'이 나왔다. 곧은 자세의 중년 여성은 몹시도 선량한 인상이었다. 시노드 신넬에서 같은 직위를 지닌 자가 보인 구역질 나는 태도와는 비교할 수가 없었다.

그들은 환대와 함께 본당에 들어가 신 앞에 기도를 올렸다—안스는 허둥지둥 따라 했다—. 정갈한 뒷방으로 안내받아 들어가자, 사제는 직접 만든 소박한 음식을 대접했다. 그리고 거칠지만 정성이 담긴 새 옷, 손때를 탄 성경, 씻을 물 등등…….

마지막에는 이 교회의 사도직使徒職을 맡은 마을 주민들이 찾아와 아펭글로 앞에 둥글게 모여 앉았다. 무려 여행객의 '지혜'를 들으려고. 아펭글로는 태연하게 뜬구름 잡는 자기 인생관을 설파하기 시작했다. 안스는 귀를 막고 싶었다.

마지막으로 아이들이 왔다. 아펭글로는 처음으로 지리와 셈에 대해, 그러니까 실재하는 배움에 대해 이야기했다. 아이들은 와르르 웃고 떠들며 재잘거렸다. 거리 끝의 누구는 연구자로, 누구는 부제

副祭[9]로, 누구는 교역인으로, 누구는 군인이 될 거라던데. 자기들 일은 아닌 양, 마치 그런 꿈을 품은 인간이 별종인 양 말했다.

이상했다. 시노드 신넬의 촌 동네 아이들은 금화가 눈에 박힌 낯짝으로 성공하겠다며 뛰쳐나가곤 했다. 그런데 저 애들은 모든 게 남의 일인 듯 이야기하지 않나. 나갈 수 있는 방법을 충분히 알면서도.

모든 파도가 지나간 뒤, 아펭글로가 침대에 팔다리를 길게 뻗은 채 누웠다.

"왜 신민인지 이해하셨습니까?"

"……."

알 듯 말 듯 했다.

"대부분의 신민들은 교리에 따라 평생 이 마을에서 살다 죽을 겁니다. 저 애들 중 몇몇만이 바깥으로 떨어져 나오겠지요. 그렇다고 뭔가 대단한 인간이 되는 것은 아니겠지만. 머리가 비상하면 연구자로 도시에, 더 나아가 교읍지에 나아갈 수 있을 것이고, 신앙심이 깊으면 법황 대리인의 추천을 받아 사제의 길을 걸을 수 있을 것이고, 새로운 것을 빨리 파악하면 교역인으로, 이도 저도 아니면 군인으로 목숨을 걸 수 있겠습니다. 고작 그 정도."

안스는 경청하다가, 갑자기 궁금해졌다.

"당신은 어디 출신입니까?"

"저도 이런 마을 출신이지요."

안스는 상대가 최소한 도시에서 태어난 인간일 줄 알았다. 똑같이 갇혀도 십만 명과 함께 갇힌다면 좀 더 많은 가능성을 볼 수 있

---

9) 부제품을 받은 성직자. 사제를 도와 강론, 성체 분배 따위의 집행을 하게 된다.

을 테니까.

그런데 인구가 기백이나 될까 하는 마을 출신이라고?

"표정이 참. 그리 놀랍습니까? 그래도 바닷가 어촌에 살았으니 천운이지요. 어렸을 때부터 바다에 나가고 싶었거든요."

"바다를 헤엄쳐 나오진 않았을 테고. 어떤 경로로 나왔는데요?"

"우리 마을 사제를 따라갔습니다."

안스는 기가 막혔다. 사제로 나왔다고? 신앙심이 깊었단 말이야?

"그런데 왜 이 모양 이 꼴입니까? 성도 없다면서요."

"부제품副祭品을 받을 때 성을 받는데, 사제로 올라갈 길이 막히면서 성도 박탈당했기 때문입니다."

"……박탈이요?"

"예. 하다가, 하기 싫어졌습니다. 마음이 돌아서 신앙에 소홀해지자 결국 스승께서 제게 자격이 없다고 판단하셨습니다. 영구히 수도자로 살도록 명하셨지요. 하지만 이 얼마나 다행입니까? 제가 수양하던 도시가 바로 에예우였으니 말입니다."

"……."

"말이 수도자지, 수련 과정에서 탈락한 이는 결국 수도원의 잡일을 돕는 심부름꾼에 불과하게 됩니다. 덕분에 자주 항해하게 되었습니다. 모두가 가기 싫어하는 외진 서쪽 군도에도 사목司牧[10]은 필요했으니까요. 제가 부제품은 받았으니 최소한의 자격은 되었고."

"그럼 돌아다니며 설교하다 표류한 겁니까? 그래 놓고 시노드 신넬에 와선 노련한 선원인 척하고?"

아펭글로는 억울하다는 듯이 웃었다.

---

10) 사제가 신도를 통솔 · 지도하여 구원의 길로 이끄는 일.

"글쎄요. 애초에 교국에는 전문 선원이라고 부를 만한 사람이 별로 없습니다만. 그나마 교역인들인데, 이 사람들도 시노드 신넬처럼 자유로운 몸은 아니에요. 그보다는 지역에 속한 관리에 가깝습니다. 그렇게 도시의 허가를 맡은 정기 화물선의 인력이나 되어야 거대한 배를 탈 수 있으려나요. 그러니 서쪽 군도를 오가느라 배를 수없이 탄 저 정도면 '뱃사람'이라고 할 수 있지 않겠습니까? 저는 '뱃사람'이라고 했어요. '선원'이 아니었습니다. 그 사람들이 오해한 거예요."

"거짓말을 하셨으니 말씀이 길어지는 거죠."

"그런가요."

"사제라니, 진짜 안 어울립니다."

아펭글로는 싱글벙글 웃더니 더 이상 그에 대해 말하지 않았다.

물론 안스는 아펭글로를 '실패한 사제'로 여길 생각이 전혀 없었다. 애초에 저 인간은 신앙에 심취할 성격 자체가 못 되었다. 그 어촌을 나오고 싶어서 스스로를 속였든가, 아니면 사제를 속였던 것이 분명했다.

마침내 거취의 자유를 얻자 더 이상 꾸밀 필요를 못 느꼈을 터. 신나게 배를 타고 돌아다니다가 벼락 맞고 눈을 떠 보니 시노드 신넬이었을 거야. 시노드 신넬에선 선원 행세를 하며 여러 사람 속여 먹었지. 마침내 수많은 동료들과 교국으로 향했으나 대부분 항해 중 죽고, 겨우 도착한 몇 안 되는 이들도 법황의 손에 모두 죽어 남은 것은 그 혼자.

종내 아펭글로는 사제왕들의 매력적인 패牌가 되어 보호받았다.

사제왕과 아펭글로의 목표는 달랐지만, 어쨌든 그들은 모두 시노드 신넬을 원했다.

덕분에 소조폴은 함락되었고 나는 여기 있지.

안스는 늦은 밤 창가에 비치는 달을 보며 생각했다.

그는 아무도 증오하지 못했다. 자신이 물러서일 수도 있지만……이 인간들, 애인을 향한 사랑은 신을 모욕하는 행위라고 일갈할 것 같은 이 머저리 같은 인간들에게도 모두 그럴 만한 이유가 있었다.

법황에겐 지배욕이 들끓었고, 사제왕들 또한 욕심이 많았고, 신민들은 신앙심 깊은 군중이 되어 모두를 포위했고, 탈란타우에는 싸우다 가족을 잃었고, 아펭글로는 바다 너머를 이웃으로 만들고 싶어 했고…….

어느 하나도 우연으로 이루어진 것이 없었다. 시노드 신넬 침공은 눈물, 증오, 의기가 섞인 시인의 서사시가 아니었다. 인간들이 죄다 합리적인 선택을 한 결과물이었을 뿐이다.

안스는 그 사실을 이해하며 다음 날부터 더 주의 깊게 아펭글로를 살폈다. 대화를 나눴다. 그는 마을의 어린아이들을 가르칠 수 있는 만큼 자신도 가르칠 수 있었다.

아펭글로는 언제나 눈앞에 보이는 것 이상을 파악했다. 미래를 내다본다는 뜻이 아니라, 각자의 욕망 너머를 해석해 낼 수 있다는 뜻이었다. 그렇기에 쉽사리 화를 내지 않고 사람이 평온했다.

항상 반쯤은 감탄하는 기색으로 그를 봤던 것 같다. 여행의 동반자로 두기에 나쁘지 않은 사람이었다.

그들은 점차 속도를 높여 별명을 지닌 여러 도시를 지났다.

교국의 모든 도시들은 성경에서 따온 구절을 자기네들의 상징처럼 지니고 있었다. '옛 왕이 패배한 오스토소', '선지자의 수레 미아포라', '언덕 위 찬송가 이울리오스'.

한 달 동안 잠자는 시간만 빼놓고 대부분의 시간 동안 몸을 혹사시켰다.

수없이 많은 도시들. '나이 든 정의 크로마타', '아버지의 앙갚음 디사레스테스', '영원히 품은 티텐타이', '스스로 족쇄에 묶인 아나코이노스', '먼지를 기억하는 릴람바'…….

어느 날, 마침내 아펭글로가 말했다.

"내일 교읍지에 도착합니다."

안스는 눈만 껌뻑껌뻑 떴다. 이번에는 그가 습관처럼 들려주던 도시의 별명이 없었다.

"도시 이름이나 별명은요?"

"없습니다. 교읍지는 교읍지이고, 법황청은 법황청입니다. 세상에 오로지 하나기에 이름이 필요 없지요."

안스는 쓸데없이 허영심을 부린다고 생각했다. 지금까지 봐 온 도시들은 에예우와 비슷하거나 그보다 못했다. 때문에 교국의 대략적인 도시 생김새를 슬슬 파악하게 되던 참이었다. 교읍지도 규모의 차이일 뿐, 그와 얼마나 다르겠느냐 콧방귀를 뀌었다.

그들은 다음 날 아침, 바다를 등진 교읍지를 발견했다.

안스는 언덕 위에서 잠깐 말을 잃었다.

도시는 말 그대로 거대했다. 지금까지 '거대하다'고 묘사했던 모든 것들이 개미 새끼만 하게 여겨질 정도로, 입도적으로 거대했다.

교읍지는 제 키의 스무 배 가까이 되는 어마어마한 성벽에 둘러싸여 있었다. 누런빛을 띠고 있으나, 최초의 순간에는 하얐을 것이 분명한 순수의 벽이었다. 벽돌 틈 사이로 바람에 날려온 씨앗들이 싹을 틔웠다. 그렇게 한 주먹씩 핀 식물들은 오히려 성벽의 수백 년 세월을 드러내는 강력한 증거처럼 보였다.

저렇게 성벽이 높다면 세워진 시기가 대포 시대는 아닐 것이다. 대포 시대보다 훨씬 이전에 건설되어, 대포로 공격받지도 않은 해묵은 성벽일 터.

성벽의 문은 보이는 곳만 여섯 개. 모든 문이 여러 단의 아치로 구성되어 있었다. 어마어마하게 큰 아치로 가장 먼저 푹 파이고, 그 안쪽으로 살짝 작은 아치가, 다시 그 안쪽으로…… 층층이 파여 마침내 가장 깊은 곳에 검고 거대한 문을 만들어 냈다.

여섯 개의 문은 모두 활짝 열려 있었다. 모든 문에서 오가는 행렬이 짧지 않았지만, 특히 중앙의 가장 큰 문에서 이어진 줄은 그들이 서 있는 언덕 코앞까지 이어질 정도로 길었다.

안스는 당장 줄에 가서 서지 않으면 한밤중까지 기다려야 할 것 같다는 초조감을 느꼈다.

그러나 곧장 움직이기에는 위에서 보는 교읍지가 너무도 대단했다. 바다와 이어진 큰 물줄기가 도시를 두텁게 꿰뚫었다. 신의 도시라면 모름지기 욕망이 거세되어야 하건만, 의외로 북적이는 부두도, 얼핏 보이는 조선소도 규모가 상당했다. 심지어 무슨 용도인지는 몰라도 헌칠한 건물들이 해안선을 포위하듯 지어져 있었다. 그 위압적인 모습은 마치 수평선을 향해 도사린 군대처럼 보였다.

물론 모든 것이 완벽하지는 않았다. 안쪽에 다닥다닥 붙은 대부분의 건물은 볼품없이 규격화된 삼 층 높이로, 색 짙은 나무 벽과 통나무 껍질 지붕으로 이루어져 있었다.

다행히 그것들은 흉악한 크기의 성전聖殿을 위한 들러리였다.

곳곳에 교회가 지어져 있었지만, 무엇보다 당혹스러운 것은 도시의 정중앙, 살짝 솟은 언덕에 있는 넓은 공터였다. 높은 돌 막대들이 줄줄이 선 공터에는 사람이 없었다. 그 끝에는 다시 웅장한 구조물이 올라와 있었다. 도시의 십분지 일은 차지할 것 같은 규모였다. 저 장소 홀로 소조폴의 중심가를 덮고도 남을 것 같았다.

"저게⋯⋯?"

아펭글로는 고개를 끄덕였다. 그는 대답하지 않았지만 들을 수 있었다. '법황청입니다.'

"그러면 저 광장을 둘러싼 건⋯⋯."

"법황청을 넓게 둘러싼, 돌로 만든 거대 저택들. 상상력을 발휘해 보십시오."

"사제왕들?"

"예. 저 구역은 '사제왕의 관冠'이라 불립니다."

"바닷가의 저 건물들은 뭡니까?"

"부두, 조선소⋯⋯? 몰라요? 당신, 항구에서 생활하지 않았습니까?"

"그거 말고요. 그 뒤에 주르륵 서 있는 거."

"아, 항해 물품들을 만드는 여러 청廳들입니다. 해도, 육분의, 경선의, 항해력⋯⋯. 묶어서 천문청이라 부르죠. 저기 튀어나온 언덕에 있는 크고 높은 건물 보이시지요? 저게 교국 최대의 천문대입니다."

"아⋯⋯."

안스는 법황이 항해 노구를 득의하고 있던 타라타우에의 말을 떠올렸다. 그 문장이 저렇게 위력 넘치는 건물로 눈앞에 드러날 줄 상상도 못 했다.

"당신 충격은 이해합니다만, 충분히 보셨으면 얼른 내려가시지요. 오늘 안에 교읍지에 들어가려면 빨리 줄을 서야 합니다."

안스는 불평했다.

"우리가 무려 사제왕의 하수인이나 되면 기다리지 않고 들어갈 수 있어야 하는 거 아닙니까? 사제왕 좋은 게 뭐예요."

"이봐요. 저기 선 사람들 모두 어디서 한 끗발 한다는 인간들입니다. 어디의 사제, 연구자, 사제왕의 수하, 군대 지휘관. 안 그러면 교읍지에 들어가지도 못한단 말입니다."

"아니, 그럼 사제왕인 게 무슨 소용이야."

"그러니까요."

안스는 입을 다물었다. 아펭글로는 흔들림 없이 말을 이었다.

"법황 성하의 직속 명령을 받들지 않는 한, 그 누구도 교읍지에 바로 못 들어갑니다. 그러니 열심히 기다립시다."

그들은 터덜터덜 평지로 내려왔다. 낮은 곳에 서니 끝이 보이지 않았다.

안스는 고통스러운 신음과 함께 배낭을 깔고 앉았다. 바닷가의 겨울바람을 맨몸으로 맞으려니 추워 죽을 것 같았다. 말을 놀릴 때는 그래도 땀이 식지 않아 괜찮았는데, 이렇게 기약 없이 기다려야 한다면…….

안스는 제게 교국인의 피가 조금이라도 남아 있길 바랐다. 얼어 죽기 전에.

그들은 꼬박 한나절을 기다린 뒤에야 거대한 아치를 넘었다. 그날 마지막으로 출입하는 무리에 아슬아슬하게 속하게 된 것이다.

안스는 뒤를 돌아보았다. 아직 줄이 까마득히 길었다. 아펭글로에게 오늘 못 들어온 사람들은 야영을 하느냐 물었다.

그는 그들이 교읍지를 둘러싼 군사 월동지에 자비를 구하거나, 아니면 가장 가까운 마을로 돌아가야 한다고 말했다. 교읍지의 문이 닫힌 후, 이 넓은 평야에는 쥐새끼 한 마리도 용납되지 않는단다.

안스는 질린 얼굴로 저벅저벅 대로를 걸었다. 밖에서도 느꼈지만 아주 오래되고 육중한 도시였다.

길은 넓고 반듯했으며 사람들은 질서를 잘 지켰다. 모든 이가 검은 모자를 썼고, 심지어 여자들은 모자 아래 흰 스카프까지 꽁꽁 싸맨 모양새였다.

서로 마주칠 일도 없이 한 방향으로 줄 맞추어 걷는 모습이 안스를 소름 끼치게 했다. 전부 조곤조곤 말을 나누자 도로는 작은 동굴처럼 느껴졌다.

무채색의 마차들 역시 사람만큼 질서 있게 길을 오갔다. 아펭글로는 그 광경을 잠시 둘러보는 듯하더니, 곧 마차를 하나 찾아냈다. 마차 옆면에는 길쭉한 새가 초승달에 발톱을 뻗는 문양이 새겨져 있었다.

안스는 배에서 내린 뒤 배낭에 처박아 둔 탈란타우에의 반지를 떠올렸다. 분명 같은 문양이었다.

아펭글로는 먼저 후다닥 마차에 올라탄 뒤 손짓했다. 따라 올랐다. 문이 닫혔고, 덜그럭거리며 마차가 출발했다.

"탈란타우에가 미리 불러 둔 겁니까?"

"한 가지, 앞으로는 '사제왕 탈란타우에 각하'라고 하십시오. 만날 사람들이 녹록하지 않을 겁니다."

"아…… 네. 알겠습니다. 사제왕 탈란타우에 각하께서 미리 마차를 불러 두었습니까?"

"그러신 것 같군요. 아까 기다리며 듣자 하니 군대는 벌써 일주일도 더 전에 돌아왔다고 합니다. 당신도 바로 가시면 되겠습니다. 저는 중간에 내릴 거예요."

안스는 흠칫 놀랐다.

"어디서 내리시려고요?"

"전 탈란타우에 관으로 갈 겁니다."

"저는요?"

"바를라암 관으로 가셔야지요."

"저만, 혼자?"

아펭글로는 헛기침을 내뱉었다.

"제가 어떻게 바를라암 관에 가겠습니까? 그분들은 저를 알지도 못합― 아, 아시긴 하겠군요. 아무튼 전 현재로선 탈란타우에 각하의 수하입니다."

"아니, 가서 나 혼자 뭘 하라고요?"

그는 '내가 어떻게 아느냐'는 듯 눈을 굴렸다. 안스가 다시 한번 재촉하려 들자, 갑자기 몸을 들어 어두운색 커튼을 걷어 냈다.

"아! 탈란타우에 관이로군요."

안스는 휘황한 건물을 흘끗 바라보았지만, 지금은 그게 중요한 게 아니었다.

"날 소개해 줄 사람이라도 있어야죠."

"아니, 굳이 그럴 필요는 없어요. 당신이 누군지 저쪽에서 모르는 것도 아닌데…… 내가 가면 오히려 방해만 될 것이고……. 애초에 바를라암처럼 보수적인 가문이라면 '아펭글로'라는 이름은 환영받지 못할 테고……."

아펭글로는 그들이 만난 뒤 처음으로 중언부언하더니 마차 앞을 똑똑 두드렸다.

그러자 마차가 부드럽게 멈추었다.

안스는 아펭글로의 양팔을 잡아당겼다.

"어딜 가요?"

"다음에 봐요."

"아니, 한 달 넘게 같이 여행해 놓고, 이렇게 짐승 아가리에 던지면 끝이에요?"

"누가 짐승입니까? 일단 가서 문제를 해결하고 봅시다. 그게 탈란타우에 각하께서도 원하시는 바입니다."

저자는 편의상 탈란타우에의 명패를 빌릴 뿐 그 인간에게 복종하는 것도 아니었는데, 냅다 저런 말을 하다니 기가 막혔다.

"안스, 다음에 다시 뵙겠습니다. 그때는 정식으로 바를라암의 성을 받은 뒤이길 바라겠습니다."

왠지 섬뜩한 말이었다. 안스는 당황하여 소리를 높였다.

"지금까진 탈란타우에 관에 가는 척했으면서!"

"제가 언제 그랬습니까? 그리고 바를라암 각하께서 교읍지에 도착한 당신 아들이 다른 곳에 머물도록 둘 것 같습니까? 안스, 전혀 문제없을 겁니다. 탈란타우에 각하께서 괜히 그 고생을 해 가며 당신을 바다 너머에서 데려오신 게 아닙니다."

안스는 그를 놓아주었다. 설득당해서라기보단, 마부가 어리둥절한 얼굴로 문을 열었기 때문이다.

아펭글로는 한 손으로 제 어깨를 툭툭 두드리더니 떠났다.

안스는 홀로 마차 안에 남겨져선, 긴장된 한숨을 내뱉었다.

제 인생에 탈란타우에만큼 미친 사람은 한 명이면 족했다. 사제왕 딱지를 달고 또 얼마나 이상한 인간이 튀어나올지, 그리고 그 인간이 내 아버지라고 주장하면 기분이 어떨지 당최 짐작이 가지 않았다.

다시금 달리던 마차가 서서히 멈추었다.

안스는 될 대로 되라는 듯 마차 문을 열어젖혔다. 방금 탈란타우에 관에 도달했을 때처럼 적당한 거리 너머 멋진 건물이 보이리라 생각했다.

한데 누군가 앞에 서 있었다.

"내 아들!"

안스는 기절할 뻔했다.

자신을 향해 뻗는 양팔에 속수무책으로 쓸려 갔다. 잠깐은 자기가 헛것을 보는 줄 알았다. 강하다기보단, 마르고 억센 팔이었다. 힘을 쓰지도 못한 채 얼떨떨하게 안겨 있었다.

"장성한 청년이 다 되었구나. 그 먼 곳에서 잘 자라 주어, 불초한 아비인 내 가슴이 미어진다."

그는 아직도 '아버지'란 사람의 얼굴을 제대로 못 봤다. 이거, 계속 이러면—

한순간 자신을 끌어안는 손을 뿌리쳤다.

그의 눈을 마주 보았다.

예순 언저리의 인자한 얼굴을 지닌 노인이었다.

안스는 엉겁결에 내뱉었다.

"안녕하세요."

"그래, 네 목소리를 들으니 기쁘다! 어서 들어가자."

그는 나이에 맞지 않게 흥분된 목소리로 자신을 잡아당겼다. 사용인들이 다가와 무엇무엇을 준비했느니 하고 부드럽게 보고했다. '아버지', 그러니까 사제왕 바를라암은 웃으며 고맙다고 말했다. 채신머리없단 생각을 하고 있었는데, 그게 꼭 나쁘지만은 않은 것 같았다.

이상하지. 안스는 불쑥 의구심을 품었다. 탈란타우에는 바를라암에게 정신병이 있다고 욕설을 서슴지 않았다. 그리고 항해 도중에도 네가 바를라암에 가서 죽지 않도록 쓸모를 증명해야 한다고 말했다. 그런데 이토록 살갑고 멀쩡한 인간이라니?

안스가 혼란스러워하는 사이, 그들은 어느새 거대한 홀에 들어섰다.

안스는 하얗게 질렸다. 높고 웅장한 천장 아래 대리석 아치가 자신을 짓눌렀다. 걸음걸음마다 건물과 함께 묵은 듯한 굽 소리가 났다.

"널 위해 많은 것을 준비해 두었다."

바를라암의 목소리도 더욱 크게 울렸다. 그는 빠르게 걸어 계단 옆을 지나갔다.

안스는 궁전 같은 홀을 구경하느라 정신을 못 차렸다. 우스페히 상관도 부유했지만, 뿌리부터 유적처럼 지어진 '바를라암 관'과는 비교할 수 없었다.

돌을 썰고 다듬고 날라서 이 모양으로 세우기 위해 얼마나 많은 권력이 필요했을까. 각 층마다 수많은 아치가, 아치 위 섬세한 조각들이, 기묘하게 꾸며진 난간이 서 있었다. 화려한 보석과 천 장식이 없어 더 고귀해 보일 만큼 으리으리한 건축물이었다.

그들은 마침내 식당에 들어섰다.

"어서, 어서. 교읍지의 긴 줄을 기다리느라 고생이 많았겠지."

안스는 넓은 탁자에 차려진 음식에 또다시 발을 멈추었다.

그러나 무슨 말을 건네기도 전에 바를라암에게 이끌려 탁자의 끝에 앉게 되었다. 그렇게 앞을 보자 이 거대한 식당이 더 압도적으로 다가왔다. 모든 것이 숨 막힐 정도로 컸다.

바를라암은 그의 옆에 앉아 쉴 새 없이 말을 건넸다.

"여행길은 어땠느냐? 항해는 법황 성하의 인가를 받아야 하기 때문에, 어쩔 수 없이 육로로 널 부를 수밖에 없었다. 탈란타우에와 이야기하여 그게 최선이라는 데 우리 모두 동의했단다. 어차피 아펭글로가 너를 이끌었을 테니 큰 불편은 없었겠지. 하지만 노파심에 걱정이 되는구나."

안스는 처음으로 제대로 된 문장을 만들어 냈다.

"일정이 촉박했던 것을 제하면 편하게 왔습니다. 부족한 부분은 없었습니다."

순간, 바를라암이 말을 뚝 멈췄다.

안스는 섬찟한 기분에 그를 돌아보았다.

잠깐의 침묵 뒤, 그가 다시 부드럽게 이야기했다.

"아무래도 시노드 신넬에 오래 머물렀다 보니 '이상한 억양'이 있구나. 어서 바꾸도록 노력해야겠다. 배를 타면서 탈란타우에게 기본적인 지식은 배웠겠지? 오, 그래도 사람이 열 해 동안 배워야 하는 내용을 반년 만에 해치울 수는 없는 법이지. 이 아버지는 걱정이 많다."

"저는 열 해 동안 시노드 신넬의 지식을 배웠습니다. 하루도 쉬지 않았어요. 만일 제가 바보는 아닐까 걱정이 되신다면—"

"아니, 절대 아니다. 탈란타우에게도 네 칭찬을 많이 들었다. 그동안 네가 삶에 쓸모 있는 여러 지식을 배웠으리라 믿는다. 하지만 사제왕 바를라암이 되려면 이 땅의 지혜도 익혀야 하므로, 그 부분이 초조하여 네게 실례했구나. 나도 모르게 얼마나 가슴이 부풀었던지…… 절제하지 못하고 이것저것 털어놓아 참 꼴이 민망하다."

안스는 당황하여 반문했다.

"'사제왕 바를라암'이요?"

"그럼. 내가 왜 너를 불렀겠느냐? 어서 이 아비를 무거운 짐에서 해방시켜 주길 바란 것이지."

"그…… 제게 형제가 있지 않습니까?"

"아, 디아딜로테! 내일 너를 만나기 위해 도착할 거다. 조금 늦는다 했다."

"네. 그분…… 이 저보다 더 자격이 있으실 거란 생각이 들어서요."

"이런, 네 누이는 번잡한 일을 견딜 성격이 아니다. 그래서 걱정이 아주 컸지. 그 와중 탈란타우가 미친 짓을 저지르러 간다기에 혹시 몰라 부탁을 했더니, 이토록 놀라운 날이 올 줄이야! 마지막으로 보았을 때 내 허벅지에나 겨우 오던 아이였는데, 이제는 이 아버지가 올려다보지 않으면 감히 눈을 마주칠 수도 없겠구나. 잘 자랐어, 아주 잘. 과녁을 정확히 겨누고 무거운 칼도 거리낌 없이 휘두를 남자처럼 보이는구나."

자신은 막돼먹은 주먹질과 수영을 살하는 평범한 항구 촌놈이었다…….

대화는 급류처럼 혼란스럽고 빨랐다. 마치 자기가 오래전부터 후계자로 낙점이 되어 있던 것만 같았다.

"탈란타우에가 네 건강한 신체와 명석한 두뇌를 수없이 칭찬했다. 그는 괴짜지만 그래도 대단한 사람이지. 그에게 그 정도 찬사를 들었다면 너 스스로를 자랑스러워해도 좋을 것이다."

안스는 끊임없이 쏟아지는 칭찬을 들으며, 제 발치에 강아지가 이백 마리 정도 있는 것 같다고 생각했다. 내가 뭐가 그렇게 잘났지? 한 번도 그렇게 생각해 본 적이 없어서 당황스러웠다. 그나마 시노드 신넬에서라면 몰라, 교국에서는 탈란타우에에게 속성 교육을 겨우 뗀 어린애인데.

"어서 음식을 들거라. 배고프지? 저녁 식사를 끝내고 방을 안내해 주겠다. 마음 같아서는 앞으로 네 소유가 될 바를라암 관을 전부 소개해 주고 싶지만, 네가 피곤할까 걱정이 되는구나."

안스는 눈치를 보다가 깨작깨작 음식을 들었다.

천만다행으로 미친 탈란타우에의 취향처럼 생병아리가 올라와 있진 않았다. 그저 평범한 소고기와 양고기, 이름 모를 데친 채소들, 시원하고 톡 쏘는 음료와 기묘한 과일들뿐이었다. 안스는 그나마 사과와 닮은 것을 고르고는 한참을 쳐다보았다.

"안스카리우스."

그는 재빨리 '사과'를 입에 넣곤 고개를 끄덕였다. 식사하면서 저가 입을 연 횟수는 손에 꼽았다.

"내일부터 너를 가르칠 선생을 부를 예정이다."

"……네."

"너도 이미 얼굴을 익힌 아펭글로가 방문할 것이다. 물론 그자에겐 몇 가지 크게 모자란 부분이 있어 내 마음에 썩 차지 않는다. 하지만 탈란타우에의 부탁이 있었고, 또 네가 시노드 신넬에 오래 머물렀던 만큼 그의 경험이 도움을 주리란 생각이 드는구나."

안스는 '보수적인 바를라암 가문'이 자신을 탐탁지 않아 할 거라던 아펭글로의 말을 기억했다. 그럼에도 불구하고 제 선생으로 들어온다니, 탈란타우에가 얼마나 밀어붙였을지 짐작이 갔다. 개인적으로는 그에게 배운다면 오히려 감사한 일이라, 다행이었다.

"그러고 보니, 네가 그곳에서 어떻게 지냈는지 듣질 못했구나. 말해 주겠느냐?"

"……탈란타우에 각하께 듣지 않으셨습니까?"

"네게 듣는 것과는 다르지."

안스는 마음이 불편해졌다. 그러나 빠르게 주워 삼켰다.

"표류했을 때 어떤 상단이 저를 주웠습니다. 운 좋게도 그 상단의 상주에게 자식이 없어서, 그의 후계자로 십 년을 자랐습니다. 물론 거기서의 '후계자'는 이런…… 여기…… 같지는 않습니다. 증명하지 않으면 버려집니다. 아무튼 그렇게 자라다가 교국이 항구를 함락시켜 돌아왔습니다."

"고마운 분이야. 어떻게 보답할 방법이 없을지 고민을 해 봐야겠구나."

안스는 상대가 자신을 조롱하는 것인지 몰라 노려보았다.

그러나 바를라암은 의아한 표정으로 그를 마주 볼 뿐이었다.

"문제가 있느냐?"

"아니요……. 아니, 있습니다. 그분은 항구가 함락되었을 때 돌아가셨습니다."

바를라암의 흰 눈썹이 좁혀 들었다. 당황스러운 듯, 동시에 누군가에게 분을 삼키는 듯한 불꽃이 스쳐 지나갔다.

안스는 경계했다.

마음 놓지 마. 여기선 정말 나 혼자야.

"이런, 미안하다. 어떻게 그런 일이……."

"탈란타우에 각하와 말씀을 나누셨다면 모르실 리 없었을 텐데요."

생각보다 말이 날카로웠다. 안스는 아직도 이 낯선 노인이 제 아버지인 양 호들갑을 떠는 것이 익숙하지 않고 불편했다.

"전혀 몰랐다. 내가 무람없이 굴어 너도 언짢았겠구나. 후일 탈란타우에게 항의하도록 하겠다. 뇌조 같은 대가리에 분노만 들어차 내게 무안을 주었어."

안스는 상체를 살짝 젖혔다. 바를라암에게서 처음 튀어나온 험한 말씨에 흠칫 놀랐다.

그 기색을 눈치챈 듯 바를라암이 다시 쩔쩔맸다.

"나는 내 자식을 완전히 잃었다고 생각했단다. 천운으로 살아남아 좋은 사람에게 거둬졌는데, 보답할 길조차 막혔다니 이를 어찌해야 할지 모르겠다. 그이에게는 미안한 일이지만 네가 나를 미워할까 걱정이 된다. 이기적이어도 부모의 마음인 것을, 이해해다오."

"……."

"너만 허락해 준다면, 부디 길고 긴 대화로 혹여 있을지 모를 앙금과 오해를 털어 내고 싶구나. 네 형제에 대한 이야기도…… 내게는 쉽사리 돌아보기 힘든 일이지만…… 원한다면 얼마든지 설명하겠다."

안스는 고개를 애매하게 저었다. 끄덕이는 것 같기도 했다.

결국 식기를 내려 두었다. 여행이 길어 경황이 없으니, 오늘은 쉬겠다고 선언했다.

바를라암은 여러 번 수긍하며 그를 따라 일어섰다.

다음 날, 안스는 처음으로 제 누이를 만났다.

바를라암이 불러 응접실에 왔더니, 먼저 소파에 앉아 있던 웬 젊은 여자가 보였다. 목까지 덮는 검고 단정한 드레스, 넓은 칼라, 머리에 쓴 흰 두건까지. 시노드 신넬의 누군가가 본다면 광야를 돌아다니는 순례자 같다고 평할 만큼 금욕적인 차림새였다.

아무리 교국이라 하나, 여행길에서 본 인간들이 저 정도로 지루한 옷을 입지는 않았기에 조금 당황스러웠다. 그리고 동시에 직감이 들었다. 이 사람이 '수도원'에 갔다던 그 '누이'로군.

디아딜로테는 표정이 없는 인간이었다.

자신을 보고도 살짝 고갯짓으로 인사할 뿐, 단 한 마디도 더하지 않았다.

안스는 조금 걱정하며 거울 너머 제 차림새를 둘러보았다. 내가 뭔가 무례를 저지른 건 아니겠지? 혹시 단추를 잘못 꿰매었다든가? 아니면—

"반지가 없군요."

그녀의 첫 문장이었다.

안스는 당황하여 다시 그녀를 마주 보았다.

그녀는 또박또박 반복했다.

"바를라암의 반지가 없어요. 아버지께서 마땅히 선물하셨을 텐데."

안스는 멍하니 말했다.

"안녕하세요?"

그녀는 무시했다.

"……."

안스는 안절부절못하며 서 있었다. 자신보다 두어 살 많아 보이는 여자는 정면을 바라본 채 미동도 없었다. 제 얼굴과 전혀 닮지 않아서 남매라는 말이 우습게 느껴졌다. 저 여자보다는 차라리 티와 내가 닮았─

그는 생각을 뚝 멈췄다. 위험했다.

"아! 도착했구나, 디아딜로테."

안스는 뒤를 돌아보았다. 바를라암이 어제와 똑같은 차림새로 서있었다.

"예, 아버지. 한 달간 머무르다 카르달리아스로 떠날 예정입니다."

"그래. 오랜만에 얼굴을 보니 참 좋아. 서로 인사는 했니?"

마치 여염집의 남매를 다루듯 한다.

"예."

우리가 '인사'했다고? 안스는 여자를 허탈하게 응시했다.

"그런데 반지가 없더군요."

"아, 어제 막내가 피곤한 듯해서 미루기로 했지."

"반지를 주는 게 두 사람에게 그다지 번거로운 일은 아닐 텐데요. 곧 후계자가 될 이라면 더더욱."

"허, 내가 정신이 없어 또 네게 야단을 맞는구나."

"아닙니다. 지금이라도 건네시면 되지요."

"이리 오려무나, 안스카르."

안스는 흠칫 놀랐다.

"'안스카르'……?"

"네 어릴 적 애칭이란다. 이리 오거라, 이리. 반지를 주어야겠다."

그가 떨떠름한 채 가까이 가자, 바를라암이 월계관이 새겨진 탁한 반지를 건네주었다.

안스는 반지를 빤히 바라보다가 제 손에 꼈다. 그 모습을 본 바를라암이 박수를 짝 쳤다.

"반지를 지닌 바를라암의 혈족이 이제 셋이나 되니 이 어찌 기쁘지 않겠느냐. 바깥에 자리를 준비해 두었으니 이리들 오거라."

"아버지, 저는 아침 묵상을 끝내지 못했습니다."

"그러니? 그러면 우리 먼저 내려가 있겠다."

"아뇨. 기다리지 마세요."

"기다릴 테니 어서 오거라. 네 동생을 알아 가는 시간이 필요하잖느냐."

"……."

그녀는 꾸벅 인사하더니 자신을 스쳐 지나갔다.

안스는 그녀가 원래 저런 인간인지, 아니면 후계자 자리를 넘보는 애송이를 언짢아하는 것인지 분간하기 위해 애썼다.

"안스카르? 내려가자."

그는 작은 한숨을 쉬며 바를라암을 따랐다. 이곳에서는 숨 한 번 제대로 내뱉지 못할 것 같았다.

회랑으로 나가자 오늘도 놀라움에 입이 벌어졌다. 넓은 정원에는 직사각형의 수조水槽가 마련되어 있었다.

투명한 물은 풍경을 고스란히 담아냈다. 정원을 감싼 수많은 아치와 화려한 조각들……. 하루 중 가장 멋진 오후를 베어 낸 듯했다.

수조 속 흔들리는 물 덕분에 한 장소를 바라볼 때마다 크기가 두

배, 세 배 넓어졌다. 시야를 돌리는 매 순간 찢어질 듯 팽창하는 광경이 느껴졌다.

회랑 안쪽으로 겨울빛이 쏟아졌다.

아름다움이, 혼란스러웠다.

가슴이 욱신거렸다. 옷 안쪽에 품은 티티라의 초상 때문일까. 티에게 이 광경을 보여 주고 싶었다.

티, 너는 바다를 좋아하겠지만, 이런 것들도 썩 괜찮지 않아?

네가 저 가장자리에 앉아 수조에 팔을 쑥 넣었으면 좋겠어. 그리고 말해 주길 바라. '안스, 여기 의외로 깊어.' 이 멋진 광경을 감상할 생각일랑 전혀 없이, 푹 빠지고 싶은 마음에 깊이부터 가늠하겠지.

그런 모습을 어이없다는 듯 바라보면 그 애는 웃을 거야. 마치 내 반응을 바라고 넋 빠진 짓을 한 것처럼. '알겠어. 가만히 있으면 되잖아.' 그렇게 빛 속에서 길 잃은 나비처럼 웃다가…….

'안스.'

손안에서 부스스 흩어지는 검은 단발, 생기 넘치는 뺨, 여름을 맞아 푸릇하게 달아오른 너…….

숨이 가빠졌다. 갑작스레, 다시는 그 애를 볼 수 없을 거란 생각이 들었다.

해안가 절벽에서 뛰어내린 뒤에야 암초를 발견한 사람처럼, 이제 저 돌에 머리가 깨질 거란 확신이 불쑥 치솟았다.

우리 사이엔 이제 넘어갈 수도 없는 바다가 있는데.

내가 미쳤지.

미친놈.

넋 빠진 자식.

좋은 것을 볼 때마다 티를 생각하는 버릇이 역류하여 자신을 덮쳤다.

정신을 차리자, 티가 방금 전까지 앉아 있던 대리석 수조 가장자리에는 아무도 없었다. 덕분에 그 자리에 머리를 박고 죽고 싶었다. 보잘것없는 과일처럼 부수고 싶었다. 그렇게 시야가 흐려진 뒤에야 다시 그녀를 찾아낼 수 있을 것만 같았다. 그러니까…… 삶의 경계 너머에서 말이다.

"안스카르, 안스카르?"

안스는 헐떡이고 있었다. 어느새 식은땀이 줄줄 흘렀다.

고개를 돌리자, 당황한 듯한 바를라암의 얼굴이 아래에 있었다.

"괜찮으냐? 갑자기 이상하더구나."

"아……. 아니에요. 잠을 못 잤나 봅니다."

"정말이지? 불편한 곳이 있다면 편히 말해 보거라."

"괜찮습니다."

"그렇다면 다행이고……. 어서 이리 오너라."

안스는 떠듬떠듬 정신을 찾았다.

그들은 정원 구석에 놓여 있는 탁자에 앉았다. 대리석으로 빚어진 탁자 위에는 어느새 신선한 음식이 놓여 있었다.

"겨울이지만, 해가 중천에 떠 있을 때에는 바람을 쐴 만하단다. 네게 이 장소를 보여 주고 싶기도 했고. 아름답지 않으냐? 또, 네게 어렸을 적 기억이 남아 있지 않을까, 조금쯤 바라는 마음도 있구나."

안스는 방금 전 생전 처음 본 수조의 아름다움에 기가 질렸던 사람이었다. 이와 비견될 만한 기억이라곤 콩 한쪽만큼도 없었다.

그는 고개를 저으며 답했다.

"기억은…… 안 납니다."

"그래. 쉽지 않으리라 생각한다."

잠시 말없이 음식을 들었다.

"네가 떠올리진 못하겠지만."

안스는 눈만 들어 바를라암을 바라보았다.

"자식들을 관리하지 못한 내 책임이 크구나. 이미 탈란타우에게서 이야기를 들었겠지."

"……."

죽은 삼형제를 이야기하는 모양이었다.

"그 아이들은 내 사랑하는 부인이 터울을 두지 않고 가진 자식들이다. 서로 나이가 비슷하여 항상 호승심에 다투곤 했지. 나는 그 또한 한때려니 생각하여 말리지 않았다. 또, 앞날 창창한 청년들이 의지를 불태운다는 사실이, 내 딴에는 사제왕의 자격을 증명하는 일이라고 생각했단다."

"……."

"위로 나이 차가 적지 않았던 부인과 사별한 후, 나는 현명하고 선한 연구자를 만났다. 먼지를 기억하는 릴람바 출신, 고서古書 연구자. 아네멜리 아노이그마. 신과 인간의 지혜를 함께 다루는 이였다. 일이 있어 교읍지로 왔다가 나를 알게 되었지. 나는 마흔이었고, 그녀는 서른다섯이었어. 우리는 비슷한 시대를 누린 친구였단다. 젊었을 때와는 다른 사랑을 느꼈다. 나는 그녀의 재치와 말솜

씨, 지성에 매료되었다."

"……"

"엉겁결에 너를 가진 뒤, 나는 그녀에게 부인이 되어 달라 청했다. 그녀는 거절했다. 아이는 낳겠지만 사제왕의 배우자가 될 생각은 결단코 없다더군. 사제왕의 배우자는 연구자가 될 수 없기 때문에, 그녀로서는 잃을 게 많은 제안이었다. 나도 그것을 알아. 단지 내 욕심이었지. 다만 안타깝게도…… 아이마저 내게 맡기더구나."

"……"

"세상에 나온 너는 바로 바를라암 관으로 보내졌다. 그녀는 너를 별로 보고 싶어 하지 않았다. 오히려 너를 낳은 뒤 내게서 멀어진 것 같았다. 네가 세상에 나온 지 고작해야 한 해 만에 교읍지를 떠났으니까. 가끔 아네멜리의 소식을 찾으면 그녀는 동부 어딘가, 남부 어딘가, 몇 년에 한 번씩 잘도 옮겨 다니더군. 아마 고서가 있는 곳에 가는 것이겠지. 이제 나이가 들었으니 본인도 건강을 살펴야 할 텐데 말이야."

나이 든 바를라암은 양손을 탁자 위에 포개었다. 겸손한 자세였다.

"나는 어쩌면 그녀가 아이 때문에 떠났다고 생각하여 네게 무관심했는지 모르겠다. 한동안, 그래, 그렇게 사랑에 정열적인 사람이 있었지. 나조차 믿기 힘들 만큼. 그래서 너를 유모에게 맡기곤 무시했다. 내 장남이 여섯 살짜리 너를, 건강이 안 좋으니 서부 군도에 요양시키자고 주장할 때에도 무시했다. 솔직히 별로 상관하지 않았지. 아들이 너를 죽이겠노라 다짐한 것도 아니고, 내 앞에서 안 보이게 해 준다는데. 네게 좀처럼 애착을 가질 수 없었단다. 어쩌면 떠난 이에 대한 복수라고도 생각했던 것 같다. 너는 아무것도 모르는데 말이야."

그의 목소리는 음울했다. 그러나 안스는 그 목소리가 자기변명이라기보단, 스스로를 향한 비웃음에 가깝단 사실을 알고 있었다.

주름진 손이 위로 올라와 얼굴을 덮었다. 바를라암의 일그러진 얼굴이 손가락 사이로 사라졌다.

그가 말했다.

"미안하다."

안스는 아무 말도 하지 않았다. 솔직히 기억이 안 나서, 용서하고 말 게 없었다.

오히려 그가 자신을 바다에 흘려보내지 않았더라면 제 인생에 더 큰 일이 날 뻔했다. 티를 만나지 못했을 테니까.

아버지가 궁금하지 않았던 것처럼 어머니도 별로 궁금하지 않았다. 바를라암을 만나고 이 정도로 감흥이 없다면 어머니를 만난들 무엇이 달라지겠는가. 가끔 스스로 뿌리를 궁금해하긴 했지만, 그건 말 그대로 호기심이었다. 그립다거나 애틋한 감정은 아니었다.

그의 삶은 소조폴이 채워 주었다. 무언가가 아쉬워 과거로 치달을 필요가 전혀 없었다.

"안스카르, 나를 용서해 주겠느냐?"

안스는 어정쩡하게 음식을 입에 넣었다. 무슨 맛인지도 모르고 우물우물 먹었다.

잠시 뒤, 진중한 분위기에 이끌려 어쩔 수 없이 내뱉었다.

"예. 괜찮습니다."

"아니, 사실 괜찮다는 말로 끝날 일은 아니지 않느냐. 내가 네게 신뢰를 심어 줄 수 있느냐의 문제란다."

"아, 네."

"나는 네가 다음 사제왕 바를라암이 되기를 원한다. 내 육신이 이미 늙었으니 시기는 빠르면 빠를수록 좋다."

안스는 포크를 입에서 빼지 못한 채 멍하니 바라보았다.

"나는 네게 시노드 신넬에서의 경험이 있기에 더 흔쾌히 후계자로 받아들이려 한다. 시노드 신넬은 앞으로 우리의 땅이 될 테니까. 그곳 생리를 잘 안다면 바를라암의 무구한 영광에 누구보다 훌륭히 기여하지 않겠느냐."

안스는 저 인간이 공감 능력이 떨어지는 건 아닌지 의심했다. 내가 십 년 동안 소조폴에서 살았는데, 거길 지배하면서 즐거울 수 있다고 생각하는 건가?

"물론 옛 도시에 애착이 있을 테지. 하지만 또 새로 생각해 보거라. 네가 있으면 교국과 시노드 신넬 간의 관계를 보다 매끄럽게 다질 수 있을 것이다. 너를 키웠던 후견인조차 세상을 떴다면…… 지배자로 간들 이해관계가 있을 리 없지 않느냐. 어떤 게 더 두 번째 고향에 도움이 될지 고민해 보거라."

……그에겐 공감 능력이 필요 없었다. 바를라암은 논리적으로 자신을 설득할 생각이었다. 시노드 신넬이 탈란타우에게 점령당하는 것보단 내게 점령당하는 게 낫다고.

말도 안 되는 가정이었지만 상상하자면 확실히 그편이 나았다.

그리고 총독이 되어 소조폴로 돌아간다면…… 티티라를 다시 만날 수 있었다! 방금 전 티와 영영 헤어졌다며 걱정했던 미음조차 한순간 추억으로 남을 것이다!

갑자기 닥친 희망에 심장이 쿵쿵 뛰었다.

"안스카르, 순서대로 설명해 주마. 너도 검토해 보고 결정하는 게 좋겠지. 사제왕 위를 승계하면, 너는 우선 법황이 요구하는 교구에 가서 불신자들을 무찌르고 통치해야 할 것이다."

안스는 문득 겁을 먹었다. 뭘 어쩐다고?

"전 전술은 하나도 모르는데요."

"배우면 된다. 또 노련한 부관들이 보조할 테니 현장에서도 충분히 익힐 수 있다. 너는 고작해야 스물, 스물하나가 아니냐. 넘치고도 남지."

"……."

"그렇게 한 군데, 혹은 두 군데의 부府를 돌고 오면 안정적으로 교읍지에 정착할 수 있을 것이다. 그러면 대략 칠팔 년 뒤일 텐데."

안스는 다시 숨이 막혔다. 난 여기 갓 도착했는데 칠팔 년 동안 또 낯선 땅에 가서 혼자 전쟁을 치르라고? 항구 촌놈에게는 너무 먼 이야기였다.

"돌아오는 즉시 총독으로 임명받도록 하겠다. 바를라암이 그 정도는 된단다. 시간에 빈틈이 없을 것이다."

"……."

"나를 미워하지 않는다면, 객관적으로 한번 생각해 보려무나. 그동안 공부도 하고, 적적한 가족과도 이야기를 나누어 주고."

"……."

"이 아비가, 네가 모든 것에도 불구하고 여기까지 왔다는 사실에 희망을 걸어도 되겠느냐?"

대답하기 어려웠다.

하지만 도망갈 구석이 없었다. 스스로 몰아넣은 막다른 길이었다.

"생각해 보겠습니다."

"좋아! 잘되었다! 고맙다, 내 아들!"

안스는 바를라암의 이상하게 애정 어린 외침을 들으며 반지를 내려다보았다. '내 아들'이라는 단어가 거슬렸다. 왠지 그물에 걸린 듯한 압박감이 들었다.

통 정체를 알 수가 없었다.

바를라암이 자신을 후계자로 인지했다면 제 앞은 뻥 뚫린 가도와 같았다. 그저 달려 나가면 된다. 원하는 대로 많은 일을 할 수 있을 것이다. 탈란타우에가 은근슬쩍 기대했던 바와 같이 말이다.

그럼에도 안스는 찜찜한 기분을 좀처럼 벗어던지지 못했다.

안스는 그날 디아딜로테의 코빼기도 보지 못했다. 이래서야 같은 저택에 살고 있는지 의심이 될 정도였다.

그러다 사흘째, 마침내 이 층 복도에서 마주쳤다. 그녀는 두꺼운 책을 두 권 들고 있었다. 원체 말라서 책에 휘둘리는 것 같기도 했다.

안스는 어색하게 인사했다.

"안녕하세요?"

그녀는 날카롭게 벼려진 벽안을 지녔다. 자신과 비슷한 듯하면서도 훨씬 해말갰다.

그러니까, 매우 낯선 사람이었다. 저와 닮았으면 거울을 쳐다보는 것 같다고 농담이라도 해 볼 텐데. '남매'? 거짓말하는 거 아냐?

"저번에 인사를 제대로 못 드린 것 같아서요."

안스는 그녀를 볼 때마다 영 개운치 않았다. 정식 부인에게서 났다면 자신보다 더 고귀한 태생일 텐데, 저 혼자 바를라암의 유일한 희망처럼 여겨지다니.

문득 탈란타우에의 평이 떠올랐다.

"그 애는 단지 좀 확신이 없는 듯했다. 너를 찾든. 찾지 못하든 제 인생에서 별로 결정할 게 없는 친구처럼 보였다."

디아딜로테는 자신을 뚫어져라 바라보았다.

그리고 툭 내뱉었다.

"나는 당신과 이야기할 게 없어요."

"저는 있는데요."

안스는 엉겁결에 내뱉어 놓고 숨을 삼켰다. 너, 미쳤냐?

디아딜로테는 큰 눈을 깜박였다.

"말해요, 그럼."

"복도에서요?"

"비밀인가요?"

"……."

"어서."

안스는 말을 고민했다. 어떻게 해야 제 생각을 잘 전달할 수 있을지 끙끙 앓았다.

바다 위에서 누이를 조롱하는 탈란타우에의 말을 듣고 내내 품고 있던 생각이었다.

가장 정당한 핏줄이 두 눈 시퍼렇게 뜬 채 곁을 지키고 있는데, 먼 땅에 버려졌던 자신이 조금이라도 욕심을 내는 상황이, 심지어 바를라암은 한 점 흔들림도 없이 자신을 후계자로 생각했다는 사실이 마음에 걸렸다.

평생을 같이 산 아버지가 자신을 전혀 후계자로 고려하지 않는다면 어떤 기분일까? 그 부당함이 그녀로 하여금 자신을 적대하게 만들지 않을까 걱정스러웠다. 그 걱정의 내용이란, 아마 '그녀가 두렵다'기보단 '그녀에게 미안하다'에 가까울 것이다.

그는 대화를 해 보고 싶었다.

그러나 제 생각보다 오래 침묵했던 모양이다. 자신을 바라보던 상대가 인내심을 잃고 걸음을 옮기려 했다. 마음이 조급해졌다. 입이 벌어졌다.

"왜 제가 후계자로 임명받은 거죠?"

이런 개 밥그릇 같은 멍청이……

디아딜로테의 얇은 눈썹이 치켜 올라갔다. 안스는 쥐구멍에라도 숨고 싶었다.

그러나 예상외로 답은 빨랐다.

"반대로 물어봐요. 굳이 내가 후계자여야 할 이유가 있나요?"

안스는 혼란스러워 눈알만 이리저리 굴렸다.

그런 자신에게 확실히 하려는 듯, 그녀가 강조했다.

"나는 싫어요. 그러니 당신 알아서 해요."

"왜……? 왜 싫습니까? 당신에겐 가문이 중요하지 않나요? 저처럼 생판 모르는 사람이 물려받아도 됩니까? 이렇게 난데없이……."

"생판 모른다니, 당신은 내 동생인데."

디아닐로테는 눈을 가늘게 뜬 그에게 한 걸음 디기왔다.

"문신은 못 속여요. 원한다면 내 등의 문신도 보여 줄 수 있어요. 같은 핏줄이라면, 나는 신경 안 써요. 당신이나 스스로의 능력을 증명하는 데 신경 써야지."

딱딱하게 군은 제 표정을 발견한 듯, 갑자기 그녀의 시선이 너그러워졌다.

"나는 진심이에요. 가문은 당신 알아서 해요. 이 시대에 사제왕이 되면 법황과 싸우기나 하지. 법황 이디이는 수단과 방법을 가리지 않는 인간이에요. 권력자의 생각이 짧기에 그 권력은 더더욱 많은 곳에 상흔을 남겨요. 나는 좀 더 명석한 싸움을 바라고, 이것 말고도 할 일이 많으니까 당신 알아서 해요, 동생."

안스는 그녀가 진심인지 뜯어보았다.

푸른 시선은 강직하고 투철했다…….

탈란타우에는 사제왕보다 사제왕의 가족들이 더 살기 편하다고 지껄이면서도, 마음 깊은 곳에선 그걸 인정하지 못한 모양이었다. 그는, 누군가는 자기 등에 쓰여진 족쇄에 조금도 신경 쓰지 않는단 사실을 몰랐다.

'문신이 뭐? 법황과 사제왕이 뭐? 관심 없다.' 그렇게 맹렬하지 않은 삶이 그의 눈엔 안 보였나 보지. 제 눈앞에 이렇게 똑바르게 서 있는데. '인생에서 별로 결정할 게 없는 친구'라니. 이미 유유자적한 걸음 벗어났기에 '결정할 게 없는' 모양이지, 탈란타우에.

안스는 조심스레 물었다.

"정말 제가 아무렇지 않으세요?"

"동생이 돌아와 신기하다는 생각은 있어요. 물론 미개한 시노드 신넬인들의 사고를 물려받았다는 사실이 조금 걱정되지만, 그뿐이에요."

안스는 '미개한' 운운하는 내용은 귀 기울여 듣지 않았다. 그보다 딱 잘라 정직하게 거절해 준 그녀가 고마웠다.

그는 한순간 그녀의 양손을 부여잡았다. 반사적인 행동이었다.

"전 당신을 많이 걱정했습니다."

"……."

"아무도 없을 때 제가 후계자가 된다면 문제없겠지만, 손위를 뛰어넘고 저라니요. 고민했어요. 좀 미안했습니다. 내가 자격도 안 되면서 욕심을 내는 걸까? 당신이 불편해하는 건 아닐까? 그런데 이렇게 말씀해 주셔서 짐이 좀 가벼워졌어요. 고맙습니다. 저도 뭘 특별히 하고 싶은 건 아니지만, 당신보단 좀 더 궁금한 게 많은 것 같은데, 그 차이가……."

디아딜로테가 물끄러미 붙잡힌 손을 내려다보았다.

안스는 화들짝 놀라 손을 떼어 냈다.

"미안합니다."

디아딜로테는 여전히 무표정했다. 불쾌해하는 것인지 구분하기 어려웠다.

"나의 동생은 다소 수다스럽게 돌아왔군요."

안스는 무안하여 시선을 돌렸다.

디아딜로테는 이번에도 인사 없이 떠났다.

그는 다음 저녁 식사 시간부터 그녀를 볼 수 있었다.

안스는 디아딜로테를 다시 보곤 미소 지었다. 그녀는 그 웃음에 꿈쩍도 않은 채 포크를 쥐었다. 식사 중에도 평소와 같이 침묵했다.

그러나, 그곳에 있었다.

안스는 그녀의 대답을 이해할 수 있겠다고 생각했다.

얼마 지나지 않아 안스는 바를라암에게 무언가를 부탁할 수 있을 정도로 교국에 녹아들었다. 자리를 잡은 뒤 제게 가장 급한 일은 베오메네스를 불러들이는 일이었다.

여행하는 동안 항상 백인대장이 신경 쓰였다. 내게서 멀어진 순간 탈란타우에가 바로 죽여 버리지는 않았겠지? 설마, 아닐 거야.

여행길에서 아펭글로에게 '사제왕은 아무나 죽일 수 있느냐.'고 물어보았다. 그러자 그가 의미심장하게 자신을 바라보더니, '교국에 들어온 이상 정당한 사유 없이 군인을 처형하는 것은 중죄.'라고 답해 주었다. 에둘러 질문했는데 콕 집은 답변을 받자 겸연쩍었고, 그럼에도 안심이 되었다.

물론 뭐가 되었든 그 말은 한순간의 위안이었다. 안스는 상황이 안정되자마자 당장 베오메네스를 불러와야겠단 생각을 했다.

조심스럽게 부탁하자, 바를라암은 곧장 군에 사람을 보내겠노라 대답했다. 마치 자신이 무언가 요청하길 기다렸다는 듯 무시무시한 기세였다.

그리고 바로 다음 나절…… 누군가 방문을 두드렸다.

안스는 할 일 없이 교국의 책을 들추고 있었다.

"들어와요."

문이 열렸다.

안스는 배부른 소처럼 누운 채 시선만 아래로 내리깔았다.

그러다, 벌떡 몸을 일으켰다.

안도의 한숨을 내뱉었다.

"……안 죽었군."

베오메네스는 모자를 벗었다.

"감사합니다."

"멀쩡한 꼴을 보니 당신보다 내가 더 죽을 뻔했던 모양이야."

베오메네스는 방을 둘러보는 듯했다.

"죽을 뻔하신 것치곤 대단히 호화롭게 지내고 계십니다. 당신이 지금 깔고 앉은 이불만 집 두 채 값일 겁니다."

"생전 처음 보는 곳에 떨어져 한 달 넘게 미친 듯이 말을 타고 달리고, 또 생전 처음 보는 인간들 사이에 떨어져 당장 내일이라도 사제왕 위를 물려받으라고 닦달 받는 게 그렇게 즐거운 일인 줄 알아?"

그가 반갑기는 반가웠나 보다. 지금까지 꾹 참아 두었던 말이 조금씩 새어 나왔다.

베오메네스는 어깨를 으쓱였다.

"전 살수殺手를 총 다섯 번 물리쳤습니다. 저보단 안전하시겠지요."

단칼에 어리광을 쳐 낸다.

안스는 당황하여 안심했던 마음들을 주워 담았다.

"아니…… 정말로?"

"가짜겠습니까?"

"뭘, 어떻게?"

"배에선 사람들이 다닥다닥 붙은 곳에서 지냈습니다. 들키지 않고 제게 가까이 올 방도가 없던 덕분에 긴 시간 살아남았습니다."

"……."

"하지만 교읍지에 도착한 이후론 꼼짝없이 숨을 뻔했습니다. 내 대를 조금씩 나누어 월동지로 이동하란 명이 떨어지더군요. 그 와중에 내가 속한 대대는 부르지도 않았습니다. 그쯤이면 슬슬 분위기 파악을 해야지요."

"……."

"오늘 대대장이 영문 모르는 얼굴로 나를 소환했습니다. 사제왕 바를라암 각하께서 너를 바를라암 관 직속으로 넣길 바라신다. 어찌 된 일인지는 모르나, 영광된 임무를 수행하도록. 발바닥에 불이 난 듯 달려왔지요. 당신이 빨리 챙겨 주어 다행입니다."

안스는 입술을 잘근잘근 씹었다.

탈란타우에 이 개자식. 내가 분명히 이우니오 제도에서 베오메네스는 건드리지 말라고 말했을 텐데. 내 말이 돼지 발바닥으로 들리나 보군. 어차피 곧 같은 사제왕이 될 처지에—

생각을 뚝 멈췄다. 낯설었다. 자신이 지위로 누군가를 후려갈기겠다고 결심한 건 난생처음이었다. 단 한 번도, 그러니까 자신이 사제왕의 자식임을 알게 된 뒤에도 그딴 생각은 해 본 적이 없었다. 너무 역겨운 생각이었다.

하지만……. 탈란타우에를 대상으로 했대도 그렇게 역겨울 일인가? 누군가 제 속에서 반항했다.

사람을 쉽게 죽이고 쉽게 증오하고, 세상에 저 혼자 사는 인간을 밀쳐 내기 위해 권력을 써 보겠다는 게 그렇게 불쾌할 일이야?

안스는 요 며칠간 자신을 떠받드는 바를라암의 태도에 익숙해져 있었다. 그의 현혹하는 말들을 모두 받아들이진 않더라도, 적어도 자신이 사제왕이 되는 데에는 아무 걸림돌이 없는 게 분명했다.

탈란타우에게 처음 들은 뒤로 애매하게 윤곽을 그리던 욕망이 점차 선명해졌다. 자신은 새롭게 시도하기 위해 여기 온 것이다. 그 시도가 아주 높은 지위와 권력으로 이루어졌다면 그보다 더 편리한 일은 없었다.

좋은 일에 익숙해지는 것은 너무도 빠르다. 그 사실을 알면서도 속수무책이었다.

그는 점차 교국의 사제왕처럼 변해 가고 있었다.

바를라암에게 무슨 꿍꿍이가 있든 당장 자기가 쓴 관을 내준다잖아. 그러면 이제 내가 권력을 이양받는 것이 자연스러운 수순이지. 솔직히 그 지위를 생각하고 교국에 온 게 아니라면 새빨간 거짓말 아닌가?

우스페히 씨는 돌아가시고, 티티라는 떠나고. 끔찍하고 지겨워. 내가 뭐라도 손에 쥐면 적어도 아무것도 없었던 때보다는 낫겠지. 시노드 신넬에선 기껏해야 상단 후순위 조장이나 하고 있을 것을, 이 땅에선 손꼽히는 권력자가 된다 이거야. 그렇게 되어서, 불유쾌한 놈들의 목을 쥐겠다고.

안스는 다시 똑바로 베오메네스를 바라보았다.

"네 목은 못 건드린다. 내가 보증해."

베오메네스는 눈썹을 치켜올렸다.

"정말 감사한 말씀입니다. 다만 확신하지 마십시오."

"지금은 내가 아무것도 아니지만, 곧 무언가가 되겠지. 사제왕 바를라암은 나를 자식이자 후계자로 인지했어. 누이도 내 승계권에 이견이 없고. 순탄하게 진행되면 곧 탈란타우에와 같은 지위를 얻는 거야. 너는 내가 쥐뿔도 없을 때부터 수발을 들었는데, 그 정도 보답도 못 해서야 인간이 아니야."

그는 머리를 긁적였다. 기분이 좋아 머쓱해하는 것 같기도 하고, 할 말을 꾹 삼킨 듯 답답해 보이기도 했다.

"음, 제가 이런 말을 하면 제 무덤을 파는 짓이지만 그냥 하겠습니다. 어차피 당신은 제가 무덤을 파도 흙을 덮지 않을 테니 말입니다."

"뭘 말해?"

"당신은 사람을 너무 잘 믿습니다."

안스는 뻔한 충고에 맥이 빠졌다. 책을 옆으로 던진 뒤 자세를 바로 했다.

"읊어 봐."

"저는 당신을 처음 만났을 때 죽이려 했잖습니까. 그때 문신만 안 드러났어도 당신을 죽였을 겁니다."

"아, 그래서 내가 얼마나 잔인한데 나를 믿네, 어쩌네 이딴 얘긴 사절이야."

"할 겁니다. 당신은 그 사실을 곱씹을 필요가 있습니다."

"그래서, 널 군으로 다시 돌려보내라고?"

"아니요. 당신이 저를 지키시려면 더 냉정하게 행동하셔야 한다는 말입니다. 저야 감사하지만, 한때 자길 죽이려 했던 낯선 교국 군을 믿는 건 두 번, 세 번 주의해야 할 일입니다."

안스는 별 의미도 없는 충고를 듣다가 진력이 났다.

"자꾸 떠벌릴 거면 그냥 나가. 군으론 안 돌려보내겠지만 나랑 만날 일도 없을 테니 바를라암 관의 잡일이나 하라고."

"전 당신이 사제왕 위를 물려받을 때까지 당신 곁에서 한 발자국도 안 떨어질 겁니다."

과장되게 역겹다는 표정을 지었다.

"그럼 문 앞에서 문지기 역할이나 하시지."

"예."

그는 방을 나갔다.

제게는 두 번 말할 기회조차 주어지지 않았다. 어안이 벙벙했다.

안스는 그가 정말 문 앞에 서 있는지 궁금했지만, 자존심 때문에 확인하지 않았다.

바깥소식을 들은 것은 한 시간 뒤 아펭글로가 방문했을 때였다.

아펭글로는 찬 바람이 배긴 외투를 내려놓으며 엄지로 문을 가리켰다.

"무슨 일입니까? 에예우에서 본 군인이 저러고 있게. 좌하께서 부르셨습니까?"

"좌…… 뭐? 아무튼 저놈은 저러고 있겠답니다. 무시해요."

아펭글로는 혀를 쯧 차며 의자에 앉았다. 그러다 순서를 잘못 꿰맨 사람처럼 다시 벌떡 일어서 배낭에서 책을 꺼내기 시작했다.

"일단 먼저 몇 권…… 확인을 해야 하니 말입니다. 그런데 왜 저기 저렇게 서 있는 겁니까?"

"징그럽게 뭘 물어요, 자꾸."

"공부하는데 계속 문 앞에 기대 있을 테니까요. 게다가 당신이 여행길에 묻지 않았습니까? 사제왕은 군인을 마음대로 죽일 수 있느냐고요. 사제왕 탈란타우에 각하와 저 인간을 이야기한 걸 텐데, 당사자가 이 자리에 버티고 있으니 궁금하지요."

안스는 인상을 찡그린 채 그를 노려보았다. 귀신처럼 꿰뚫어 보는 인산들이 너무하단 생각이 들면서, 동시에 자신이 그렇게 잘 읽히는 인간인가 자괴감이 들었다.

"아…… 됐습니다. 불안해서 데려왔더니, 데려와 준 건 고마운데 자신을 뭘 믿고 돕냐고 투덜대잖습니까. 사람 좀 믿지 말라면서요."

아펭글로가 빙그레 웃었다.

"백인대장이 좋은 말을 해 주었군요. 새겨들으십시오."

안스는 짜증 낼 기력도 없었다. 이 사람들은 적절한 이유에 기반한 신뢰마저 무의미하다고 보는 잡종들 같았다.

"시끄러우니 그만 말해요. 만나는 교국인들마다 하나같이 그 소리야. 시노드 신넬 물이 들었다느니, 말이 많고 믿음이 헤프다느니. 난 이대로 살 거니까 방해하지나 마십시오."

"아, 방해할 생각 없습니다. 전 당신이 마음에 듭니다. 변하지 않았으면 좋겠습니다. 칠 장 펴시죠."

"네?"

아펭글로는 어느새 손에 든 나무 막대로 책을 툭툭 쳤다.

"칠 장입니다. 믿음이 헤픈 학생이면 선생도 믿어 봅시다."

칠 장은 교국의 주교 체제에 대한 내용이었다. 자신이 외우기 힘들어하자, 아펭글로는 '적을 알아야 한다'.는 위험한 말을 속삭였다.

안스는 그가 사정에 훤하다는 사실을 깨닫곤 눈을 휘둥그레 떴다. 대체 법황과 사제왕들 사이가 나쁘단 게 비밀이긴 한 거야? 이 콩가루처럼 부슬부슬 흩어지는 나라 같으니라고.

아펭글로는 가르치는 도중 단 한 순간도 사담을 꺼내지 않았다. 탈란타우에 관에서 머물다 왔을 텐데 오랜만에 재회한 사제왕에 대해 입 한 번 벙긋하지 않았고, 바를라암에게 불려온 사정이 있었을 텐데 그 이야기도 풀어 줄 마음이 없는 것 같았다.

그는 단지 자신을 향상시키는 것만이 과제인 양 성실했다. 몇 달간 옆자리에 앉아 있었던 탈란타우에가 인자한 스승으로 보일 만큼 무자비했다.

게다가 어찌나 정성스러우시던지, 본인이 잘 모르는 과목에는 다른 선생을 붙여 주고도 자리를 뜨지 않았다. 구석진 소파에서 얼굴에 베개를 얹은 뒤 쿨쿨 잠이나 잤다. 무조건 아침에 쳐들어와선 새벽달이 뜰 때 나갔다.

그 와중에 베오메네스는 문 앞에서 꾸벅꾸벅 졸았다.

또 가끔은 바를라암이 들어와 격려의 훈시를 하고 나갔다.

안스는 그렇게 포위당한 채 공부했다. 모든 시간이 전투 같았다. 온몸의 피가 다 빨려 나갔다. 사환으로서 배울 때에도 이 지경으로 바싹 마른 생선 꼴이 난 적은 없었다.

그러던 어느 날 밤, 아펭글로가 떠난 뒤에야 비척거리며 식당으로 내려올 수 있었다. 아직도 '사용인'들에게 명령하는 게 익숙지 않아 혼자 움직였다.

누군가 소담하게 모아 둔 과일을 주워 먹고 시원한 음료를 마셨다. 자신이 좋아하는 정원에 갈 요량이었다. 잔을 벌컥벌컥 들이켜며 뒤를 돌자—

디아딜로테가 무심하게 자신을 지나쳐 갔다. 부엌 쪽으로 고개를 뺀 채 누군가와 대화하는 모습이 보였다. 그녀는 한 걸음 물러난 뒤, 팔짱을 끼고 기다렸다.

어색한 침묵이 흘렀다.

그들은 저녁 식사 때에도 어색하게 인사나 나누는 사이였다. 이렇게 텅 빈 공간에서 살갑게 대화 나눌 소재를 찾기 힘들었다.

"……."

"……."

"공부는 잘돼요?"

안스는 숨을 들이켰다. 의외였다.

"……네."

후다닥 말을 덧붙였다.

"나름대로요. 다행히 사제왕 탈란타우에 각하께서 항해 도중 알려 주신 내용이 도움 되고 있습니다."

입을 한 대 치고 싶었다. 탈란타우에 칭찬은 왜 해?

"그래요. 열심히 해요. 난 곧 카르달리아스로 떠나니, 언제 다시 볼 수 있을진 모르겠군요."

"떠나신다고요?"

"그래요."

"아쉽습니다. 말씀도 얼마 못 나누었는데요."

"그런가요? 나는 알 만큼 알았는데."

안스는 인상을 찌푸렸다. 또, 내가 훤히 들여다보인단 소리를 하는 거면 진짜 짜증 날 거야.

침묵.

한순간, 처음으로 그녀에게서 인정 어린 소리가 튀어나왔다.

"어떻게 아버지에게서 당신 같은 인간이 나왔는지 모르겠네, 나는 참."

정말이지 욕처럼 들리지 않았다.

"네?"

한번 흘러나온 말에는 쉼이 없었다.

"보아하니 당신은 나보다 사제왕 위에 더 맞지 않는 인간 같은데 어떻게 마음을 먹었는지 궁금하군요. 시노드 신넬에서 생업이 궁했던가요? 하지만 행동거지가 그리 절박하진 않던데."

안스는 눈을 깜박였다. 손에 쥔 교국의 음료가 정신을 차갑게 건드렸다.

"어, 설명해 주세요. 시노드 신넬 거지가 아니라면 사제왕이 될 이유가 없단 말씀이십니까?"

"그 정도는 아니고. 아니다, 그 정도인가?"

"디아딜로테."

그녀는 제 이름이 불리자 그제야 흠칫 놀란 기색이었다.

안스는 자신의 텅 빈 한쪽 손을 내려다보았다. 마치 그 자리에 무기라도 있는 듯이 말이다. 그리고 다시 상대를 올려다보았다. 그녀는 또 한 번 가면을 쓴 뒤였지만, 이번에는 덜 숨겨진 입매가 보였다. 진짜를 찾아낼 수 있었다.

안스는 진지하게 물었다.

"당신은 왜 사제왕 위를 욕심내지 않는 거예요?"

허탈하게 웃으며 덧붙였다.

"사람 불안하게."

디아딜로테는 그의 웃음을 빤히 바라보았다.

마침 누군가가 안쪽 주방에서 '세메라 님'을 불렀다. '디아딜로테 세메라 바를라암.' 그녀는 휙 몸을 돌려 들어갔다.

다시 나온 그녀의 품에는 큰 바구니가 들려 있었다. 잘 정돈된 사기그릇, 산, 편병扁甁들. 서로 섬세하게 부딪히며 차랑차랑 소리를 냈다.

안스는 그녀에게 다가가 손을 내밀었다.

"도와 드릴게요."

그녀가 주춤했다. 안스는 상대의 표정을 살피기 위해 고개를 기울였다. 잠시 동안 두 사람 다 미동도 없었다.

결국 안스는 허락을 받기라도 한 양 그녀에게서 바구니를 빼앗아 갔다.

"먼저 올라가세요. 문 앞에서 드릴 테니까."

디아딜로테는 무슨 말을 하려는 것처럼 입을 달싹였다. 그러나 그뿐, 곧 몸을 돌려 느리게 걸어가기 시작했다.

안스는 그릇들이 서로 부딪히지 않도록 주의하며 그녀를 쫓았다. 한동안 복도에는 절그럭거리는 소리만이 가득했다. 계단으로 올라갈 때에는 소리가 조금 더 커졌지만, 여전히, 굳이 둘 중 하나로 표현해야 한다면 침묵에 가까운 공간이었다.

그는 마음이 바쁘지 않았다. 어차피 그녀를 재촉해 봤자 아무것도 캐낼 수 없다는 사실을 알았기 때문이다. 게다가 그녀는 괜찮은 사람처럼 보였으므로 구태여 적으로 만들기 싫기도 했다—머릿속에서 베오메네스가 사람을 믿지 말라고 앙알댔지만 무시했다—.

그렇기에, 여유로웠다. 저도 시노드 신넬 북부에서 온 여행자를 보면 꼭 한 번씩 실없는 말을 걸어 보곤 했지 않나. 디아딜로테도 마찬가지일 것이다. 툭, 건드려 보는 거지.

스스로 사제왕 위에 무관심하더라도 이처럼 냉큼 자리를 욕심내는 인간을 어떻게 믿겠는가. 그녀를 이해했다. 사실 가끔 저도 제가 낯설 때가 있었으니까. 나도 진짜 이 염치없는 인간이 누군지 모르겠더라⋯⋯.

디아딜로테가 우뚝 섰다.

안스는 그녀의 방 앞에 도착했다는 사실을 깨닫고 농담했다.

"무겁던데, 제가 아래층에 없었으면 어쩔 뻔하셨어요."

디아딜로테는 뒤돌아 그를 뚜하게 바라보았다.

그녀의 얇은 입술이 열렸다.

"잠깐 들어왔다 가요."

안스는 습관처럼 어깨를 으쓱이다가 그릇을 죄다 엎을 뻔했다. 중심을 잃어 가며 가까스로 바구니를 구해 냈다.

그 와중 한꺼번에 여러 걸음이나 뛰어가서, 어느새 정신을 차려 보니 방 한가운데에 있었다.

안스는 뒤를 돌아보며 어설프게 말했다.

"네."

이미 들어와 놓고 대답하다니. 모든 게 엉망이었다. 어떻게든 좋은 인상을 남기려 했는데. 머저리 천치가 다 됐네.

디아딜로테는 웃음기 없이 문을 닫았다.

"바구니는 저 탁자 위에 내려 두세요."

"네. 혹시 무슨 용도인지 물어봐도 됩니까? 혼자 쓰시기엔 너무 많은 것 같은데."

"성수聖水를 담기 위한 그릇이에요. 매일 새벽 묵상 기도를 올릴 때 필요해요. 중요한 물건이라 하인에게 맡길 수 없었어요. 고마워요."

안스는 '성수', '묵상 기도'와 같은 단어에 두드러기가 난 것처럼 몸을 살짝 떨었다.

디아딜로테는 사기그릇을 하니히나 끼내며 자신을 등졌다. 그 안쪽에서 맑은 목소리가 흘러나왔다.

"아까 전의 대답을 하려면 문을 닫는 편이 좋을 것 같아서. '사제왕 위를 왜 욕심내지 않느냐'고."

"……."

"당신도 법황을 상대하는 일이 얼마나 귀찮은지는 잘 아는 듯하니 그 부분은 말하지 않겠어요. 그이는 주를 욕되게 하는 인간이에요."

"아, 네."

"그러나 우리 세대의 사제왕들이라고 해서 무엇이 더 고귀한 것은 아니에요. 그들은 시노드 신넬을 착취할 생각에 매우 기뻐하고 있어요. 앞으로 사제왕들은 이 아름다운 땅보다 시노드 신넬에 더 관심을 쏟을 거예요. 바다 너머에서 역사가 이루어질 테죠."

안스는 도자기를 정리하는 그녀의 정갈한 손을 바라보았다. 뒤에서 볼 수 있는 것은 그뿐이었으나, 그녀의 손은 마치 표정처럼 감정을 전달했다. 가느스름하고도 느린.

"이 대륙에도 아직 불신자들이 있어요. 주께서 모든 땅을 굽어살피지는 못하시죠. 불신자들이 사악하게 태어났기 때문이라고 선언한다면, 이는 전능하신 주를 탓함이고 또한 무지의 소치예요. 그보다는 우리의 능력 부족을 나무라야 해요. 모든 이를 배불리 먹일 수도, 어짊과 정의를 노래하게 할 수도 없는 인간의 고통스러운 한계죠."

안스는 어느새 경청하고 있었다. 신을 논하는 말 사이 언뜻언뜻 서늘한 냉정이 드러났다.

"법황과 사제왕은 각자의 안위밖에 생각하지 않아요. 나는 그들이 펼치는 신앙의 가림막을 용서할 수 없어요. 여러 교구에서 '불신자'들이 나타난 것은 긴 시간 꼬이고 적체된 여러 폐습 때문이에요. 그들의 고발을 한 번이라도 경청한 적이 있었을까요? 주께선 과연

무엇을 원하실까요? 설마 '시노드 신넬'은 아닐 텐데?"

디아딜로테는 뒤를 돌아보았다. 문득 그녀가 항상 갖추고 있던 모자가 없다는 사실을 깨달았다. 그녀는 간결하고 하얀 스카프만을 머리에 두르고 있었다. 그 약간의 차이가 상대를 더욱 정직하게 보이도록 만들었다.

"사제왕이 된다면 아주 많은 사람을 죽여야 해요."

"……."

"살인은 수단에 불과하고, 진정한 목적은 욕망 그 자체죠. 나는 살인보다, 내가 세속의 유혹에 넘어갈 것을 경계해요. 주의 손이 행하신 바른 일을 놓치고 인간의 이기에 물들 것을, 그것을 바로 내 입으로 선포하게 될 순간을 용서할 수 없어요."

안스는 '신'이라는 단어에 취소 선을 그은 뒤에도 그녀의 말을 잘 이해하고 있었다.

디아딜로테는 사제왕들을 설탕에 꼬인 개미 떼로 여겼다. 어떤 정의를 부르짖은들 결국 욕심부리는 개미 떼로 보이니 어쩔 수 없이 경멸하는 모양이었다. 그보다 더한 욕망으로 똘똘 뭉친 법황은 말할 것도 없고 말이지.

그녀를 움직이는 것이 신앙일 뿐이다. 신을 제하고 생각하면, 자신이 교국을 보며 내린 결론과 그리 다르지도 않았다.

"안스카리우스, 내 동생."

"……."

"며칠간 당신을 봐 왔어요. 처음에는, 욕망 없는 이가 이곳까지 행차했으리라고 전혀 생각하지 못했어요. 분명 사제왕 위와 그에 따르는 권력을 노린다 믿었죠. 그 탓에 한동안 당신이 순진한 척

무엇을 꾸며 내나 했지만, 아니었어요. 당신은 선한 사람이에요. 선하디선한…… 다정하고 온화한 이.”

“…….”

“난 그런 당신이 사제왕 위에 어떤 환상을 품고 있는지 모르겠어요.”

안스는 바닥을 내려다보았다.

한 걸음 다가오는 소리가 들렸다.

“동생.”

권위 없이도, 사람을 부드럽게 받쳐 안는 목소리였다.

“당신은 평생 서로 증오할 싸움에 대비가 되었나요? 그 싸움의 이유가 단순히 더 좋은 옷을 입고, 더 좋은 음식을 먹기 위한 욕망이라도 허탈해하지 않을 각오가 되어 있나요?”

안스는 솔직히 잘 몰랐다. 그거, 중요하지 않나?

“가장 평온한 봄, 가장 사랑하는 이 옆에서도 사무치게 미워할 수 있을까요? 그 선택을 후회하지 않겠어요?”

사랑하는 이?

티—

아, 젠장. 티는 조금도 도움이 안 되었다. 그 애는 친구가 증오하는 인간의 낯짝에 짐승 발톱 자국을 남기겠다고 방방 뛸 녀석이었다. 내가 증오한다면, 티는 이미 칼을 들고 달려 나갔을 거다.

너는 왜 그 모양이야. 이런 이야기를 들으면서 진지해지지도 못하고, 웃다가도 진짜 끔찍하게 슬퍼지잖아…….

그 순간, 디아딜로테가 주의를 돌리듯 낮게 질문했다.

“동생, 우리의 형제 셋이 왜 죽었는지 알고 있나요?”

안스는 고개를 홱 쳐들었다.

디아딜로테는 냉정했다. 그녀의 눈에선 도통 슬픔이나 후회를 찾아볼 수 없었다.

"나는 형제의 이름을 부르지 않을 거예요. 깊은 고요 속에 그들이 평온하길 바라기 때문이에요."

"……."

"그들은 모두 한 살 터울로 태어나 나란히 제왕 교육을 받았어요. 아버지께선 언제나, 세 사람에게 동등한 기회가 있다며 용기를 북돋았죠. 그렇게 모든 것을 공평하게 나누어 준 뒤 시험에 가두셨어요. 또한 매일같이 누가 살아남는지 보자고 충동질했어요. 그 탓에 내가 태어났을 때 그들은 이미 서로를 증오하고 있더군요."

안스는 정신없이 그녀의 이야기를 듣다가 숨을 삼켰다.

"아버지께선 한 번도 이유를 설명하지 않았지만 나는, 우리는 그분이 무엇을 원하셨는지 잘 알죠. 그분은 욕망을 칼처럼 벼려 적을 무찌를 자식을 원하셨어요. 강하고 무정한, 성경의 테살리아스 같은 이. 법황의 손을 자르고 십수만 군사를 만들며 신민의 존경을 사는 후계자. 거대한 인간의 산에서 모두를 짓밟고 꼭대기에 설 승리의 상징."

안스는 그 단어들이 자신과 어울리는지 생각해 보았다. 웃음만 났다.

"나는 내 형제들이 원래 어떤 모습으로 자랄 수 있었을지 알지 못해요. 즉, 그들을 추억한다 해도, 그들이 아닌 어떤 인공적인 인물을 기억함에 불과하다는 것이에요. 그 정도로 그들은 서로를 닮아 있었어요. 난폭하고, 잔인하고, 경계심이 높고, 항상 무언가에 쫓기던 혈육들. 그들이 나길 그렇게 똑 닮았을까? 나는 그렇게 생각하지 않는데."

디아딜로테는 두 손을 마주 잡았다.

"동생. 우리의 형제가 어떻게 죽었는지 알죠."

"예. 서로—"

"그들을 죽인 것은 서로의 칼이 아니라 그 지위예요."

안스는 물끄러미 그녀를 바라보았다.

"아버지가 그리되길 원했고, 결국 이루어 냈죠. 나는 아버지가 결말을 아예 모르셨을 거라곤 생각하지 않아요. 분명 승리자 하나를 빼고 모두 죽일 각오가 되어 있으셨을 거예요."

"……"

"그러나 신의 가르침은 알아차리지 못하는 사이에 저희에게 임하시죠. 눈가리개를 한 인간의 욕심이 얼마나 허무한지, 주께선 불쌍한 양을 외면하지 않으시어 항상 깨달음을 주세요."

그는 혼란한 얼굴로 생각하다가, 조심스럽게 말했다.

"형제가 죽은 게 신의 자비라 이겁니까? 당신도 좀 이상한데요."

아, 조심스럽지는 않았던 것 같다. 안스는 툭 내뱉어 놓고 스스로를 정신적으로 쥐어박았다.

그러나 의외로…… 디아딜로테는 살포시 미소 지었다.

"의미를 부여하지 않으면 우리의 형제는 의미 없는 죽음을 맞이한 것이 돼요. 나는 그런 고통을 감당할 수 없기에 신께 고백해요."

"……"

안스는 자세를 바로 했다. 괜찮은 신앙인을 만난 게 기뻤다.

디아딜로테는 의자를 끌어당겨 앉았다.

"동생, 그러니 나는 말하는 거예요. 당신은 사제왕의 욕망을 만족시켜야 해요. 아버지의 바람 때문만은 아니죠. 당신이 살아남고, 가문을 지키고, 위력을 발휘하기 위해 그렇게 적응하게 될 거예요."

"……."

"마음대로 할 수 있는 것은 금은보화뿐, 그 외 당신의 모든 삶이 인질로 잡히게 돼요. 법황은 당신을 일생일대의 적으로 증오할 거예요. 또한 아무리 끔찍한 이라도 오로지 사제왕이라는 이유만으로 눈물겹게 사랑해야 하죠. 세상에 적과 아군밖에 남지 않아요. 그런 최전선의 삶은 생각할 여유 없이 빈곤해요."

"……."

"나는 욕심 없는 당신이 그런 삶을 왜 바라는지 모르겠어요."

안스는 누이를 물끄러미 바라보았다. 그녀가 지금까지 속마음을 어떻게 삼키고 있던 것인지 몰랐다. 질긴 인내심이 인상 깊었다.

이 길다면 길고, 짧다면 짧은 시간 동안 자신을 꼼꼼히 살펴보았던 것일까. 본인의 귀중한 식견을 내보이기 전에 동생을 가늠했나.

안스는 조용히 웃었다.

"디아딜로테, 난 욕심이 있어요."

그녀는 고개를 살짝 숙였다. 부르르 떨리는 얇은 속눈썹이 꼭 경청하는 인간처럼 보였다.

"나는 내가 어디까지 갈 수 있는지 알아보기로 했어요. 사제왕이 인간들 위에 서야 한다면, 그게 가능할지 앞으로 알아볼 작정이에요. 내가 선량한 사람처럼 보이나? 그럴 수도 있겠지만, 나는 이미 사람을 죽여 봤어요."

"……."

디아딜로테는 의외라는 듯 눈썹을 치켜올렸다.

안스는 입을 다물었다. 어떡해요, 사실인데. 게다가 난 그게 아무렇지도 않은데.

그는 마주두 제일섬을 지나는 항로에서 최초의 살인을 저질렀다. 그날, 해적들로부터 배를 지키기 위해 다섯 사람도 넘게 죽였다. 예상과 달리 동요하지 않았다. 평온했다. 한 치 앞도 제대로 볼 수 없는 전투 속에서 충분히 있을 법한 일로 여겨졌다.

티티라에겐 이야기하지 않았다.

이유는 명백했다.

안스는 물론 티티라가 자신을 걱정하는 게 싫었다. 그렇지만 무엇보다, 티티라의 해묵은 상처를 건드리고 싶지 않았다. 티티라가 제 고백을 듣고, 밤중에 혼자 돌아가 그 애의 유일했던 살인을 떠올릴 것이 고통스러웠다.

그 애 앞에서 넓적한 방패막이가 되어 주지는 못할망정 비슷한 주제를 꺼내 상처 입힐 수 없었다.

어차피 안스는 진심으로 살인이 별게 아니라고 생각했다. 우스페히 씨, 블리조 씨는 항해 중 있었던 일에 대해 두 번 묻지 않았으며, 자신도 전혀 움츠러들지 않았던 것이다. 상단의 일원이라면 오며 가며 해적들과 벌이는 실랑이에 익숙해져야 했다. 당연하지 않나.

안스는 자신이 지금까지 죽인 사람의 숫자도 잘 몰랐다.

물론 그렇게 많진 않겠지만.

어, 그런가?

안스는 잠시 제 손에 진 거스러미를 내려다보았다.

티는 이 굳은살들이 어디서 왔다고 생각했던 걸까? 자기랑 연무장에서 뒹구느라 생긴 거라고?

소조폴을 벗어나던 여행길, 내가 왜 총칼을 챙겨 왔다고 생각했을까? 정말 나를 순수하고 맑은 친구로 여겨, 매일 밤 무기를 손질하는 모습이 웃겼던 건가? '실제로 사람에게 무기를 쓴 적도 없'고, '피를 본 적도 없'는 인간이라고 오해해서?

자신이 그 오해를 가만히 두어, 그 애의 두려워하는 입맞춤을 얻어 낸 건가? 티는 내가 '그럴' 사람이라고 생각하지 않았으니까. 정말 순전히 환하고 깨끗한 친구가 아등바등 애쓰면서 아파한다고 믿었을 테니.

웃기지. 자신은 다 알고서 그 애를 엎어뜨렸다. 티가 두려워하는 걸 빤히 보면서도 입 맞추고, 뭉개고, 더듬거리고. 거절하지 못해 겁먹은 얼굴이 좋았어. 그 애가 다리 사이에 닿지 않길 바라면서도 어쩌면 닿길 바랐던 것 같기도 하고. 그러니까, 티가 하나도 몰랐으면 하는 마음과 제발 이 구역질 나는 소용돌이를 알아차리길 바라는 마음이 함께 있었다.

아, 차라리 그 애가 눈치챘으면 속이 시원했을지도 모르겠다. 자신은 한순간 너무 절절하다가도, 바로 다음 순간 욕망만 더덕더덕 붙은 미친 돼지 새끼가 되기도 했다.

하지만 그 애가 자신을 무서워하고, 마침내 가엾어하는 마음으로 울자, 결국 두 번째 놈을 죽이곤 엎드려 빌었다. 아주 죽여서 그런 놈이 있었다는 것조차 지금은 잘 기억이 안 날 정도였다.

그리고 아마 그때, 자신도 내심 희망을 버렸던 것 같다. 이건 영영 안 돼. 나는 끊임없이 우정을 배신하고 있잖아. 저 애를 위해서도 못 할 짓이라고.

여전히 짜증스러울 정도로 끔찍이 사랑하면서 물러났다.

한 번 못된 말을 지껄이고 모험을 해 봤으니 됐어. 이제 뭔가를 기다리진 않을 거야.

그냥…… 널 보고 싶어.

해와 달이 뜨고, 파도가 해안가에 머물 때까지.

영원히.

삼성은 빛을 비출수록 다양하게 일렁이는 물고기 비늘 같았다. 볼 때는 아름다웠지. 비늘을 되씹자 역겹고 비렸다. 찌꺼기만 남아 기억을 부둥키는 지금에 와선 제 꼴을 더더욱 비참하게 만들 뿐이었다.

지금 티는 어디 있는 거야, 그래서.

"안스카리우스?"

그는 부르르 떨었다. 반사적인 반응이었다.

고개를 들자 디아딜로테가 자신을 빤히 바라보고 있었다. 언뜻 걱정하는 기색까지 엿보였다.

그러나 자신은 대화 중 쓸데없는 상념에 빠진 것이 아니었다. 그에겐 정말로 할 말이 있었다.

안스는 단호하게 선언했다.

"디아딜로테, 난 욕심이 있습니다. 진짜예요."

"그래, 들었어요."

"난 사랑하는 사람이 있어요. 그 애를 위해선 못 할 짓이 없죠."

"그런가요."

그녀에겐 제 살인 경험보다, 제게 사랑하는 사람이 있다는 사실이 더 받아들이기 쉬운 모양이었다. 가지런히 모인 손이 평화로웠다.

"그래서 그 사람을 위해 시노드 신녤로 보물과 군대를 가져갈 작정인가요? 그런 '욕심'인가?"

"아니요. 나는 내가 그 애 없이도 할 수 있는 일들을 알아볼 거예요. 많은 걸 알아볼 생각이지만, 주로 그래요. 그렇게 열중하면 얼마 만에 그 애에 대한 감정을 지울 수 있을지 궁금합니다."

"아, 이루어지지 못한 사랑인지?"

"그런…… 셈이네요. 내겐 한눈팔 곳이 필요합니다. 많은 걸 바라지 않습니다. 절 패대기치고 적시고 말리고 주무르고 제정신을 못 차리게 해 줄 무언가를 원합니다. 저인 그대로를 원하는 인간들, 제가 아니면 안 돌아가는 일이 필요해요. 그러면 세상이 적과 아군으로 나뉘는 것, 잠들 때마다 등 뒤가 섬찟한 것, 무슨 상관입니까? 아니, 오히려 집중해서 정신을 못 차릴 테니 제가 바라 마지 않겠네요."

"자기 파괴는 좋지 않아요. 이유가 그뿐이라면 얼마 버티지 못할 거예요."

"제겐 티에게 돌아가는 게 더 '자기 파괴'예요."

디아딜로테의 파란 눈이 가늘어졌다.

"'티'. 예쁜 이름."

그 가늘어진 눈이 그대로 미소 지었다.

"동생, 낭만적이에요. 사랑으로 움직이는구나."

안스는 툴툴댔다.

"그냥 죽겠는데."

디아딜로테는 자리에서 일어났다.

"선한 연인에게 주의 복이 있나니."

"연인 아니라니까요. 선하지도 않습니다."

그녀는 머리에 덮인 흰 스카프를 풀어냈다. 정말 예상하지 못했던 행동이기에, 안스는 한순간 얼어붙었다.

디아딜로테는 스카프를 탁자 위에 올렸다. 잘 땋인 그녀의 머리칼이 부드럽게 쏟아져 내렸다. 정말, 시노드 신넬인과 하나도 다를 게 없는 인간이란 생각이 들었다.

나직한 목소리가 들렸다.

"그러나 한번 결정하면 돌이킬 수 없다는 것을 알아야 해요. 지금 사랑이 견디기 힘들다고 어리석은 일을 저지르면 안 돼요. 감정은 순간이고, 삶은 영원하므로."

"잘 모르겠는데요."

디아딜로테의 입가에는 여전히 미소가 남아 있었다.

안스는 무턱대고 대화를 밀어붙였다.

"난 내 두 눈으로 정확하게 확인하고 싶거든요. 당신이 말하는 '순간의 감정'이 사라지면 그때 미뤄 왔던 기쁨을 좀 누려 보려고요."

"……."

"난 우왕좌왕하고 있어요. 이 상태로는 티와 처음 만났을 때 먹었던 음식을 평생 기억하고 말 거예요. 그건 안 되지. 안 되게 만들 겁니다."

"……."

"내가 여기 와서 새로 만난 이는 죄다 이상한 사람들입니다. 그런데 두 손 모아 나를 바라고 있는 이상한 사람들이죠. 발을 좀 담가 봤는데, 현실감이 지나쳐서 온몸이 찌릿찌릿해요. 탈란타우에는 시노드 신넬을 볼모로 군대를 휘두르고 있고, '아버지'는 마지막 남은 아들마저 살해할까 봐 성미에 맞지 않게 살살거리고 있죠.

다들 너무 싫지만 그럼에도 이해가 됩니다. 그래서 흥미롭고, 나도 뛰어들 마음이 생겨요."

안스는 일어섰다.

그들은 양탄자의 가장자리 선을 가운데 두고 대치했다.

"디아딜로테, 나는 괜찮아요. 충고 감사합니다."

디아딜로테는 선을 밟았다. 빙그레 웃었다.

"그래, 동생. 가끔 생각나면, 신께 기도하세요. 도움이 될 거예요."

안스는 아펭글로에게 경고했다. 사람이 한 번에 너무 많은 지식을 머리에 담으면 미친다고. 당신은 시노드 신넬에 살았으면서 '정신 나간 체르베냐 씨'에 대한 이야기도 못 들었었습니까?

물론 아펭글로는 들은 체도 안 했다. 심지어 여태껏 문 앞에 서 있던 베오메네스까지 자신을 감시하라며 안으로 들여보냈다. 본인이 자는 동안 학생을 다독일 사람이 필요하단다. 어이가 없지.

안스는 아펭글로가 제게 교국 대륙 전도를 그리라고 명령한 뒤 퍼질러 자기 시작하자 저 인간이 정신이 나간 줄로만 알았다. 지지 않고 자신도 잠들려 했지만, 베오메네스가 친절하게 일으켜 세웠다. 너 이러면 안 되는 거 아냐? 사제왕이 되셨을 때 기본 상식을 모르시면 당신 손해입니다.

안스는 베오메네스를 밀친 뒤 가까스로 어설프게 지도를 그렸다. 그리고 전부 틀렸다고 꾸지람을 들었고, 이후 백스무 번을 다시 그렸다. 결국 그는 잠자다가도 벌떡 깨서 도시, 지역 부의 이름과 각 사제왕 휘하 군사 편제들을 줄줄 외울 수 있게 되었다.

그렇게 아펭글로의 '기초'를 익힌 뒤에야 겨우 연무장에 나가는 것을 허락받았다.

연무장은 정원보다 훨씬 넓었다. 도시 한가운데 이런 뜰을 마련할 수 있다니 놀라웠지만, 더 놀라운 건 바를라암과 디아딜로테가 구석진 곳에 앉아 있다는 사실이었다.

바를라암은 그럴 수 있지. 그런데 디아딜로테?

그는 바를라암에게 꾸벅 인사한 뒤 디아딜로테에게 손을 내밀었다.

그녀는 빙그레 웃으며 살짝 마주 잡아 주었다.

안스는 뒤로 물러나며 웃었다.

"두 분 모두 오셨으니, 제가 여기에서 무슨 묘기라도 보여 드려야 합니까?"

대답을 기다리진 않았다. 몸을 돌려 선생이라는 작자가 던지는 칼자루를 받았다.

등 뒤에서 인자한 목소리가 들렸다.

"아니. 그럴 필요 없다. 난 한두 합 정도 구경하고 떠날 예정이란다. 디아딜로테는 네게 전할 말이 있어 왔고."

안스는 아리송한 말에 고민하지 않았다. 대신 저벅저벅 다가가 어디의 군단장이라는 선생에게 인사했다.

그리고 뭉툭하게 다듬어 둔 칼날을 만져 보았다. 멍은 좀 들겠네.

안스는 가짜 칼을 들어 올렸다. 상대도 거울처럼 같은 자세를 취했다.

그는 밑져야 본전이라는 생각으로 빠르게 달려들었다. 양손으로, 위에서 아래로 후려갈겼다. 상대는 너무도 쉽게 칼을 받아 본인의 팔 아래 고정시켰다.

곧장 코앞으로 제 것보다 훨씬 긴 칼이 닥쳤다. 안스는 예상했다는 듯 몸을 뒤로 빼고, 그 반동으로 군단장의 무릎을 밟았다. 무릎이 아래로 꺾이면서 칼이 미끄러졌다.

안스는 완력으로 묶여 있던 제 무기를 빼냈다. 몸을 돌려 다시 찔렀다. 군단장의 배에 꾸욱, 압박감이 느껴질 정도로 닿는가 싶더니, 다시 힘이 역류하여 균형을 잃었다.

안스는 재미있다고 생각했다. 대련 과정에서 콧등을 후려치거나 눈을 찌르는 것이 무례하다고 나무랐으면 의욕을 잃었을 텐데, 군단장은 입 뻥긋도 하지 않은 채 다양하게 제 몸짓에 맞섰다. 시노드 신넬과 근본부터 다른 느낌이었다.

안스는 달려가고, 뛰어오르고, 찍고, 빼서 누르고, 끼우고, 걷어찼다. 군단장은 바깥쪽 허벅지를 돌려 충격을 받고, 팔을 멀리 뻗어 방어하고, 사각으로 빠지고, 도망가고, 반동을 이용하고, 웅크렸다.

시간이 얼마나 지났는지 모르겠다. 써늘한 겨울 날씨에도 땀이 비 오듯 흘렀다.

급하게 한 손을 들었다. 그러자 군단장이 우뚝 멈추었다.

안스는 잔뜩 젖은 셔츠로 이마를 닦다가, 짜증스레 훌렁 벗어 버렸다. 조끼와 셔츠를 한 번에 꿰어 멀리 던졌다.

땀이 확 식으면서 추위가 닥쳤지만 아직 얼어 죽을 정도는 아니었다.

그는 제자리에서 쿵쿵 뛰었다.

군단장은 한 걸음 물러섰다. 조금 놀란 눈치였다. 안스는 이상하다고 생각했다. 뭐야? 아랫도리까지 벌거벗은 모습을 본 듯한 저 눈은.

"군단장, 잠시."

"예. 고생하셨습니다."

안스는 대련을 멈추게 한 바를라암과 군단장을 번갈아 바라보았다.

군단장은 엄격하게 예를 표하더니 자신의 실력을 칭찬하곤 연무장을 떠났다.

이제 이 자리에는 바를라암의 혈족들만 휑뎅그렁하게 남아 있었다.

안스는 의아한 표정으로 성큼성큼 의자로 다가갔다.

"문제가 있습니까?"

바를라암은 골똘히 생각하는 표정이었다. 말을 고르는 듯하다가, 결국 실없는 경고만 한마디 했다.

"안스카르, 바깥에서 함부로 등을 보이면 안 된다."

안스는 멍하니 말을 좇다가, 가까스로 제 문신을 떠올렸다.

"아."

"문신은 사제왕의 혈족을 상징하는 귀중한 표식이다. 말을 뗀 뒤로는 남에게 보이는 일이 없어야 한다."

안스는 자기가 문신을 보여 준 소조폴의 얼간이 만 명쯤을 생각했다. 웃음을 터뜨리지 않기가 더 힘들었다.

아무래도 히죽이는 기색을 숨기지 못했는지, 바를라암이 한숨을 쉬며 일어섰다. 한걸음에 다가와 자신의 맨어깨를 짚기에 화들짝 놀랐다.

"네 목숨과 관련된 일이다."

어? 문신을 보여 주는 게?

순간적으로 까마득히 잊고 있던 탈란타우에의 목소리가 들렸다.

"문신을 불로 지졌다."

안스는 부르르 떨었다. 기억났다.

사제왕들은 문신이 있는 한 법황령을 거역할 수 없노라 했다. 그렇기에 모든 사제왕의 직계 혈족들은 나이가 차면 등을 불로 지진다고. 하지만 그 사실을 신민들에게 들켰다간 법황을 모욕하는 불신자 취급을 당할 테니, 사제왕 직계 혈족을 제하면 아무도 그 사실을 모른다 했던가.

멀쩡한 문신을 지닌 자신이 군단장에게 몸을 보인 것은 차라리 다행한 일이었다. 만약에 불로 지진 뒤 보였다면……

안스는 한순간 깨달았다.

어, 나도 이거, 태워야 하는 거 아냐?

바를라암이 고개를 끄덕였다.

"탈란타우에가 잘 전해 주었나 보구나. 네가 가문에 충실하니, 근 시일 내 자리를 마련하도록 하겠다."

그는 충격에 빠져 대답하지 못했다. 뭐? 내 등을 불로 지진단 소리야? 그걸 저렇게 침착하게 말해?

바를라암은 자식을 달래지 않고 연무장을 떠났다.

디아딜로테는 홀로 의자에 앉은 채 자신을 응시했다.

안스는 그녀에게서 무슨 말이라도 나오길 기대했다. 혼란스럽지는 않았다. 단지 갑자기 제 앞에 무시무시한 길 하나가 뚫린 것 같아서 심장이 쿵 내려앉았다. 지금까지 부드럽게 냉철했던 디아딜로테라면 자신을 달래서—

"대련하면서 흥분한 것 같아요. 위험해요."

안스는 눈만 굴렸다.

"처음엔 대련 규칙을 잘 지키다가도, 점차 시야가 좁아지고 조심성이 사라지는 게 느껴져요. 아무리 힘들어도 냉정을 관리해야만 좋은 무도가武道家가 될 수 있겠지요."

"싸워 보긴 하셨어요?"

그녀가 빙그레 웃었다.

"아직 흥분해 있군요."

"디아딜로테."

"내가 이런 이야기를 하는 이유는, 아버지께서 내게 맡기고 간 임무가 있기 때문이에요. 당신이 냉정해져야만 내 말을 들을 수 있어요."

안스는 툴툴댔다.

"냉정한데요."

"추위도 못 느낄 정도로 들떠 있으면서."

"그런가……."

그는 머리를 긁으며 바닥에 주저앉았다. 숨을 깊게 들이쉬고, 깊게 내뱉었다.

천천히…… 뼈가 시릴 정도로 추운 날씨가 스며들었다.

안스는 후다닥 뛰어가 연무장 구석진 곳의 천으로 몸을 덮었다. 한 장, 두 장, 세 장. 돌돌 말고 다시 그녀의 앞에 섰다.

"이제 괜찮습니까?"

"좋아요."

"말씀해 주세요."

"당신 문신을 닷새 안에 지울 거예요."

물 흐르듯 나온 대화에 안스는 잠시 뜻을 놓칠 뻔했다.

그는 '지우'는 것이 무엇인지 알았다.

"'닷새'요?"

목소리가 약간 먹혀 있었다.

디아딜로테는 대답하지 않은 채 본인 상의를 풀어 내렸다. 어쩐지 평소와 다르게 헐렁한 옷을 입었더라니. 무슨 생각으로 그런 것인지 점차 이해가 갔다.

곧 단정한 안쪽 옷이 드러났다. 눈을 피해야 하나 생각했지만, 속옷이 아니라 평상복 같았다. 게다가 그녀가 바로 몸을 돌려 어정쩡하게 서 있을 수밖에 없었다.

그녀가 고개를 숙였다.

툭툭 불거진 척추가 드러났다. 그리고…… 반쯤 드러난 윗등.

[드…… 테]

중간 글자는 상처 아래 묻혀 읽을 수 없었다. 하얗고, 분홍빛이고, 다시 붉었다가, 종종 불뚝 튀어나온 흉.

안스는 시선을 돌렸다.

잠깐의 침묵 뒤, 디아딜로테가 다시 옷을 끌어 올렸다. 헐렁했던 줄을 조여 맸다. 자신에게로 돌아오는 눈이 어떤 생각을 하고 있는지 도통 알 수가 없었다.

그녀는 말했다.

"우리의 마지막 형제가 죽은 날, 아버지께서 나를 부르셨어요."

"……."

"나는 잠시 묵상할 시간을 달라 말씀드렸어요. 홀로 주께 고백한 뒤 평온을 찾았죠. 그 뒤 아버지께 돌아가 오늘 당장 진행할 것을 요구했어요."

"……."

"벽에 두텁게 숨겨진 방으로 함께 들어갔어요. 아버지께서 직접 제 살을 태우셨죠."

이 미친 나라는 친족이 직접 문신을 태우는 게 불문율인가 보네. 역겨움을 느끼며 생각하다가…… 진실을 포착했다.

그는 그녀의 고요하고 푸른 눈을 바라보며 질문했다.

"'아버지'를 제하면 아무도 못 도와주는 거죠?"

디아딜로테는 고개를 끄덕였다.

그럴 것 같다. 비밀을 알릴 수 있는 범위가 친족에 한정되는 것이다. 그러니 문신을 태우는 것도 아버지와, 회복하는 것도 아버지와…….

안스는 조심스레 자신이 질문할 수 있는 내용들을 꼽아 보았다. 궁금한 게 많았지만, 어디까지 말해야 하는지 고민이 되었다.

"……디아딜로테, 당신은 신앙심이 깊잖아요. 문신은 왜 지웠어요? 선지자가 직접 새겼다면서요."

"아."

그녀가 탄식했다. 그래, 탄식이었다.

안스는 조금 움츠러들었다.

"'문신은 타락한 제도의 상징에 불과하다. 스스로를 고문해 더러운 흔적을 지우는 것만이 신께 순수를 증명하는 길이로다.' 이미 쇠한 인간의 제도에 얽매여 있었기에 내가 고통받았다는 사실을, 묵상 뒤에야 깨달았어요. 나는 문신을 지운 뒤에야 이 거대한 부정不正에서 자유로워졌죠."

그는 한숨을 쉬었다. 또 무슨 미친 소리인지.

"……당신에겐 신앙이라도 있어서 다행이네요. 내겐 별로 위로가 될 것 같지 않습니다. 아파서 죽을 수도 있겠는데. 나 어떡하나. 진짜 죽도록 아플 텐데. 난 손가락을 데고도 일주일 동안 붕대를 안 뗐는데……."

디아딜로테는 웃으면서 일어섰다.

"당신은 혈족인 내가 도울 수 있겠죠. 염증 치료를 돕겠습니다."

"진짜, 이게 무슨, 개 밥그릇 같은, 말도 안 되는 일이야……. 멀쩡한 내 살을……."

현실감 없이 중얼거렸다.

디아딜로테는 소리 나게 비웃으며 그를 지나쳐 갔다.

이내 부스럭거리는 소리가 들리더니, 반사적으로 흘러나온 듯 의아한 음성이 들렸다.

"어? 이게 뭔가요?"

안스는 뒤를 돌아보았다. 그녀는 자신이 땅바닥에 버린 옷을 주워 들고 있었다.

그러다 무언가가 떨어진 듯, 다시 몸을 숙여서—

그는 순식간에 깨달았다. 반사적으로 달려 나가려 했다.

그러나 당연히 그녀가 일어나는 속도가 더 빨랐다.

디아딜로테는 팔을 들어 겨울 햇빛에 초상화를 비추었다.

디아딜로테의 맑은 목소리가 울렸다. 가끔은 광신자처럼 들리고, 가끔은 천진한 아이처럼 들리기도 하는 이상한 음성.

"아, 예쁜 이름을 가진 친구."

안스는 입을 꾹 다물었다. 디아딜로테가 티티라의 초상화를 발견했다는 사실보단, 초상을 깜빡하고 품에 넣어 땀에 젖었을 것이 더 걱정되었다.

"돌려주세요."

그녀는 귀한 것을 선물하듯이, 손을 가슴보다 높이 들어 쭉 뻗었다.

"자."

"……."

"감정은 순간이고, 삶은 영원하길."

안스는 홱 낚아채서, 아주 조심스레 바지 주머니에 넣었다.

그 모습을 지켜보던 디아딜로테가 미소 지었다.

"아름다운 연인이에요."

"연인 아닙니다."

"짧은 머리가, 꼭 어린 새 같아. 솜털이 덜 가셔서 듬성듬성 흰 깃이 남아 있는 못난이."

"못난이 아닌데요."

"비유를 모르는 동생도 마찬가지군요."

안스는 반사적으로 대답했다가, 얼굴이 붉어져선 남은 옷가지도 빼앗아 왔다. 그리고 뒤돌아 걸었다.

디아딜로테는 따라오지 않았다. 대신 조용히 인사했다.

"곰곰이 생각해 보세요. 그리고 잊지 말고 일정을 전해 줘요. 기다릴게요."

마치 식사 약속을 이야기하자는 투였다.

안스는 한숨과 함께 고개를 끄덕였다.

안스는 방 안에서 한참 동안 고민한 뒤 디아딜로테의 모범을 따르기로 했다. 그러니까 오늘 당장 문신을 지우기로 했다는 뜻이다.

그는 사람을 불러 의향을 전하곤, 혼자 휑한 방에 앉아 있었다.

살을 지지는 고통은 정말 상상도 안 가는데. 난 그 정도로 다쳐 본 적도 없다고.

누군가 문을 두드렸다. 안스는 벌떡 일어섰다.

디아딜로테가 조용히 하라는 표시와 함께 성큼 안으로 들어왔다. 그녀의 뒤로 몸을 굽힌 바를라암이 따라왔다.

안스는 노을 지는 창문을 가리키며 소리 없이 물었다. '이렇게 공개된 곳에서 하겠다고요?' 바를라암은 대답하지 않았다. 시선만 살짝 맞춘 뒤 앞을 스쳐 지나간다.

그가 옆방으로 들어가 침대 옆 탁자 아래로 몸을 숙이자 갑자기 가슴이 섬뜩해졌다.

깨달음과, 비밀 통로가 나타나는 순간은 거의 동시였다.

안스는 얼이 빠져 난데없이 나타난 공간을 바라보았다.

디아딜로테가 조용히 손짓했다. 그는 떠밀리듯 걸음을 옮겼다.

그사이 바를라암이 쇠 잠금쇠가 달린 가방을 열어, 작은 철제 홰를 꺼냈다. 몇 가지 방법으로 툭툭 건드리자 화르륵 불이 타올랐다.

안스는 흠칫 놀랐다. 제 견갑골 아래가 바짝 긴장되는 것이 느껴졌다. 아, 그냥 오늘 못 하겠다고 할까.

"이리로."

그는 도망칠 기회를 놓쳤다. 꼼짝없이 바를라암과 디아딜로테 사이에 끼어 걸어갔다. 디아딜로테가 뒤에서 얼마 걸리지 않는다며 중얼거렸다. 본인을 위로하는 말인지, 상대를 달래는 말인지 도무지 알 수 없었다.

그들은 십여 분간 계단을 걸어 내려갔다.

마침내 마지막 단을 내려왔을 때, 그들 앞에 작은 홀이 나타났다. 땅 아래의 습한 기운과 음침한 소리, 양초 냄새가 불길했다.

바를라암이 돌아다니며 불을 밝혔다. 곧 이렇게 밝을 필요가 있나 하는 생각이 들 만큼 사방이 환해졌다. 제 떨떠름한 기색을 본 디아딜로테가 낮게 속삭였다.

"상처가 적절해야 하니까요. 너무 깊으면 죽고, 너무 얕으면 효과가 없죠."

안스는 상상했다.

차라리 듣지 말 것을, 후회했다.

바를라암은 어느새 등받이 없는 의자를 가운데로 질질 끌어왔다. 그가 한 손에 쥔 횃불이 기세 좋게 타올랐다. 그는 의자를 양손으로 꾹 누른 채 안스를 돌아보았다.

"이리 오거라."

안스는 이 광경이 아직도 현실감이 없었다. 꿈 같았다.

귀하신 분들이 내 등을 지지겠다고 여기 다 모였구나.

그러나 여전히 선택지는 없었다. 떠밀린 듯 의자로 다가갔다.

"옷 벗어."

안스는 앉는 것과 동시에 셔츠를 벗었다. 허벅지를 꽉 쥔 채 몸을 살짝 숙였다. 내가 이러고 있지만, 이건 진짜 말도 안 되는 거야. 말도 안 돼…….

전부 날 놀리려고 짜고 치는 거 아니야? 아무리 탈란타우에와 디아딜로테가 화상을 가지고 있기로서니, 둘 다 우연의 일치로 다쳤을 수도 있잖아. 어디의 어떤 돌아버린 인간이 단순한 문신을 저주로 여겨…….

"안스카리우스."

안스는 흠칫 놀랐다. 다시 셔츠를 건네는 바를라암을 의아하게 바라보았다. 바를라암은 입을 살짝 벌린 채 얼굴 쪽을 가리켰다. '이로 물어.'

상황은 미쳤지만 요구는 합리적이었다. 그는 어딘가에 홀린 사람처럼 셔츠를 입에 물었다.

눈앞에서 디아딜로테가 달그락거리며 가방 속 무언가를 꺼내는 모습이 보였다.

"디아딜로테, 네가 해야겠다."

그녀가 돌아보았다.

"아무래도 장성한 청년이니, 고통을 못 이기고 움직이면 크게 다칠 수 있어. 내가 안스카르를 돕겠다. 네가 횃불을 들거라."

안스는 눈만 깜빡깜빡 떴다. '참을게요.'라고 했지만 셔츠를 입에 물고 있어 웅얼대는 소리만 났다. 셔츠를 빼내려는 순간, 디아딜로테가 유리병을 들곤 성큼 제 앞으로 걸어왔다. 안스는 말을 삼켰다.

그녀는 곧장 횃불을 받았다. 제 곁에서 열기가 옮겨 가는 감각이 소름 끼쳤다.

"많이 아플 거예요."

"…….."

"치료는 최소 이 주, 최대 한 달. 내가 최선을 다해 도울게요. 바로 카르달리아스로 떠나려 했지만, 이런 동생을 두고 갈 수는 없지."

"…….."

안스는 셔츠를 이겨 내고 무어라 대답하려 했다. 아마 '감사하다.'와 같은 말이었겠지. 제겐 반사적으로 고마움을 표현하는 나쁜 습관이—

문득 벼락같은 고통이 닥쳤다.

머리가 하얘졌다. 생각할 겨를도 없이 몸부림쳤다. 그와 함께 단단하고 거친 손에 목덜미가 꽉 잡혔다. 급소를 눌려 도망갈 수 없게 되자 이번엔 어깨를 뒤틀어 피하려 했다. 고통은 한순간이 아니었다. 치지익, 살이 타는 소리가 났다.

신음조차 흘러나오지 않았다. 목소리가 마비되고, 단지 악물린 턱만 부들부들 떨렸다. 눈앞 배경이 깜박이다 사라졌다. 귀가 먹먹하더니 아무것도 들리지 않았다.

자신이 왜 이 고통을 겪고 있는지 이유를 알 수 없었다. 익숙한 통증이 아니었기에, 이를 표현할 방법 또한 찾지 못했다. 잠깐 동안 인간이 아니게 된 것만 같았다. 그저 짓눌리는 작은 살 조각이 되어 갈기갈기 찢기는 아픔에 몸을 떨었다.

찰나, 얼음보다 차가운 공기가 쏟아졌다. 누군가 제 껍데기를 베어 내 그 안쪽에 입김을 내뿜는 듯했다. 선뜩했다가— 곧 미칠 것처럼 고통스러워졌다. 온 피부가 오그라드는 것 같았다.

목덜미가 풀려났다. 숨을 들이켜며 몸을 세우는 순간, 살이 접붙어 처음으로 비명이 났다.

"아…… 윽!"

셔츠가 입에서 뚝 떨어졌다.

"아버지, 들어 주세요."

옆에서 또 한 번 불덩이가 옮겨 가는 소리가 들렸다. 화르륵.

머리가 멍했다. 가장자리가 분명하지 못한 시야 속에서…… 제 손가락이 바지를 찢기라도 할 것처럼 허벅지 위를 강하게 누르고 있었다.

팔이 부르르 떨렸다.

눈앞에 이유 모를 옷자락이 보였다. 고개를 들었다. 누군지 모를 사람이 한 손에 큰 병을, 다른 한 손에는 무명베를 들고 있었다.

"아버지, 잡아 주세요."

다시 목덜미를 틀어쥐였다.

곧장 차가운 물이 뚝 떨어졌다. 최초의 한 방울은 지옥 같았으며, 그 뒤는 단지 사람을 마비시켰다. 정신부터 육체까지, 머리부터 발끝까지.

안스는 헐떡였다.

겨우 제게 무슨 일이 벌어졌는지 깨달았다. 세계가 뒤집어진 것처럼 시야가 확 돌아왔다. 가까스로 냄새를 다시 맡을 수 있었다. 비명처럼 들리던 귓가의 이명이 겨우 인간의 말로 해독되었다.

살이 타는 냄새가 지독했다. 가까이에서 디아딜로테와 바를라암이 빠르게 나누는 대화가 들렸다. 세 사람의 그림자가 뒤섞여 일렁였다. 그러니까 지금 이게, 그 고귀하신 바를라암 셋이 모여 저지르는 짓이라 이거지. 갑자기 웃음이 나려 했다.

그러나 다시 한번 쏟아지는 액체에 몸을 뒤틀 수밖에 없었다. 턱이 부서져라 힘을 주었다. 정신을 충분히 차린 터라, 이젠 다른 사람을 방해하지 않고자 주먹을 꽉 움켜쥐었다. 찬물에 상처를 식히는 시간이 천 년과 같이 느껴졌다.

"……여기서 붕대를 쓰진 못하겠어요. 올라가야 해요. 침상에 눕힌 뒤 흐르는 물에 더 닦아야 해요. 동생을 부축해 주시겠어요?"

"그래."

"……."

"안스카르, 잘했다. 잘 버텼어."

안스는 대답할 정신이 없었다. 이제야 온몸에서 식은땀이 나며, 피부가 시체처럼 얼어붙는 것이 느껴졌다.

비척비척 혼자 일어났다. 몸을 움직이는 순간 등 근육이 부딪혀 고통스러운 신음이 났다. 진짜, 미치게 아팠다. 맨뼈가 드러난 것처럼 끊임없이, 끝날 희망도 없이 아팠다.

젠장. 이래서는 고통이 절대 안 사라질 것 같은데.

주먹을 꽉 쥐고, 벽을 쾅 쳤다. 손톱이 꺾인 듯했다. 인상을 찌푸렸다. 잠깐 동안 눈을 감고 있었다. 최면을 걸었다. 난, 하나도 안 아픈 거야. 아파도 거짓이야.

"안스카르, 빨리 올라가서 처치해야 한다."

"혼자……."

한참 동안 아무 소리도 안 냈는데 어느새 목이 다 쉬어 있었다. 안스는 허탈한 웃음을 삼키며 걸음을 뗐다. 곧 죽을 듯했지만…… 남이 부축하나, 혼자 걸으나 통증에는 큰 차이가 없을 것 같았다.

"혼자…… 가겠습니다……. 괜찮아요."

아무도 반대하지 않았다. 반대하긴커녕 디아딜로테가 후다닥 앞으로 나아가 인도했다.

안스는 계단을 올라가며 잠깐 뒤를 돌아보았다. 바를라암이 앞서 켜 두었던 불을 끄고 있었다. 넓지도 좁지도 않은, 장식 하나 없이 살풍경한 방. 점차, 조금씩 어두워졌다.

생각은 사치였다. 고통이 흘러들자 곧장 고꾸라져 좁은 복도를 짚을 수밖에 없었다. 벽의 부축을 받았다.

미치겠다! 죽겠네!

다리는 멀쩡하잖아! 움직여!

그는 조금씩 걸음을 빨리했다. 어차피 계속 아플 바엔 바깥 공기라도 빨리 맡는 게 나을 것 같았다.

생각보다 등은 더 이상 눈물겹지 않았다. 단지 짜증스럽게 따가워졌다. 아마 지하의 바람이 제 상처를 식히고 있기 때문일 것이다. 차라리 다행이었다. 뒤가 무슨 꼴일지 생각하지 않고, 그냥 뛰었다.

그는 내려갔을 때보다 훨씬 빠르게 방에 올라왔다. 헉헉대며 무릎을 짚었다.

모든 일이 얼마나 신속하게 일어났던지 아직도 해가 중천에 떠 있었다.

"침대로."

안스는 숨을 가다듬은 뒤 성큼성큼 침대로 다가갔다. 어린애처럼 털썩 엎어졌다.

디아딜로테가 모로 누운 무거운 몸을 열심히 옮겼다.

안스는 도와주려다가 상처에 이불이 닿자 고개를 팍 처박았다.

"가만히 있어요. 어차피 아파서 힘들 텐데."

그녀는 거짓말을 한 것이 아니었다. 곧장 아까와 같이 찬물이 뚝뚝, 주르륵, 콸콸 떨어졌다. 안스는 이불을 쥐어뜯었다. 두 번째 쥐는 고통인데도 절대 죽어도 미쳐도 익숙해지지 않을 것 같았다.

그 와중 옆방에서 끼익 대는 소리가 들렸다.

바를라암이 마지막으로 도착한 모양이었다.

"아들아, 디아딜로테. 아버지는 접견이 있어 이만 내려가 보겠다."

"네."

"아들, 안스카르. 정말 잘 해냈다. 상처 회복에만 신경 쓰자꾸나."

"제가 잘 도울게요. 앞으로 닷새 동안은 아무도 방 안에 들어오지 못하도록 헤 주세요, 아버지."

"그래. 음식도 좋은 것으로 골라 보내마."

안스는 덜덜 떨었다.

문이 열렸다가, 닫히는 소리가 났다.

다시 한번 무자비하게 물이 떨어졌다. 몸을 뒤틀자 이불이 물을 먹고 찌걱이는 소리가 들렸다. 침대가 푹 젖은 것 같았다.

왠지 이 상황이 너무 어이가 없었다. 웃음을 터뜨렸다. 베개에 얼굴을 묻었다.

모든 것이 너무 현실적이면서도 비현실적이었다. 불타는 고통부터 디아딜로테의 응급 처치까지, 자신이 방금 겪은 일은 시노드 신넬 상단들만큼 현실적이었다.

그런데 이렇게 적나라한 일을, '마법이 썬 문신'을 지우겠답시고 저질렀다는 게 도무지 믿기질 않았다. 다들 바보 멍청이인 가운데, 자신도 이제 거드름을 피우며 바보임을 자랑할 수 있을 것 같았다.

아, 나중에 티가 내 등을 보면 뭐라고 할까. 아팠냐고 걱정해 줄까? 아니면 내 멍청함을 탓할까? 이런 걸 묻다니. 너도 이미 답을 알고 있잖아. 티라면 바보라고 하겠지. 일단 바보라고 한 다음에, 이유를 경청하곤 더더욱 경멸할 거야.

'안스, 그딴 걸 믿었어?'

찡그린, 어두운색 눈이 선했다. 침묵을 지키고 싶어도 갈퀴처럼 답을 끌어내는 명랑한 목소리.

'문신 따위가 고통을 준단 헛소리를 믿었냔 말이야.'

아, 모르겠네. 믿고, 믿지 않고……. 하지만 사람들이 맹렬하던 걸. 난 그런 진심에 꼼짝없이 속더라고.

'그럴 거면 내가 침 묻혀서 지우게 두지.'

안스는 끅끅대며 웃었다.
티, 그러지 말고, 조금만 걱정해 줘.
정말 아팠어.

티티라는 넓은 회랑으로 둘러싸인 화려한 연회에 서 있었다. 오늘 자신이 할 일을 생각하자면 우습게도 날씨는 화창하기 그지없었다. 숨이 내려앉을 정도로 따스하고 아름다운 봄 햇살.
그녀는 시선을 돌려 안스카리우스의 등을 바라보았다. 그가 언제제 시야를 떠날까 꼼꼼하게 감시하면서도, 그의 뒷모습만 좇자니 왠지 모를 죄책감이 들었다.

아마 저 아래 잠겨 있을 상처가 떠오르기 때문이겠지.

티티라는 제 손바닥만 한 흉을 아무렇지 않게 생각하는 그에게 질리고 말았다.

한 번은 총독실을 먼저 나가던 그의 등에 머리를 박았는데도 ― 아마 정확히 '그' 자리였을 텐데― 그는 잠깐 돌아보고 말 뿐이었다. 오히려 티티라가 깜짝 놀라 미안하다고 사과했을 정도였다.

그 모습을 본 안스카리우스는 기가 막힌 듯 잠시 침묵했다. 그러다 무언가를 생각한 양 웃더니 본인이 직접 스스로의 등을 쳤다. 퍽 소리가 날 정도로 세게.

티티라는 기겁하여 그의 팔뚝을 잡았다.

"뭐 하는, 뭐 하시는 거예요?"
"나야말로 네가 뭘 하는 건지 궁금한데."

문이 반쯤 열린 뒤라, 막말을 하지도 못하고 버벅였다.

"그렇게 세게 치시면 안 돼요."
"이 정도였어."

그가 제 등을 때렸다. 티티라는 힘에 밀려 한 순간 가볍게 여러 걸음 앞으로 걸어갔다. 어이가 없어 웃으며 돌아보았다.

"총독님."
"네가 맞은 것보다 안 아플 거다."

"이딴 짓— 주의해 주세요."

어이없는 놈이었다.

아무래도 안스는 고래 힘줄처럼 질긴 녀석이었던 것 같다. 기억을 몽땅 잃고도 똑같이 실없기는 쉬운 일이 아니니까.

그녀가 바로 며칠 전을 떠올리며 픽 웃는 순간, 안스카리우스가 몸을 돌렸다.

그는 자신을 똑바로 바라보았다.

성큼성큼 걸어오는 모양새가 왠지 모르게 불안하여 꽁무니를 빼려 했다.

그러나 태어나서 처음 입어 보는 소위 '드레스'가 자신에게 고난을 안겼다. 단단히 포박당한 팔뚝과, 고기 꼬치처럼 띄엄띄엄 벙벙하게 부푼 아래팔, 꽉 조인 가슴, 치렁치렁한 치맛자락은 사람 하나를 바보 만들기에 딱 좋았다.

그녀는 곧장 그에게 팔을 붙잡혔다.

홱 돌아보았다. 여기서 왜 잡아?

그녀는 곱게 말했다.

"총독님?"

"소조폴 상단주, 이자가 네게 전할 말이 있다는군."

티티라는 어리둥절한 채 그가 몸을 비킨 자리를 바라보았다.

어떤 남자가 고개를 꾸벅였다. 만면에 느끼한 웃음이 가득했다.

그녀는 기억을 되짚었다. 아, 누구더라. 드비제니에 어쩌고 제일 세리였는데. 그건 그렇고, 손을 깨나 잘 비비는 듯싶었다. 시노드 신넬의 세관 업무를 보던 놈이 대체 어디에 줄을 댔기에 바를라암과 탈란타우에가 모두 참석하는 연회에 들어올 수 있는 거야?

"안녕하십니까, 돔니 상주님. 오랜만에 뵙습니다."

"안녕하세요."

네가 날 언제 봤기에?

"요새 자주 소통하셨던 오콜로 부두 책임자님께 전해 들었습니다. 지난번엔 몸소 사역관에 초청하기까지 하셨다고요. 이즈버르 관료들에게 정말 좋은 기회를 베풀어 주셔서 감사할 따름입니다."

티티라는 인상을 찡그렸다. 별로 표정을 숨기고 싶지도 않았다.

"아, 예. 오콜로 부두 책임자는 상단 업무로 초청한 겁니다."

"예. 저도 이제 부두 책임자님과 함께 시노드 신넬의 기존 세금 체계를 개선하는 업무를 맡았습니다. 무엇보다도 여기 계신 존경하는 총독님과, 또 주요 상주님들의 많은 가르침이 필요한 자리입니다. 소조폴 상단주님께도 마찬가지고요."

그는 마지막 문장과 함께 애교 있게 자신을 가리켰다. 그녀는 한순간 아첨꾼의 비위에 감탄했다. 그래, 넌 자격이 있다.

"그렇군요."

"언젠가 한번 저도 사역관에 초청해 주시면, 좋은 백단향 향수와 귀한 글라브니야 모직 이불을 가져가겠습니다."

티티라는 제 귀를 의심했다.

백단향은 정부情婦들이 즐겨 쓰는 향이었다. 글라브니야 이불은 말할 것도 없이 잠자리용이고.

내가 그렇게 사역관에 찾아온 놈들에게 이야기를 했는데도ㅡ

티티라는 아직도 제 곁에 뻔뻔하게 서 있는 온기를 느꼈다. 올려다볼 생각은 하지도 않았다. 이 익사할 자식이, 이걸 여기까지 끌고 왔겠다?

그녀는 목을 가다듬었다.

"선물은 괜찮습니다. 근 시일 내에 모시겠습니다."

"송구합니다."

"하나 말씀드리자면, 이상한 오해는 하지 않으셨으면 좋겠습니다. 총독님께서도 아마 그 때문에 제게 오신 것 같아서요."

그는 재빠르게 고개를 꾸벅 숙였다.

"아, 이렇게 민망할 데가. 죄송합니다."

"드비제니에 씨, 앞으로 말씀을 고쳐 주시길 기대해도 되겠죠?"

"당연하지요. 이름을 기억해 주셨다니 더더욱 영광입니다. 그런 만큼 제가 저지른 실례를 어떻게……. 정말 죄송합니다. 각하께도 죄송합니다. 앞으로 제 주변에서 그런 말이 일절 나오지 않도록 혼쭐을 내겠습니다."

"좋습니다. 다음에 보죠."

티티라는 화가 나지 않았다. 오히려 눈치 빠르게 살살대는 인간이라, 앞으로 열심히 소문을 뒤집어 줄 게 분명했다. 진짜로 사역관에 초청할 마음도 있었다.

그가 싱글벙글 웃으며 떠난 뒤, 그녀는 아직까지 제 곁에 서 있는 안스카리우스를 올려다보았다.

"아, 총독님. 전 화장실에 좀……."

그에게서 멀리 피해 드레스 안쪽 시접을 몇 개 뜯을 생각이었다.

티티라는 대답을 듣지도 않고 총총 회랑으로 걸어갔다. 다들 맑은 날씨를 기뻐하며 안쪽에 몰려 있었기에, 회랑은 다소 침울한 기색을 띠고 있었다.

대리석을 여러 번 발로 디뎠을 때에야, 제 뒤를 따르는 발걸음 소리를 깨달았다.

티티라는 방어적으로 뒤를 돌아보았다.

좁은 회랑 구석에는 자신과 그뿐이었다.

"총독님, 제가 똥 싸는 것까지 구경하려 하시나요?"

안스카리우스는 아랑곳하지 않은 채 가까이 걸어왔다. 제 거짓말이 들통난 모양이었다.

그가 제 한 뼘 거리에 섰다.

"누가 강제로 옷을 입혔나?"

티티라는 제 우스꽝스러운 옷차림을 둘러보며 한숨을 쉬었다.

"여기 들어오려면 죽어도 이 차림을 해야 한다고 하잖습니까……. 누구였더라, 몰라. 연회 책임자 중 한 사람이겠죠. 이즈버르 놈이라 제 사정도 안 봐주고 더 빡빡했어요."

그리고 부담 없이 독약을 넣을 소매가 필요하기도 했다.

"지금까진 옷을 가렸던 까닭에 모임에 참석하길 거절한 것 아니었나? 그래서 일부러 부르지 않았는데."

"무슨 말씀을? 초청장은 꼬박꼬박 보내시고서."

"보낸 건 보낸 거고."

티티라는 한 걸음 물러났다.

안스카리우스는 한 걸음 다가왔다.

"네가 말을 들을 거란 기대는 없었지."

티티라는 이런 이야기를 하는 자신이 한심했지만, 어쨌든 해야 했다.

"누가 봐요. 이만 가세요."

"볼품없이 천으로 동여맨 강아지 같군."

"……지금 나보고 개라고 욕한 거야?"

그녀는 아주아주 작게 속삭였다.

다만 그녀 스스로도 자신은 없었다. 지금 자신이 입은 옷은 의상실에서 누군가 입다 돌려보낸 걸 어영부영 가져온 것이었다.

아직도 귓가에 '이게…… 빨간색이 어울리는 건가…….' 하고 중얼거리던 직원의 말이 웅웅 울렸다. 하지만 팔뚝에 뭔가를 숨길 만한 옷이 이뿐이라 선택지가 없었다.

그러나 제 뒤통수를 이리저리 쓰다듬다 '이렇게 짧은 머리엔 뭘 꽂기도 애매한데.' 하는 직원의 허탈한 한숨엔 짜증이 솟았다. 시간 낭비하지 말라며 재촉하자 겨우 모조 꽃을 하나 묶어 주었는데, 그녀에겐 어울리는지 아닌지 따질 재간이 전혀 없었다.

결국 모든 것을 덜렁덜렁 하고 왔다. 하나부터 열까지 거추장스러워 힘들었다.

그렇지만 오늘 계획 때문에 어쩔 수 없었단 말이야…….

그런 제 사정을 알 리가 없는 인간이 눈앞에서 물었다.

"남의 옷을 빌려 입은 모양인데. 돈이 부족한가?"

"미치겠네. 이렇게 안 입으면 못 들어온다고…….

그녀는 그를 올려다보다가, 그제야 그가 웃고 있다는 사실을 눈치챘다.

티티라는 다시 급하게, 그리고 아주 작은 소리로 분노를 표했다.

"내가 웃겨?"

"아니."

그 순간, 그가 제 머리 위 고정된 꽃에 손을 댔다. 티티라는 물에 닿기 싫어하는 고양이처럼 상체만 뒤로 주욱 뺐다.

물론 그녀는 그보다 짧았다. 결국 단단히 묶였던 장식이 뽑혀 나갔다. 머리카락도 함께 몇 가닥 뽑힌 것 같았다.

티티라는 손을 뻗었다.

"왜 이래? 나 다시 할 줄 몰라."

순간 안스카리우스가 몸을 숙였다. 모든 동작이 한 번에 이어지듯 부드러웠다. 그는 그녀의 목걸이에 꽃을 묶었다. 제 머리민 한 장식이었기에, 그렇게 달자 훤히 드러났던 가슴팍이 사라졌다.

그가 다시 일어섰다.

티티라는 못마땅하게 말했다.

"목이 무거워."

"풀 수 있으면 풀어도 좋고."

"무슨 짓을 한 거야?"

티티라는 고개를 팍 숙이다가, 꽃에 얼굴을 파묻곤 기침을 터뜨렸다. 묶인 줄을 풀어내려 했지만, 대체 무슨 매듭을 쓴 건지 해체할 엄두가 안 났다.

그녀는 저가 노력하는 모습을 한 걸음 떨어져서 보고 있는 안스카리우스에게 항의하려 했다.

그러나 그는 더 할 말이 없다는 듯 뒤돌았다.

와, 저 자식.

고래고래 욕하고 싶었으나, 그는 이미 회랑 안쪽 햇살이 비치는 곳까지 걸어 나간 뒤였다. 벌써 몇 사람이나 총독의 곁에 다가와 있었다.

목에서 끓는 신음 소리가 흘러나왔다. 저 인간, 정신 나갔나 봐.

티티라는 다시 꽃을 피해 매듭을 풀어 보려 했다. 그러나 부두 밧줄만큼 단단히 매인 모양이었다. 꿈쩍도 하지 않았다.

포기하고 고개를 쳐들다가도 묵직한 무게에 숨을 삼킬 수밖에 없었다.

아, 이걸 어째.

그녀는 다시 사람이 많은 곳으로 나가려다가, 아까보다 더 궁상맞은 차림새가 되었을까 하여 주저했다. 머리에 장식을 달아 준 이는 의상실 직원이기라도 했지. 이건 검은 옷만 입는 머저리가 마음대로 달아 놓은 장식 아니야…….

하지만 생각은 한순간이었다. 옷차림에 신경 쓴다는 사실을 인정하고 싶지 않았다.

결국 목에 묶인 꽃을 대롱대롱 휘두르며 다시 야외 연회장으로 나갔다.

개자식, 개자식.

그리고 곧장 지금 상황에서 제일 마주치기 싫은 인간을 만났다.

"아, 돔니니 상주. 목에 예쁜 걸 매달고 계시는군요. 어린애들이 좋아하겠습니다."

오랜만에 본 그레슈카가 웃음을 꾹 참고 있었다.

티티라는 얼굴이 붉으락푸르락하는 것을 느꼈다.

"이리 오세요. 내가 좀 도와 드릴 수 있을 것 같군요."

티티라는 무시하고 쌩하니 회랑을 마저 걸어갔다. 그러자, 성큼성큼 따라오는 소리.

티티리는 거칠게 돌아보았다.

"그레슈카 대상, 당신, 사실 지팡이 필요 없으신 거죠?"

"원, 섭섭한 말씀을."

그녀는 제 앞에 서는 것과 동시에 팔을 뻗었다.

"누가 이렇게 맹추로 만들어 놨대."

그레슈카는 대롱대는 꽃을 잘 다듬어 가슴팍에 밀어 넣었다. 고작해야 한 번 다듬었을 뿐인데 드레스에 코르사주가 달린 양 맵시가 났다.

티티라는 한숨과 함께 항복했다. 상대가 완성되었나는 듯 툭툭 건드릴 때까지 기다렸다. 여기서 참견당하고 저기서 참견당하는 꼴이 꼭 아이들한테 걷어차이는 공 같았다.

"그래도 옷은 누가 골랐는지 귀여우시군요, 상주."

"그만하세요."

"아, 귀여운 게 무얼 닮았냐 하면 물감을 묻히고 난리 통에 도망가는 강아지 정도. 인간은 아니고 말입니다."

"보는 사람마다 개를 닮았다고……."

"누가 개라고 하덥니까? 저와 미적 감각이 비슷하시군요."

티티라는 심술궂게 쏘아붙였다.

"바를라암 총독님이시죠."

그레슈카의 기분을 상하게 만드는 데 성공했다. 그녀는 급속도로 굳었다.

티티라는 나이 든 상주가 쓸데없는 오해를 하지 않도록 빠르게 화제를 돌렸다.

"그레슈카 상주님, 지금은 제가 일이 급해서 다음에 새로 약속을 청하겠습니다. 다만 근 시일 내에 못 뵐 수도 있을 것 같아 미리 말씀드려요. 제가 사역관에 들어온 뒤로 일이 번잡해져서요."

"아, 그렇군요. 아쉽습니다."

"……."

"그러면…… 기회가 될 때."

그레슈카는 꽃을 툭툭 건드리곤 급하게 떠났다.

티티라는 인파 사이에 덩그러니 남았다.

그레슈카는 제게 잠깐 붙었다 날아간 새 같았다. 아마 이야길 듣자마자 곧장 회랑을 나갔겠지. 오늘 독을 쓰겠단 예고를 알아들었을 테니까.

그레슈카가 건넨, 친절하고도 조용한 독.

손목에서 살짝 거치적거리는 유리병을 느꼈다.

이 자리에 들어오려면 필수로 몸수색을 거쳐야 했지만, 티티라는 무려 '사역관에 머무는 사람'이었다. 몸을 더듬는 손에 짜증 내자 군인은 더 이상 욕심을 부리지 않았다.

바로 물러서는 모습을 보자니 그들도 '드비제니에 씨가 아는 소문'에 신경 쓴 것 같단 생각이 들었다. 티티라는 뜬소문에 감사를 표했다.

티티라는 그레슈카가 제 옷차림을 잘 다듬어 주었으리라 믿고, 또 그녀가 곧 이즈버르를 떠나리라 믿고 마음을 가다듬었다. 수많은 사람들이 북적대는 가운데 느릿느릿 숨을 들이켰다.

걸음을 뗐다.

이내 여러 사람들에게 말을 걸며 돌아다녔다. 다들 사역관 식객에게 친절했기에 말을 끊임없이 지껄이기란 무척 쉬운 일이었다.

다만 아직까지 탈란타우가 보이지 않는다는 사실이 조금 마음에 걸렸다. 내게 있어선 오늘의 주인공이신데, 왜 아직까지 오지 않았지? 두리번대는 도중 오히려 디아세만 유독 도드라지게 보여 가슴이 따끔거렸다.

디아세는 교국군 복장을 한 채 중앙 회랑의 기둥에 기대어 있었다. 이 활기찬 오후의 연회를 즐긴다기보단, 의심스러운 자들을 발라내겠다는 의도가 명백히 보였다. 어찌나 엄중하던지, 가끔 제게 머무는 시선이 아는 사람을 보는 시선인지 낯선 침략자를 보는 시선인지 구분이 안 갈 정도였다.

그녀는 그에게 일부러라도 고개를 돌리지 않으려 노력했다. '나도 너처럼 일상을 잘 영위하고 있다.'는 티를 내려고 더 애써서 사람들과 대화했다. 많이 미소 짓고 과장되게 손사래를 쳤다. 어두운 생각일랑 하나도 하지 않으려 노력했다…….

라요나가 있었다면 저 커스터드 파이를 좋아했을 텐데…….

티티라는 하인이 듬뿍 들고 가는 커스터드 파이 옆으로, 탈란타우에를 발견했다.

손에 땀이 났다. 긴장감에 몸이 뻣뻣해졌다.

내게 독을 건네 조금이라도 추적당할 가능성이 있는 그레슈카는 떠났고, 내 손에는 독이 있고, 저놈에겐 호위가 하나도 없군.

티티라에겐, 사역관의 감시를 이겨 내고 도와줄 사람이 단 하나도 없었다.

따라서 모든 일은 그녀의 몫이었다.

티티라는 미리 공부하여 하인의 경로를 완벽하게 파악하고 있었다. 게다가 탈란타우에가 든 잔에 담긴 것은 명백히 ―교국인들이 선호하는― 화주였다.

이제 그의 잔이 빈 것을 확인한 뒤, 하인이 지나갈 때 자신도 한

잔 따라 마시면 되었다. 그사이 은근슬쩍 독을 바르는 것 정도야 움직임이 날랜 자신에게는 식은 죽 먹기였다.

물론 그녀는 그를 살해하기 전에 알아내야 하는 것이 있었다.

티티라는 성큼 다가갔다.

탈란타우에의 고개가 자신을 향했다. 마치 오랜 친구를 보듯 반가워하는 기색이 가증스러웠다. 어쩌면 저렇게 한순간에 가짜로 낯빛을 바꿀 수 있을까.

"티티라 돔니니 상주!"

탈란타우에의 눈이 살기를 담고 번뜩였다. 반기는 목소리와는 정반대였다.

'티티라 돔니니'.

그의 입에서 나오는 제 이름이 증오스러웠다.

얼마 전, 그는 안스카리우스에게 억지로 '티티라 돔니니'를 부르게 만들었다. 바로 그 때문에 일부러 입에 담은 것이 분명했다. 그의 입에서 제 이름이 나오자 안스카리우스가 고통받았을 모습이 절로 떠올라 이마가 지끈거렸다.

탈란타우에가 다가왔다.

"오랜만이다. 사역관으로 옮겨 간 뒤론 못 보았지."

"……안녕하십니까, 사제왕 탈란타우에 각하."

"그래. 잘 나오지 않던 모임에 행차하다니, 의외로군."

"총독님께서 항상 초청장을 보내 주시는데도 계속 참석하지 못하다 보니 죄송해서요. 오늘은 날씨도 좋아 나올 결심을 했습니다."

"우리 상주께서 계속 나를 설심을 하시려면 오늘만큼 해가 좋아야겠어."

티티라는 등에 오스스 돋는 소름을 무시했다.

"다행히 나도 상주에게 할 말이 생겼지 뭔가."

"……."

"잠시 안쪽으로 들어가겠나?"

티티라는 고개를 끄덕였다.

탈란타우에는 라스폴로제 극장에서처럼 제 어깨에 손을 둘렀다. 길게 닿은 온기가 역겨웠다. 움츠러들지 않으려 몸에 힘을 꽉 주었다. 걸음이 뻣뻣해졌다.

그들은 지붕 아래로 들어갔다. 음식을 준비하는 수많은 인원들이 바쁘게 오가서, 그 누구도 그 둘에게 신경 쓸 계제가 아니었다.

그렇게 건물을 지나 새롭고 텅 빈 회랑으로 떨어졌다. 개미 새끼 한 마리 없는 탓에 탈란타우에가 미리 장소를 봐 두었으리라는 불쾌한 의심이 들었다.

탈란타우에는 화창한 하늘 아래 부드러운 안락의자에 앉았다. 그런 뒤 제게 눈짓으로 가까운 의자 중 하나에 앉도록 명령했다. 그녀는 따랐다.

티티라가 얼어붙은 채 그를 바라보는 동안, 그의 품에서 회중시계가 쑥 흘러나왔다. 그는 가까스로 시선을 내린 뒤 티티라에게 시계를 보여 주었다.

"바를라암이 상황을 알아차리고 이곳에 올 때까지 얼마나 걸릴지 궁금하군. 우리 내기할까?"

"각하."

"중앙으로 돌아와서 나를 찾고, 너도 찾고……. 대략 반 시간 정도 걸리겠군."

"빨리 용건을 말씀해 주십시오."

"무엇이 그리 급한가? 오늘 헤어진들 어차피 우리에게 주어진 시간은 몹시 긴 것을."

"예?"

"이제 오래도록 서로를 존중하며 좋은 관계를 유지할 테니 말이야."

티티라는 인상을 찌푸리며 탈란타우에를 노려보았다. 그는 그녀가 그럴 줄 알았다는 듯 천천히 부연했다.

"나는 네가 재판 판결문의 증인으로 기록된 뒤에는 너를 죽일 수 없다. 그러니 앞으로 우리가 충분히 화목하게 지낼 수 있다는 뜻이다."

"'증인'이요?"

"설마 몰랐나?"

그녀는 처음 듣는 이야기였다.

'재판 판결문'? 법황의 대리인이 바를라암의 이즈버르 무단 침공에 내리는 '판결' 말인가? 앞으로 열흘 안에 재판 날짜가 잡힌다고 했다. 자신도 그 자리에 초청받았지만, 뭘 해야 하는지 아무도, 아무것도 알려 주지 않아 관객으로서 서 있기만 하면 되는 줄 알았다.

"설명을 부탁드립니다."

"음. 너는 재판의 증인으로 채택되었다."

언제? 그녀는 혼란스러워 미간을 좁혔다.

"따라서 법황의 판결 논리가 너를 근거로 삼는다면, 네 목숨이 명백한 위협에 의해 제거되었을 시 판결은 무효화된다."

"……."

"재판에서는 매우 높은 확률로 바를라암을 무죄로 판결할 거다. 그때, 네가 먼저 교국에 도움을 요청했다는 점이 고려될 텐데, 그렇게 중요한 증인을 죽여서 긁어 부스럼을 만들 수는 없지. 오히려 나는 널 보호해야 하는 처지가 되었다."

티티라는 빠르게 이해했다. 안스카리우스와 사제왕 일당이 바랐던 대로, 소조폴 상주인 자신이 침공을 촉발시켰고, 총독은 본토인을 도왔을 뿐이라는 결론이 난다면 자신은 '중요 증인'이 되는 것이다. '중요 증인'이 살해당할 시 판결이 원점으로 돌아가는 것은 당연하다…….

그러나 경계를 늦추진 않았다. 그가 자신을 왜 안심시키는지 몰랐다. 이 미친 권력자는 도무지 예측할 수 없는 존재였다.

"그리고 아등바등하는 네 꼴을 보며 깨달은 것도 있고. 네가 언제까지 도망 다닐지 몰라 귀찮아졌다. 잠시라도 이야기를 나눌 필요가 있겠더군."

그녀는 온몸을 곤두세운 채 그다음을 기다렸다.

그러나 탈란타우에는 침묵을 지킬 뿐이었다.

티티라는 그 몹시 길고도 짧은 시간 동안…… 초조하게 돌바닥을 내려다보았다.

마침내.

"티티라 돔니, 너는 절대 나를 해칠 수 없다."

제 몸은 미동도 하지 않았다.

"다만, 그런 건설적인 미래를 위해선…… 우리 공통의 친구에 대해 더 많이 이야기해 줘야겠다는 생각이 들더군."

"……."

"그래야만 네가 더 고통스럽게 바라게 될 테니 말이다."

"……."

"너는 진실을 빨아들일수록 더 깊은 갈증에 시달릴 것이다. 만일 내가 그의 죽음을 묘사한다면, 너는 더 나아가 그의 기억을 되살릴 방법을 바라게 되겠지."

티티라는 번쩍 고개를 들었다.

방금 탈란타우에는 제 가장 깊은 곳을 움켜쥐었다.

신음이 터졌다.

"기억……."

쌕쌕거리는 숨소리가 더 크게 들릴 만큼 힘이 없었다.

탈란타우에는 상대를 뿌리째 뽑았단 사실을 아는 듯 평온하게 미소 지었다.

티티라는 양쪽 무릎을 꽉 쥔 채 헐떡였다. 매달릴 곳이라곤 제 몸뿐이었다.

"안스의 기억을…… 되살릴 수 있다고……?"

"그럼."

"……."

"그러나 내게서 그의 기억을 되살릴 방법을 얻어 간다 해도, 결국 교국의 협조 없이는 실행하지 못할 테지."

탈란타우에는 비웃듯이 시계를 톡톡 두드렸다.

"너는 진실을 들을수록 종속된다."

"……."

"하지만 아무것도 모른 채 발버둥 치느니, 목적을 지닌 노예가 되는 편이 낫지 않나?"

티티라는 상대의 평화로운 태도를 바라보았다.

탈란타우에는 상대를 굴복시킬 수 있다는 확신 없이는 행동하지 않을 인물이었다.

그가 옳았다. 패배감이 쏟아졌다. 그것은 제 속 어디선가 샘솟는 감정이 아니었다. 바깥에서, 화창한 하늘에서, 제게 흘러 들어오는 공기에서 모든 것이 지독하게 비굴한 얼굴로 자신을 밀쳐 냈다. 제 비리비리한 속은 압박에 견디다 견디다 부러졌다.

티티라는 패배했다.

"각하……."

자신의 목소리는 꼭 애원하는 것 같았다. 그 정도로 절박해 보이기는 싫었지만, 순식간에 밑바닥까지 떨어졌다.

탈란타우에는 포로를 대하는 자비로운 승리자처럼 턱을 매만졌다. '이놈을 어떻게 할까. 십자가에 매달까, 냄비에 넣고 끓일까, 사지를 찢어 버릴까.'

"너는 우선 안스카리우스와 내가 모든 것을 공유한다는 사실을 이해해야 멍청한 짓을 그만둘 것 같군."

속이 꽉 조여들었다.

뭘 '공유'해? 누가 '멍청'하다고? 거짓말하지 마! 저 인간은 안스카르가 옛 기억을 찾고 있단 사실도 모르잖아. 그걸 알고 싶어서 나를 건드리는 거잖아. 아무것도 모르면서……!

"설명이 좀 길어지겠군. 돔니니, 사제왕들은 운명 공동체다. 서로를 싫어할 수 있을지언정 배신할 수는 없다. 이유인즉슨, 우리 내부에서 분열이 일어난다면 이득을 볼 인간은 법황뿐이기 때문이다."

"……."

"처음부터 바를라암에게 내가 누구를 죽였단 사실은 전혀 중요하지 않았다. 단지 좀 짜증을 내더군. 무슨 의도인지는 모르나 재판의 증인이 될 '소조폴 상단주'를 자극하지 말라고."

안스카리우스는 그럴 수밖에 없었을 것이다. 자신을 아끼는 모습을 보이면 탈란타우에에게 들켰을 테니까…….

"우리가 함께했던 저녁 식사를 기억하나?"

당신이 내게 병아리를 먹였던 그 식사 말이지.

"그날 널 보내고 나서 그가 내게 욕을 하더군. 채신사납다고. 대체 왜 우리에게 이득이 되는 상주에게 그토록 가혹하게 구느냐 항의했지. '저 여자는 자기 수행인이 죽어 화가 많이 난 상황이다. 기질이 사나워 당신을 공격하는 불필요한 소란을 만들 수 있다. 중요 인물이니 돌발 상황이 없도록 재판까지 조용히 있고, 이후 소조폴에서 쉬어라.'"

"……."

"나는 순전히 네 입장에서 생각하는 그에게 화가 났다. '만일 저 여자가 실제로 내게 위해를 끼치려 시도하면 저 작은 머리통에 포砲를 박아 넣어도 아무 문제가 없다. 그 순간부터 돔니니는 우리에게 중요한 인물이 아니게 되므로. 그녀가 교국군의 도움을 요청하여 이즈버르를 침공한 것과, 그녀가 사제왕을 시해하려 한 것은 완전히 별개의 문제가 아닌가.'"

티티라는 제 머리에 포탄을 박아 주겠다는 인간의 눈을 똑바로 바라보았다.

심장이 쿵쿵 뛰었다. 겁이 나서라기보단, 아마 흥분해서일 것이다. 자신을 향한 순수한 적의를 보고도 평정을 유지하기란 불가능한 일이었다.

그리고…… 아주 좁은 마음 구석에…… 안스카리우스에 대한 실망이 도사리고 있었다. 그가 라요나의 죽음을 대수롭지 않게 생각한다는 사실은 알았지만, 탈란타우에를 정말로, 단 한 번도 탓하지 않았다는 사실이 그녀를 상처 입혔다. 마치 미친 여자가 쓸데없는 소란을 일으켰다는 양……. 사제왕으로서 당연한 일이라 생각하고도 마음이 쓰렸다.

"음. 그러나 결국 화해했지. 우리에겐 해야 할 일이 있으니까. 형제간의 싸움이랄까. 아무리 화가 나도 떼려야 뗄 수 없는 관계들이 있지 않나. 심지어 바를라암도 네가 골칫덩이라는 사실을 인정하고 주의시키겠노라 말했다."

속이 부글부글 끓었다.

물론 티티라는 안스카리우스가 그럴 인간인 걸 알고 있었다. 정말 알았다.

그렇기에 탈란타우에의 장광설에도, 추측했던 것을 확인받는 정도의 놀라움밖에 없었다. 앞에 선 자가 '이간질'할 것을 의심하기는커녕 오히려 너무 정직하게 굴어 당황스러울 정도였다. 그 정도로, 진짜 아무 기대도 없었는데…….

"나는 바를라암의 경고를 듣고 네게 감시를 붙였다."

"……."

"아니, 그랬더니 우리 총독께서 짜증을 부리시지 뭔가? 그래, 뭐라고 했지…… 기억을 좀 되짚어야겠군……. 아! 무슨 이유로 자기가 사적으로 확보한 저택에까지 쫓아오느냐 했지. 그 여자를 단속하는 것은 이해하나, 본인 감시하에 있을 때에도 경계하는 것은 자신을 불쾌하게 한다고."

정말, 다 지껄이고 있었군…….

"그래서 내가 물었지. '바를라암, 그자가 나를 죽이기 위해 말디비 독을 입수했던 사실을 압니까?' 대답을 못 하더군. '당신이 그 여자한테 눈이 뒤집혀져 제대로 일을 안 하니 결국 내가 하게 되는 것 아닙니까? 티티라 돔니를 감시하는 사람이 하나는 있어야겠지요.'"

"……."

"'내가 돔니를 죽일 거라고 생각합니까? 머리를 포탄으로 터뜨리겠다는 한마디에 그 여자 선실을 보호하던 꼴이 우습더군요. 그대가 지금 사역관을 왜 옮기지 않고 있는지 내가 모를 줄 압니까, 바를라암!'"

"……."

탈란타우에는 일어서 성큼 다가왔다.

그는 그녀의 옆자리에 앉더니, 곧장 짧고 검은 머리채를 틀어쥐었다.

티티라는 홱 꺾이는 목에 입술을 깨물었다. 언제 패배했냐는 듯 노려보았다. 패배자를 달군 것은 저 입 가벼운 놈이었다.

"바로 너 때문에 사역관으로 옮기지 않고 있더군. 이프루이우호에선 바로 옆이지만, 사역관에선 필연적으로 멀어질 수밖에 없으니까. 너도 들으면서 웃음이 나지?"

그녀의 가슴이 크게 오르락내리락했다.

"어느 날 내게 사역관을 두하 언덕으로 옮긴다고 선포하기에 드디어 니와 화해할 준비기 되었다고 생각했다. 그런데 거의 동시에, 네가 재판의 증인으로 인가되었다는 사실을 알게 되었다. 뇌조 대가리를 지닌 대리인 소존데가 내게 한마디도 없이 협의해 주었지.

아니, 아니, 아니……. 그 눈먼 장님은 그럴 수 있다. 그러나 바를 라암은 그래서는 안 되지."

탈란타우에는 그녀의 머리를 밀쳤다.

티티라는 가까스로 의자의 가장자리를 잡고 버텼다. 한순간 목에 가해진 충격에 정신이 아찔했다.

"결국 내가 먼저 바를라암의 새로운 사역꾼에 찾아갔다. 재판과 관련된 일을 나와 상의 없이 저지르다니, 신성한 재판에 불러들이 는 순간 나중에 어떤 일이 생기든 돔니니를 '처리'할 수 없게 되지 않느냐 항의했다. 한데, 바를라암은 도무지 굽힐 생각이 없더군? 그래서 결국 네 이름을 부르라고, 안 부르면 부정을 고발하여 재판 의 증인으로 못 세우게 하리라 협박했는데…… 이제 와 생각해 보 면 솔직히 그럴 필요까진 없었지. 그냥 우리 총독이 한 대 얻어맞 으면 좋겠단 생각이 있었던 것 같다."

"……."

"그러나 주먹을 하도 세게 쥐어 손톱 아래 피가 맺히는 꼴을 보 니 맥이 빠지더군. 당장은 무슨 말을 해도 따르게 만들 재간이 없 겠구나 싶었다."

"……이런 이야기를 왜 저한테 하십니까? 제겐 아무짝에도 쓸모 없는 고백인데요."

탈란타우에는 말과 달리 타들어 가는 그녀의 속을 꿰뚫어 본 듯 인자해졌다. 손녀를 보듯 친절한 눈매가 소름 끼쳤다.

"사실 처음에는 '그 녀석'이 무언가를 안다고 생각했지."

'그 녀석'.

'바를라암', '총독', '당신'과 다르게 분류되는 단어가 튀어나왔다.

티티라는 의심하는 눈으로 그를 노려보았다. 도망칠 생각이라곤 추호도 없었다.

"그래서 네 불쌍한 하녀를 죽인 것이기도 하고. 더 아는 네가, 더 빨리 정신을 차린 뒤 사실을 고백하길 바라면서 말이야."

한순간 머리가 하얗게 변했다. 그녀는 순간적으로 손을 들었다. 저 살스러운 낯짝을 찢어 버리고 싶었다.

그러나 그에게 막혔다. 다른 손으로 때리려 했지만, 똑같았다.

그녀는 부들부들 떨며 그에게서 벗어나려 노력했고, 모조리 실패했다. 도저히 노인의 힘이라 생각할 수 없을 만큼 강한 악력이었다.

"아서라."

"당신……."

얼굴에 열이 몰렸다. 너무도 화가 나서 제대로 된 말을 만들어 낼 수가 없었다.

라요나, 라요나.

내가 안스의 기억이 필요하다며 바닥에 엎어져 있을 때, 저 정신 나간 새끼는 정확히 그걸 노리고 너를 죽였다고…….

안스의 기억이 없어도 좋았다. 이놈은 내 손으로 죽이고 말 거야. 반드시!

"그러다 문득 생각이 들더군."

그녀는 그를 걷어차려다가 우스꽝스러운 옷차림에 의해 혼자 중심을 잃었다. 상대가 반동을 이용해 밀어내자, 휙 돌아 의자 등받이에 얼굴을 찧었다.

탈란타우에의 웃음소리가 들렸다.

"하하! 자주 웃음을 주는 친구야."

"익사할 놈이, 누굴 친구라고—"

"얘길 좀 들어."

그는 말을 잇는 것과 동시에, 몸을 돌린 그녀의 뺨을 갈겼다.

티티라는 버텼으나, 곧장 배에 충격이 닥쳤다. 막고도 밀려났다. 숨이 턱 막혔다. 바닥으로 굴러떨어졌다.

탈란타우에는 한 번 더 그녀의 배를 걷어찼다.

"얘길, 좀 들으라 했지."

티티라는 급하게 머리를 감싼 뒤 몸을 웅크렸다. 평생 일궈 온 반사적인 반응이었다.

그러나 더 이상 공격이 닥치지 않았다.

"그래. 그 자세로 들어도 좋겠군. 헛짓거리는 못 할 테니까."

엎드린 등 뒤로 만족스러운 목소리가 들렸다. 티티라는 자신이 배를 보이는 순간 다시 발길질이 닥치리라는 사실을 알아차렸다.

씩씩거리는 숨소리가 새어 나왔다. 고통은 마치 찬 음식의 맛처럼…… 천천히, 불쾌하게 닥쳐 왔다.

"……"

"아무튼 그렇게까지 네게 압박을 주었는데, 보아하니 너는 생각보다 억세고 바를라암은 생각보다 무르더군."

"……"

"바를라암이 무언가를 아는 건지, 어쩌다 만난 상주에게 단순히 반한 것인지 잘 구분이 안 될 정도로 말이야. 너 또한 실제로 무언가를 아는 건지, 그냥 아는 척을 하는 것인지 잘 구분이 안 가고 말이지."

티티라는 입가에 묻은 흙을 퉤 뱉어 냈다.

"그렇다면 차라리 너와 유대를 쌓는 것은 어떨까 생각했지. 이토록 긴 이야기를 해 준다면 난데없이 얼굴을 바꾼 미친 사제왕이란 생각은 하지 않을 것 아닌가. 옳아?"

"……."

"아, 그래. 이제 본론으로 들어가지."

정말이지 수다스러운 인간이었는데 그중 하나도 허투루 넘길 수 없어서 아팠다. 뾰족한 말들을 제 속에 촘촘히 박아 넣어야 했다.

욱신거리는 고통에 몸을 비틀자, 그의 발끝이 제 허벅지를 툭툭 건드렸다.

"잘 들리지? 머리를 다친 것은 아니잖나."

"……."

대답하지 않자, 그가 다시 한번 등을 걷어찼다.

티티라는 신음을 흘리며 더욱 웅크렸다.

"좋아."

"……."

"일전에 네가 물었지. '네 친구가 어떻게 죽었느냐'고."

온 신경이 뒤로 쏠렸다.

"어디까지 말했나……. 나는 우스페히와 그 상단을 죽이고 마주두에서 헤매고 있던 안스카리우스를 발견했지. 이 이야긴 했던가?"

"……."

티티라는 침묵하다가 또다시 발길질을 당했다. 이번에는 거의 밟혀선, 충격을 견디지 못하고 작은 비명을 질렀다. 그녀는 바닥에 머리를 찧었다.

"돔니니, 대답은 똑바로 해라. 내 생각이 바뀔 수도 있잖나."

이를 악물었다.

꼼짝없이 당할 수밖에 없었다. '생각이 바뀔 수도 있다'고.

"……예."

"좋아."

그가 자리에 앉는 듯 부스럭거리는 소리가 들렸다.

"우리는 한동안 좋은 사제관계를 유지하며 소조폴에 머물렀다. 그 애는 나를 잘 따랐어. 마침내 함께 교국에 간 데다 내가 즉각 바를라암에게 보내도 고분고분할 정도로."

"……."

"바를라암은 자식을 게걸스레 받아들였다. 그 욕심은 옆에서 바라보는 내게도 역겨울 지경이었지. 그가 왜 그랬느냐 하면, '아들'에 미쳐 있었기 때문이라는 이유가 첫째고……."

티티라는 누군가의 '아들'이 된 안스를 떠올렸다. 그토록 자유롭던 친구가 누군가에겐 '가문의 후계자'로 여겨졌다는 사실이 도무지 믿기지 않았다.

"……바를라암이 가문의 권력 약화를 견디지 못했던 탓이 둘째다. 백 년 전의 내전 이후 바를라암은 언제나 사제왕 중 최고위였는데, 이제 시노드 신넬을 점령한 '탈란타우에'에게 역전당했다는 게 큰 모멸감을 준 것 같다. 내겐 아무짝에도 쓸모없는 위명이었기에 당최 이해가 안 가지만."

"……."

"하긴, 괴짜 취급을 받던 망종은 목숨 걸고 시노드 신넬에 도달했는데, 고상하신 바를라암은 멍청해서 아들 셋을 죽였지. 이 대조가 선명하긴 하군."

"……."

"좌우간 그렇기에 안스카리우스가 더더욱 필요했던 것이야. 다음, 혹은 다다음 총독 직위는 바를라암이 차지하겠노라. 넓고도 길게 다스리고, 많고도 깊이 착취하겠노라. 시노드 신넬을 잘 아는 사람이 총독 직위에 지원하는 것만큼 강력한 무기는 없겠지."

티티라는 처음으로 바짝 마른 입술을 뗐다.

"각하, 교국인들은 시노드 신넬인들을 경멸하잖아요. 안스가 시노드 신넬에 오래 머물렀단 사실이 들통나면 대체 무슨 이득이 있어요?"

"아, 돔니니. '경멸'은 약한 인간들의 감정이다."

"……."

"상대에게 배울 것 하나 없다고 생각하는 옹졸한 쓰레기들. 적어도 나는 아니지. 아쉽지만 우리 머저리 법황께서도 아니시고. 법황은 시노드 신넬의 기억을 가진 총독을 흥미로워했을 거다. 그 총독은 사제왕들을 위해 제 지식을 사용할 수도 있지만, 동시에 다른 교국인들보다 훨씬 재미있는 통찰을 물어다 줄 테니까."

티티라는 문득 안스가 아닌 안스카리우스를 생각했다. 안스카리우스는 사제왕이 시노드 신넬의 기억을 추적한단 사실을 들키면 '불신자 재판'이 열릴지도 모른다고 경고했다.

한순간 눈앞이 캄캄해졌다. 믿음의 한 귀퉁이가 무너졌다.

설마 거짓말이었어? 사실 아무도 사제왕이 어디에 체류했는지 신경 쓰지 않는데, 내가 탈란타우에게 아무것두 말하지 못하도록 협박하려고?

"바를라암은 법황에게 이 무기를 써먹을 작정이었다. '내게는 시노드 신넬의 경험을 가진 아들이 있다. 양날의 검이지만, 당신은 항상 시험해 왔지 않은가?' 나는 법황을 아주 잘 안다. 법황은 오히려 좋아했을 거다. '재밌는 친구인 데다, 그 정도면 사제왕들과의 연대 의식도 별로 없겠군.' 하고. 교국에 대한 충성만 확인한 뒤 곧장 바를라암을 총독으로 임명했을 거다."

"……."

"그런데…… 문제가 좀 생겼지."

티티라는 바닥에서 몸을 일으켰다. 탈란타우에를 돌아보지는 않았다. 옷에 묻은 흙을 털고 머리를 정돈한 뒤, 다시 한번 약병을 느꼈다.

그녀는 조금 전보다 훨씬 냉정하고 침착해졌다.

사실 마음 한구석에선 이해하지 못하고 있었다. 안스는 여전히 살해당한 채로 있는데, 무엇이 제 냉정을 북돋웠을까?

……물론 그녀는 절대로 안스카리우스에게 배신당했다는 이유를 들지 않을 것이다. 그녀는 그 익사할 총독과 조금도 상관이 없었다. 그러니 자신이 냉정한 이유는 그 외 모든 것일 뿐, 절대로 안스카리우스 때문이 아니었다…….

"녀석은 똑똑한 데다 건강하여 제 아버지를 기쁘게 했다. 마침내 벼락과 같은 속도로 후계자에 임명되었다. 승계 절차도 빠르게 마무리했지. 그런데 마지막으로 법황을 접견하는 요식상의 의례만을 남기고…… 그 애가 어떤 진실을 알아냈다."

티티라는 천천히 뒤를 돌았다. 의자에 앉은 탈란타우에를 내려다보았다.

"무슨 진실이죠?"

이미 답을 짐작하고 있었다.

탈란타우에는 인상을 찌푸렸다.

"내가 바를라암의 자식을 얻기 위해 여럿을 처형했고, 특히 '우스페히'를 죽였다는 사실."

동시에, 그의 시선이 바닥을 향했다.

티티라는 탈란타우에가 고개를 떨구었단 사실을 보고도 믿을 수가 없었다. 제 눈이 커지는 순간— 모든 게 거짓이었던 것처럼 그가 돌아왔다.

"당연히 그 녀석은 미친 듯이 화를 냈다."

"……."

"사제왕 위는커녕 이 육시할 교국 땅에 있기도 싫다며 난리를 피웠지."

"……."

주먹을 꽉 쥐었다. 눈앞에 선했다. 단 한 순간도 안스가 교국에 있는 광경을 상상하지 않았지만, 그 분노, 제게 익숙한 그 분노만큼은…….

"그런데 그 애가 그렇게 화를 내고 잠든 다음 날 이상한 일이 생겼다."

티티라는 자기도 모르게 한 걸음 앞으로 내디뎠다.

"우스페히란 인간을 기억하지 못하더군?"

숨을 들이켰다.

탈란타우에는 하얗게 질린 그녀의 얼굴을 바라보았다.

"영리한 하인과 함께 생각을 해 봤는데, 아무래도 안스카리우스가 사제왕 위를 승계받은 뒤였기 때문에 사달이 벌어진 듯했다. 그 애는 진실을 알았을 때 이미 사제왕이었다. 안스카리우스가 사제왕이 되었다면, 그는 더 이상 교국의 무궁한 영광에 반하는 일을 할 수 없게 된다. 그러니 누군가는…… 아니, 우리의 선지자는, 긴 시간을 이어 온 이 수라장 같은 저주는, 옛 보호자의 기억만 지우면 안스카리우스를 다시 사제왕에 복무시킬 수 있다고 생각했으리라."

"각하, 이해가—"

"나는 종내 내가 시노드 신녤로 오며 매 순간 두려워했던 힘을 실제로 목격했다. 그 애의 기억을 지운 힘이자, 소조폴을 침공하며 내게 죽음을 각오하게 만들었던 힘, 사제왕들을 발발거리는 노예로 만든 힘."

머리가 정신없이 돌아갔다. 그러나 상대의 말은 외인들의 언어처럼 앞뒤가 하나도 안 맞고 어수선했다. 그녀는 탈란타우에의 고백을 정말 조금도 이해할 수 없었다.

"각하, 하나도…… 전혀 모르겠습니다. 이해할 수가 없습니다."

"복잡하지 않다. 그 애는 내가 자신을 찾기 위해 후견인을 죽였다는 사실을 알면 절대로 사제왕 위에 순종하지 않을 것이다. 이건 이해하지?"

"그야…… 그야 당연합니다……. 그런데 그것과, 우스페히 씨의 기억이 지워진 게 대체 무슨…… 상관이……."

"그 녀석은 그때 이미 사제왕이었다고 거듭 말하지 않았나. '사제왕은 절대적으로 교국에 복무해야 한다.' 이처럼 우리 핏줄에 새겨진 노예 선언을 '약속'이라 칭한다. 따라서 그 '약속'이 안스카리우스의 반항심을, 반항의 이유를 제거해 낸 것이지. 그렇게 기억을 잃었노라. 이해했나?"

"말도 안 되는—"

"그놈도 처음 이 '약속'에 대해 공부했을 때 말도 안 된다고 비웃었지. 그런데 지금 어떻게 되었나?"

티티라는 고꾸라지듯 여러 걸음 다가갔다. 겁 없이 탈란타우에의 멱살을 잡고 끌어 올렸다.

그는 평온히 의자에서 일어섰다. 힘에 이끌린 게 아니라 자기가 원해서 일어난 듯한 모양새였다.

티티라는 화가 난 것이 아니라, 혼란스러웠다. 이 헛소리가 진짜인지 아닌지 가늠하기 어려웠다.

탈란타우에는 자상하게 말을 마무리했다.

"그 뒤 그에게선 시노드 신넬의 기억이 순서대로 사라졌다. 티티라 돔니, 네 기억도 그 사이 어딘가에서 증발한 모양이더군."

"……."

"질문 있나?"

티티라는 친절함에 공격당한 사람처럼 그를 밀쳤다. 물론 상대는 푹신한 소파에 툭 떨어졌을 뿐이다. 그녀는 혼자 더듬거리다 발을 헛디뎠다. 아니, 흙바닥에 고꾸라져 손이 쓸렸다.

"이해하지 못한 건가? 상단에서 생활하던 기억을 잃었노라 했다. 지식은 얼기설기 남았으나, 그간 익혔던 가치관들은 모조리 사라져 찾을 수 없었다."

티티라는 눈을 깜박였다.

여러 번…….

아주 짧은 시간 동안 아주 많은 생각을 했다. 머리가 꽉 차 더 이상 구겨 넣을 자리가 없었다. 그렇게 숨이 막혀 마개를 뽑은 순간…… 모든 생각들이 어마어마한 속도로 하수구에 빨려 들어갔다. 무겁고 논리적인 문장일수록 더 빨리 가라앉고 끝장나서, 마침내 모든 중요한 것들이 도망간 뒤 단 하나의 질문만이 살아남았다.

'우스페히 씨가 돌아가셨는데, 왜 나를 잊어?'

멍청하고 이기적인, 제 속에서 가장 검은 질문이었다.

나는 안스에게 고작 '상단에서 생활했던 기억'이 아니야. 난 그 애의 모든 것이었어. 우스페히 씨를 지웠어도 그 애는 멀쩡히 살아갈 수 있었을 거야. 날 기억한 채로 사제왕이 될 수 있었는데, 왜 나를 지웠어?

"거짓말……."

죽어 가듯 희미한 소리였다.

탈란타우에가 눈썹을 치켜올렸다.

"내가 왜 거짓말을 하겠나?"

"……우스페히 씨 기억을 지워도…… 그뿐이지. 그 애는 우스페히 씨와 별개로 날 기억했을 텐데……. 지금도 날 기억하는 사제왕이었을 수 있는데……. 아니, 그 애는 사제왕, 총독이 되자마자 당장 내게 달려와서 이걸 보라고 자랑했을 인간인데……."

그의 표정이 굳었다. 아주 작은 차이였지만 알아볼 수 있었다.

그 모습을 본 티티라는 승기를 잡은 사람처럼 숨을 들이켰다.

"거짓말이죠? 전 안스를 잘 알아요! 그 애는 물론 우스페히 씨를 좋아했지만, 그 기억이 지워진다고 삶을 송두리째 빼앗길 애는 아니었습니다. '아, 누가 상단의 주였더라.' 생각하겠지만 결국 우스페히 씨 없이도 씩씩하게 잘 살았을 거라고요……!"

탈란타우에는 자리에서 일어섰다.

"내 말을 안 믿는군."

티티라는 손을 말아 독약을 쥐었다. 조금이라도 흥분을 가라앉힐 수 있도록.

"아니, 아니. 믿습니다."

"……."

"믿어요, 믿는다고. 개 같은 새끼야."

탈란타우에는 반응하지 않았다. 사실, 그의 표정은 자신이 툭툭 반박하기 시작했던 때부터 굳어 변함이 없었다.

"안스카리우스가 시넬 신넬 출신이건 말건 교국의 아무도 신경 안 쓴다면서요. 그러면 전부 각하의 개인적인 호기심일 테죠. 그렇게 무가치한 일을 가지고, 나한테 이렇게 긴 거짓말을 해서 뭘 얻겠어요. 꾸며 내기도 힘들겠다. 각하처럼 상상력 없는 인간이."

"……."

"그리고 무엇보다 각하의 얼굴을 믿습니다. 계속 아무것도 아닌 척하다가 안스의 죽음을 이야기할 때마다 바짝 말린 청어처럼 맛이 가는데."

정말이었다. 그는 이프루이우호에서도 제 질문에 한 걸음 물러났었다. 또다시 이렇게 반응한다는 건…….

티티라는 한 걸음 다가갔다.

"숨긴 게 있죠?"

"글쎄."

"그건 제 것이에요. 제 기억이에요. 내놔요."

"먼저 감사 인사를 해야지?"

그녀의 얼굴이 일그러졌다.

"제대로 된 진실을 이야기해 주시기 전까진 싫습니다."

"의심은 네 고약한 마음가짐 탓이다."

"그러면 왜, 제가 안스에 대해 이야기할 때마다 굳으시는─"

"멍청해서 앞뒤 분간도 못 하는군. 내가 우스페히를 죽였단 사실이 들통났기에 그의 기억이 사라졌다면 약간의 추모는 할 수 있겠지. 네 과오로 그를 상하게 한 셈이니."

당당하던 감정이 순식간에 바람 빠진 듯 쪼그라들었다.

탈란타우에가 더 다가왔다.

"이토록 친절한 나를 거역하는군."

"……."

"왜 이러지? 그의 기억을 되살리기가 싫은가?"

잠시 아찔했다.

코앞까지 걸어온 탈란타우에가 허리를 숙였다. 가까웠다.

"'안스'였던가?"

아, 안스.

"그가 아쉽지 않나?"

우리에겐 시간과 거리가 필요했어……. 늘 그렇게 생각해 왔고 아직도 그때를 후회하지는 않아. 그런데 막상 이토록 비참하게도 오늘이 닥치니 네가 아파했던 모습만 생각나.

"사실 그가 죽어 있길 바라는 것인가, 돔니니? 새로운 바를라암이 마음에 드나?"

그날 소조폴 앞에서 왜 용기를 냈을까. 아니, 그게 왜 내겐 용기도 못 되었을까. 내 결정은 왜 그리 가볍고 어리석었나. 네가 그만 아프길 바라며 저지른 일들이 내게 복수를 하네. 그렇게 나를 죽이고 말아.

그냥 악몽이었으면 좋겠어. 모든 게 없었던 일이었으면. 누가 내 머리를 망쳐도 좋으니 어린 시절로 되돌려 그 애를 사랑할 수 있게 해 줘.

"어쩔 수 없지. 그렇게 가벼운 인연이라면 내가 구태여 총독 곁에 있는 너를 단속할 필요도 없을 것이고."

오랫동안 그 애가 나를 제 세상으로 여겼을 줄 알았어. 착각이었지. 나는 그저 시간이란 파도에 쓸려 사라질 작은 돌에 불과했던 거야. 나는 네게 '상단에서의 시간', 그 일부에 불과했던 거야. 고작 그 정도로, 물수제비에나 쓸모 있음직한 돌멩이 인간이…… 네 등을 떠밀어 삶을 뒤집어 놓다니.

이제 내 세상이 너인데, 내겐 답을 들려줄 사람이 없으니 영원히 서럽겠어. 계절이 흐르고 삶은 시드는 가운데 나 혼자 우두커니 박혀 있는 돌이겠구나.

"알겠다. 그러면 항해는 포기한 것으로 알겠다."

티티라는 고개를 홱 쳐들었다.

"뭘 포기해요?"

"너를 교국에 보내 주려 했지. 그의 기억을 되살릴 조금의 희망이라도 있다면 우리 고향에 있지 않겠느냐."

그녀는 뒤늦게야 탈란타우에의 말을 이해했다.

"너는 진실을 빨아들일수록 더 깊은 갈증에 시달릴 것이다."

안쓰의 진실을 듣는대도 마음 깊은 곳에선 이해하지 못할 게 분명해. 사람 기억을 앗아 가는 기괴한 저주가 어떻게 논리적일 수 있겠어. 그러니 그를 내 눈앞에 똑바로 데려오지 않는 한 아무것도 받아들이지 못할 거야. 고통받고 말 테다, 그가 돌아올 때까지!

그 정도로 안스를 깊이 생각한다면 탈란타우에의 실낱같은 줄이라도 붙잡아야 했다.

탈란타우에의 밝은색 눈을 노려보았다. 거짓말을 하는 눈인지, 결백한 눈인지 도무지 파악할 수 없었다. 물론 그가 거짓말을 하더라도, 자신은 속고 말 것이다……

그녀는 한풀 꺾인 목소리로 내뱉었다.

"……제게 뭘 바라십니까?"

"완전한 복종."

주먹을 꽉 쥐었다.

"저따위가 귀하신 사제왕 각하께 복종해 봤자 무슨 쓸모가 있다고요?"

"아, 너를 과소평가하지 말거라. 시노드 신넬의 땅을 확장할 시엔 어용상인들이 필요해지는 법이지. 겸사겸사 바를라암에게 우린 한편이니 불필요한 의심을 품지 말라 제안할 수도 있고. 이것도 저것도 아니면 널 법황에게 데려가 팔아 치울 수도 있다."

"'팔아 치워'……?"

"그만. 슬슬 가야 할 때로군."

"……"

"그러나 이번에는 기다리지 않을 것이다. 나는 이미 시간을 충분히 주었다. 연회가 파할 때까지 결정하고, 네 선택에 책임을 져라."

"……"

탈란타우에는 자신의 어깨를 툭툭 두드렸다. 우애 깊은 동료라도 되는 양.

그리고 멍하니 선 자신을 지나쳐 회랑에 발을 디뎠다. 그의 단단한 굽 소리가 뎅그렁뎅그렁 머릿속에 울렸다.

이내 그는 사라졌다.

티티라는 한참 동안이나 가만히 서 있었다.

오랜 시간 뒤, 회랑 중앙에 놓인 작은 물그릇으로 다가갔다. 고개를 내밀어 일렁이는 제 얼굴을 확인했다. 아주 멀쩡했다. 제 속의 몇 가지 다발이 우드득 꺾여 나갔는데도, 꽤나 살 만해 보였다.

그녀는 자신이 잘 우는 사람이라며 착각하고 있었다. 어렸을 적엔 시시때때로 울컥이는 감정을 눈물로 쏟아 냈으므로. 그리고 다시 안스카리우스를 만났을 때에도 그 앞에서 눈물을 뚝뚝 떨구는 것이 몹시도 자연스러운 일처럼 느껴졌기 때문이다.

그런데 지금, 그녀는 탈란타우에에게 공격받고도 우두커니 서 있기만 했다. 새로 알게 된 사실에 고통받았으나, 그 또한 제게서 눈물을 착취하지는 못했다.

그제야 그녀는 제 눈물이 안스에게만 허락된 감정이란 사실을 알았다.

수반에 손을 담갔다. 손목이 젖어 들며 약병의 윤곽이 드러났다.

티티라는 그 자리를 빤히 바라보다…… 미지근한 물을 얼굴에 끼얹었다. 어디서 물든지 모를 찡한 쇠 맛이 났다. 퀴퀴하고, 정신이 바짝 드는 맛.

고개를 들었을 때 그녀는 이미 결정을 마친 뒤였다.

티티라는 품 안으로 손을 모았다. 약병의 바깥 마개를 땄다. 여전히 밀봉된 병이 보였으나, 남은 뚜껑은 상당히 약해 보였다. 한 손으로 밀어 올릴 수 있을 만큼.

그녀는 첫 번째 마개를 꿀꺽 삼킨 뒤 몸을 돌렸다.

회랑을 지나, 건물을 지나, 다시 자신이 떠났던 큰 야외 연회장에 도착했다.

동물처럼 벌어진 제 시야에는 순식간에 교국 놈이 하나, 둘, 셋. 안스카리우스, 탈란타우에, 디아세.

티티라는 치렁대는 치마를 말아쥔 채 하인들의 동선 사이로 들어갔다.

다시 한번 위치를 파악했다.

안스카리우스는 가장 먼 회랑에서 이즈버르의 상주 하나와 진지한 이야기를 나누고 있었다.

탈란타우에는 여섯 걸음 바깥에서 빈 화주 잔을 들고 세리들의 말을 경청하고 있었다.

디아세는 인파의 가장자리에서 고개를 푹 숙이곤 아무것도 보지 않는 모양이었다. 그뿐 아니라 교국군 복장을 한 모두가 느긋하게 무관심했다. 벌써 여러 시간 평화롭게 지난 것이 그들의 경계를 낮춘 듯했다.

손안의 약병을 굴렸다.

그녀는 더 이상 희망으로 자신을 말려 죽일 수 없었다. 안스의 죽음을 완벽히 받아들인 뒤에도…… 상대가 휘두르는 가는 밧줄 하나에 기꺼이 목 졸려 줄 스스로가 두려웠다. 그것이 진실이든, 진실이 아니든 상관없었다.

문득 오래된 기억이 떠올랐다.

"그 순간 죽여야겠다고 생각했어요. 이건 내가 오트카저트와 자준다고 풀리는 일이 아니구나. 이 사람은 그냥 내가 빌빌대는 게 기쁜 거구나. 그럼 해결이 안 되지. 죽여야지."

그녀는 그때 그 소녀에서 조금도 변하지 않았다.

티티라는 손을 들어 주위에 있는 하인을 불렀다. 하인은 화주가 담긴 술병을 멋들어지게 들고 다가왔다. 그는 가까이 와선 시노드 신넬의 예의 바른 하인답게 눈을 감고, 입을 다물고, 고개를 숙였다.

그녀는 소매 안에서 부드러운 동작으로 독약을 열었다. 옛날 오트카저트를 죽일 때 단검이 팔뚝을 쓸고 나오던 감각과 비슷했다. 소름 끼쳤다.

피부에 닿지 않도록 조심하며 술병 입구에 살짝 가져다 대었다. 상대가 눈을 뜨고 있더라도 눈치채지 못할 만큼 자연스러운 동작이었다.

"고맙습니다."

하인은 그제야 눈을 뜨더니 빙그레 웃었다. 그러곤 몸을 돌려 예상된 경로로 천천히 걸어갔다.

한참 잡담을 나누던 탈란타우에의 고개가 살짝 들렸다. 화주를 든 하인에게 턱짓하는 모양이었다.

맥박이 쿵쿵 뛰었다. 제발 중간에 아무도 끼어들지 않기를. 제발 저자가 술잔을 온전히 쥐길 간절히 빌었다.

그 기도와, 인파를 뚫고 오는 이를 발견한 것은 거의 동시였다. 상대는 거칠게 인간들을 밀치며 걸어왔다.

티티라는 제자리에 못 박힌 듯 서 있었다.

아.

자신을 노려보던 디아세는 갑자기 발을 헛디딘 사람처럼 고꾸라졌다.

육중한 무게가 떨어지자, 그와 부딪힌 하인이 '어이쿠!' 소리를 내며 나동그라졌다.

쟁반 위에 있던 술병은 바닥에 떨어지며 산산조각이 났다.

디아세는 머리를 문지르며 일어섰다. 그리고 난처한 기색으로 사과했다.

"아……. 미안하다. 내가 앞을 제대로 못 봤군."

"아닙니다. 아닙니다. 제가 굼떴던 것이죠. 죄송합니다. 어서 치우겠습니다."

하인은 거듭 사과하며 유리 조각들을 주웠다.

"귀한 분들을 모시는 자리니 어서 청소해라."

"당연히 그러겠습니다."

디아세는 더 이상 그에 관심 두지 않은 채 자신을 바라보았다.

귓가에서 심장 소리가 들릴 지경이었다. 쾅. 쾅. 쾅.

그는 순식간에 제게 다가왔다.

아니, 분명히 빠르겠으나…… 제게는 느리게 느껴졌다. 습하지도 않은 날에 모든 것이 물속에 잠긴 듯 눅눅해졌다.

티티라는 머리를 감싼 채 몸을 수그렸다. 무엇이 닥칠지 알고 있었다.

겨우 머리를 보호한 순간, 어마어마한 힘이 닥쳤다.

그녀는 숨을 들이켜며 거꾸러졌다. 흙바닥으로 굴렀다. 반사적으로, 어떻게든 배를 감싸려 애썼다. 그러자 상대의 발끝에 더 강한 힘이 실렸다. 내리찍는 듯한 세기로 허리를 걷어차였다. 기침이 터져 나왔다.

곧이어 무언가가 제 멱살을 잡았다. 확 이끌려 올라갔다. 그녀는 이마를 감싼 채, 팔뚝 사이 희미한 틈으로 디아세를 노려보았다. 한 번 더 끌려갔다. 옷자락에 목이 졸렸다. 체중을 실어 그를 뿌리치려는 순간, 아주 작은 속삭임이 들렸다.

"저택으로."

잠깐 정신이 흐트러진 사이, 다시 한번 바닥에 내팽개쳐졌다. 티티라는 고통에 신음을 흘렸다. 이미 탈란타우에게 맞아 멍이 든 자리에 충격이 더해지자 한순간 눈앞이 하얗게 변했다.

그 뒤 이어진 발길질에는 다행히 힘이 실려 있지 않았다. 그러나 티티라는 연기할 필요도 없었다. 이미 입은 타박상에는 그조차도 아릿아릿한 고통이었으니까.

마침내 구타가 멈추었다. 티티라는 사지를 숨긴 벌레처럼 움츠러들었다. 정신이 깜빡깜빡 들어왔다가, 다시 나가길 반복했다.

한참 위에서 누군가의 목소리가 들렸다.

"무슨 짓인가, 대대장."

탈란타우에였다.

"송구합니다, 사제왕 탈란타우에 각하. 저 여자가 술병에 침을 뱉는 듯하여 벌했습니다."

"내 꾸준히 보고 있었는데 대대장은 뻔뻔하게 거짓말을 하는군. 존중받는 소조폴 상주에게, 하달받은 명령도 없이 이토록 과한 처분이라니."

"죄송합니다. 제가 잘못 본 것이라면 마땅히 사과를 하겠습니다."

"당연하지. 어서 일어나라, 돔니니 상주."

제 팔뚝을 꽉 움켜쥐는 손이 느껴졌다. 티티라는 반항할 힘도 없어 끌려 일어섰다.

코앞에서 마주한 탈란타우에의 얼굴은 무표정했다.

흐릿한 시야로도 티티라는 그가 '알고 있다'는 사실을 깨달았다.

처음에는 알지 못했어도 디아세의 행동을 통해 깨달은 것이 분명했다. 그런데 왜 나를 보호하는 걸까? 아, 여기서 불필요한 소란을 만들기보단 따로 죽여 버리겠다는 뜻인가…….

"상주, 꼴이 말이 아니군. 이래서야 우리의 약속이 어그러질 것 같아 아쉬워."

그러면서 탈란타우에는 주변을 돌아보았다. 방금 전까지 수다를 즐기던 사람들은 연회장 한가운데에서 벌어진 폭력에 얼어붙어 있었다. 두려워하는 시선이 스며들었다.

그는 놀랍게도 살짝 고개 숙여 인사했다.

"우리 대대장의 불찰에 용서를."

그럼에도 여전히 굳은 분위기가 마음에 들지 않는 모양이었다. 그는 잔뜩 기가 죽은 사람들을 보며 다시 한번 친절하게 굴었다.

"이런 사소한 일이 모임을 망쳐서는 안 되지. 대대장은 내가 직접 벌하겠다. 돔니니 상주에겐 보상하고. 상주, 괜찮나?"

티티라는 아찔한 시야 속에서 대답했다.

"……예."

"좋아. 그러면 내가 직접—"

"탈란타우에, 치료가 필요합니다. 그간 상주를 살핀 이프루이우

호의 선의가 있으니 그에게 맡기십시오. 또한 디아세 대대장에게
는 제가 사유를 묻겠습니다."

안스카리우스였다.

"……아, 물론. 그렇지. 그렇고말고. 총독의 책임이지요. 내 잠시
본분을 잃었습니다."

팔뚝이 스르륵 풀려났다. 그녀는 주춤거리다 바닥을 꽉 딛고 섰다.

"다만 우리 명예가 상하지 않도록 하시오."

"물론입니다. 데려가라."

티티라는 다시 누군가에게 붙잡혔다. 그러나 폭력적인 손은 아니
었다.

그녀는 그 힘에 의지하여 절뚝이며 걸음을 옮겼다. 허리를 겨우
세우자 이번엔 허벅지가 욱신거렸다.

나아지는 듯하다가도 다시 뚝 떨어지는 몸 상태에, 오락가락하며
힘들게 걸어갔다. 머리 위로 해가 비쳤다가 어두워지길 반복했다.

그녀는 곧 연회가 일어나는 회랑의 뒷길에 다다라, 떠밀리듯 작
은 마차에 올라탔다. 피로에 이기지 못하곤 의자에 몸을 눕혔다.

마차는 느긋하게 움직여 어딘가에 도착했다.

문이 벌컥 열렸다.

티티라는 주섬주섬 치마를 그러모아 땅 위로 다리를 내디뎠다.

그녀는 이 장소를 알았다.

티티라는 오후의 햇살 아래에서, 라요나의 관이 놓였던 저택으로
들어갔다.

텅 빈 저택의 홀을 바라보았다.

한 걸음, 두 걸음.

머리가 아득하여 주저앉았다.

바닥으로 독약 병이 데굴데굴 굴러 나왔다. 그녀는 가까스로 독이 제 살에 닿지 않았다는 사실을 깨달았다. 날아오는 화살을 바로 옆에서 피한 셈이었다.

아니, 그냥 만지지 그랬어. 내 팔뚝 어딘가에 베인 상처로 스며들지. 그랬다면 패배하지 않고 죽을 수 있었을 텐데.

탈란타우에를 죽이지 못해 너무 아팠다. 아직도 꿈만 같았다. 자신이 독을 바른 순간부터, 걷어차이고, 탈란타우에의 냉정한 목소리, 다시 마차에 실려 이 자리에 떨어질 때까지…… 그림 한 폭에 담길 만큼 말도 안 되는 일련의 사건이었다.

너무너무 완벽했는데. 그의 잔에 술이 담겼으면 끝장이었는데. 그는 눈치채지도 못했는데…….

왜 나를 막았어, 디아세?

물론 애초에 자신을 감시하도록 명한 것은 안스카리우스겠지만, 그녀는 디아세가 총독에게 반항하기를 바랐다.

그러니까, 자신은 이제 차라리 디아세를 믿는 편이었다. 적어도 탈란타우에에 관한 문제라면 확실히 그랬다. 사제왕들은 한 몸이고, 디아세는 연인이 살해당해 고통스러운 이였으니까. 누군가를 믿으라면 차라리 디아세였다.

날 가만히 두었으면 너도 복수에 성공했을 텐데 왜 그랬어? 아니면 이제 라요나는 아무것도 아니도록 마음을 다잡았나?

탈란타우에가 앞으로 어떻게 나올지, 거기까지 생각이 닿지 않았다.

그녀는 너무 지쳤다.

아주 많이 억울하기도 했다.

티티라는 해가 달군 바닥에 뺨을 묻었다.

"티!"

멀리서 안스가 손을 흔들었다. 뾰족한 바닷바위 뒤 벌거벗은 상반신만 불쑥 보이는 모양새가, 아무래도 갓 헤엄쳐 나온 모양이었다.

티티라는 한숨을 푹푹 쉬며 다가갔다. 이미 소조폴에서 한참 떨어진 외곽이었다. 여긴 해저 동굴이 있어 조각배도 한 척 안 들어오는데.

"왜 불렀어? 뭐 하는 거야?"

"기다렸어."

"왜?"

"써 봐."

어느새 뻗어 온 그의 손이 억지로 제 얼굴에 수경水鏡을 씌웠다. 바다거북의 껍데기를 갈아 만들었기에 적당히 앞이 보일 정도는 되었지만, 그럼에도 시야가 뿌예서 답답했다. 게다가 그가 무슨 행동을 할지 짐작이 되어—

안스가 그녀의 어깨를 감쌌다.

그리고 그대로, 풍덩.

티티라는 반쯤은 그가 그러리라 생각했음에도, 실제로 당하자 머리끝까지 화가 나 몸부림쳤다. 물에 빠뜨리는 장난을 치려고 이렇게 먼 곳까지 부른 거야?

고개를 홱 돌려 그를 보니, 맨눈을 뜬 안스가 아래를 턱짓했다.

티티라는 언짢은 기색으로 바닥을 내려다보았다.

수직으로 파인 해저 동굴에 산란하러 온 듯한 은색 농어가 가득 차 있었다. 수많은 물고기가 천천히, 고요하게 원을 그렸다.

안스를 돌아보았다. 그는 소리 없이 웃었다.

이 광경에 너무도 설렜지만, 자신은 그처럼 물을 먹지 않은 채 웃을 수가 없었다. 그래서 혼자 아등바등 흥분했다.

넋을 잃은 채 다시 아래를 내려다보았다. 늦은 오후의 햇살이 녹아들어 하얗고 푸른, 어쩌면 녹색의 바다. 깊을수록 어두워지는 것이 아니라, 다양한 층에서 알록달록하게 어우러진 그림자들, 손에 잡히는 물감들.

그녀는 멍하니 응시하다, 한순간 숨이 막혀 위로 올라갔다.

함께 물 위로 얼굴을 내민 안스가 흥분한 듯 소리쳤다.

"봤어?"

"와!"

그녀의 얼굴도 잔뜩 상기되었다. 거북이 등딱지 위로 온갖 물과 김이 서리는데도 제 기쁨을 막지는 못했다.

"멋지다!"

안스는 조금 우쭐댔다.

"난 저기 바닥까지 갈 수 있어. 보여 줄까?"

"해 봐!"

티티라는 어렸을 적 '너는 마주두에 가서 노예상들을 죽여야 한다.'고 부추길 때와 마찬가지로 상대를 충동질했다. 자신이 그럴 때마다 신이 나서 더 활개 치는 안스를 모르지 않았다.

그는 그녀에게 씩 웃어 보이곤 곧장 잠수했다.

티티라 또한 숨을 들이마신 뒤 다시 잠겼다. 그녀는 배우지도 못한 수영으로 어설프게 물장구를 치며 아래로 향했다.

어느새 안스는 동굴 속으로 몸을 쏙 넣고 있었다. 그녀는 그가 진짜로 '들어갔다'는 사실을 깨닫곤 눈만 크게 떴다.

열심히 발버둥 쳐서 동굴 입구에 가까이 갔다.

곧 반짝반짝 빛나는 수많은 비늘이 안스를 피하는 모습이 보였다. 그렇다고 멀리 달아나지는 않았다. 서로 겨우 안 닿을 자리에서 헤엄치는 작은 생물들 덕에, 마침내 모든 것이 안스를 위해 스리슬쩍 자리를 내준 듯 신기한 광경이 되었다.

안스는 그리 깊지 않은 바닥에 발을 디디곤 위를 바라보았다. 자신에게 손을 흔들어 보였다. 티티라는 그가 물고기들 사이에 끼인 돌고래 같다고 생각했다. 멋지다기보단, 아름다웠다.

그녀는 어떤 결심을 하곤 잠시 위로 올라갔다. 공기에 노출된 짧은 순간, 숨을 머리끝까지 채운 뒤 급히 잠수했다.

안스가 여전히 동굴 속에서 느긋하게 구는 모습이 보였다.

티티라는 버둥대며 아래로, 아래로, 아래로 향했다.

어설프게 헤엄치는 것도 꽤나 고역이었다. 조심성 없는 팔다리 옆으로 물고기들이 스쳐 지나갔다. 미끈하고 간지러웠다. 웃음이 났지만 애써 꾹 참았다.

티티라가 바르작거리며 거의 바닥에 다다르자, 안스가 손을 뻗었다. 꽉 잡았다. 당겨 주었다. 발가락 사이사이로 모래가 스며들었다. 어느새 그의 팔에 단단히 고정되었다.

위로 지나다니는 농어 떼의 배는 새하얗고 통통했다. 인간들이 몸을 움직일 때마다 파들파들 피하다가도 곧장 되돌아올 정도로 어리석은 게 귀여웠다. 모든 움직임이 남부의 햇살에 누그러졌다.

물결마다 색이 다른 바다. 흘리고 섞였다. 근사하게 빛났다.

그녀는 그의 손을 잡아당겼다.

그 큰 손 위에 썼다.

[멋져!]

안스는 씩 웃더니 —대체 물속에서 어떻게 웃는 걸까?— 자신을 끌어안은 팔에 힘을 주었다. 그런 뒤 다른 손으로는, 바깥으로 향하는 길에 어느새 우글우글 모인 물고기 떼를 헤쳤다.

그가 물을 밀어내는 힘은 그녀 정도의 짐 덩이는 충분히 들 수 있을 만큼 강했다. 티티라는 그가 다리를 뻗을 때마다 주욱 뜨는 몸을 느끼고는 아연한 채 매달렸다. 불청객들의 어마어마한 속도에 깜짝 놀란 지느러미가 그들의 얼굴을 치고 지나갔다.

그들은 순식간에 물 위로 올라왔다.

안스는 크게 숨을 들이켜더니 헐떡이는 자신을 돌아보았다.

"거봐. 호흡 달릴 줄 알았어."

티티라는 쌕쌕거렸다. 눈앞에 김이 찼다. 그러자 손이 뻗어 와 껍데기를 벗겨 내 주었다.

"고집 피워서 들어오긴."

그녀는 마침내 숨을 되찾고 웃었다.

"⋯⋯그래도, 좋았어!"

안스는 이상한 표정으로 자신을 바라보았다. 곧 고개를 절레절레 젓더니 개구리처럼 뭍으로 헤엄쳐 갔다.

그녀는 훨씬 느리게 그를 따라갔다. 움푹 들어온 만灣이라 파도가 세지 않았는데도, 안스가 계속 자신을 돌아보는 바람에 조바심이 났다. 느렸다가, 버둥댔다가, 다시 느렸다가……

그들은 마침내 모래톱 위로 올라왔다.

그녀는 푹 젖은 옷을 쥐어짜며 투덜거렸다. 모든 동작이 어설펐기에 뭍에 올라오고도 성공한 느낌이 들지 않았다.

"아, 힘들어."

"물을 밀어내는 법을 모르니까."

"아무튼 소조폴엔 전부 말리고 들어가자. 이게 뭐야, 다 비쳐."

"그 정돈 아냐."

"멀쩡히 잘 입고 온 사람을 냅다 물에 던졌으면서 말이 많아."

"익숙하면서 투덜대지 마."

그녀는 그 경악할 만한 뻔뻔스러움에 그의 등을 때렸다. 짜악! 손바닥이 달라붙는 소리가 우렁찼다.

"아파!"

"그러게 나도 물에 뛰어들기 전 벗을 시간을 좀 줬어야지."

"그냥 입은 채로 말리면 되잖아!"

티티라는 물론 그가 그러는 이유를 알고 있었다. 제가 옷 벗는 모습을 보고 싶지 않았겠지. 한숨을 푹 쉬곤, 모래사장 위에 팔다리를 벌리고 누웠다.

"다른 애들도 부르지 그랬어."

"싫어. 내가 발견한 거야."

"참 나."

"그리고 너만 보여 주고 싶었어."

"……"

목을 살짝 들어 보자, 그의 귓가가 벌개져 있었다.

티티라는 다시 퍽 하고 모래에 머리를 떨구었다.

"그래, 고마워."

이렇게 멋진 걸 함께 보고도 그 광경에 대해 이야기하는 게 아니라, 안스의 감정에 대처해야 하는 게 조금 싫었다.

"티, 어땠어?"

뭘 묻는 걸까? 동굴일까? 아니면 감정에 대한 대답일까?

"뭐가?"

"방금 본 거 말이야."

티티라는 조심스레 말했다.

"정말 멋있었어. 난 그림도 못 그리는데 그리고 싶어졌어."

안스는 기쁘게 웃었다.

"좋아. 그러면 나중엔 이즈버르 앞바다에 있는 것도 보여 줄게."

"난 나이 찰 때까지 못 나가잖아."

"그래도 그게 평생이겠냐? 게다가 어차피 네 첫 항해엔 내가 있을 테니까, 언제가 됐든."

티티라는 대화를 이어 나가며 조금씩 안심했다. 불안한 생각을 지운 채 즐겁게 대답했다.

"좋아. 마음에 들었어."

제 얼굴을 빤히 바라보던 안스가 갑자기 미간을 좁혔다.

"그런데, 그땐 조금이라도 좋으니 수영 배워 둬. 이렇게 개판일 줄 몰랐어."

"뭐? 잘만 들어갔는데."

"그건 수영이 아니라 발버둥이지. 넌 나 아니었으면 저 바닥에서 못 올라왔어."

티티라는 부루퉁해졌지만 딱히 반박할 말이 없었다. 자신이 헤엄을 잘 못 치는 것, 그리고 안스가 수영의 귀재라는 것은 명백한 사실이니까.

"네가 알려 줘, 그럼."

"우스페히 씨한테 혼나서 싫어."

안스가 몸을 웅크렸다. 티티라는 제 손자국대로 벌겋게 달아오른 등을 바라보았다. 웃음이 터졌다.

"그치만 난 너한테 배우고 싶은데. 당장!"

그녀는 무릎으로 걸어가 안스의 등을 짚었다. 문신과 함께 벌건 살을 꼼꼼하게 문질렀다.

"안 지워지네."

"그거 그만 좀 해라."

"수영 알려 줘, 응? 내일부터."

그의 고개가 살짝 들렸다. 손가락 사이로 눈이 보였다. 그녀는 기회를 놓치지 않고 물었다.

"나보다 우스페히 씨가 더 중요해?"

안스는 눈을 굴렸다.

티티라는 다짐하듯 양손을 가슴에 모았다.

"열심히 배울게. 네가 날 가르칠 수 있는 기회가 날마다 오는 줄 알아?"

안스는 콧김을 푹 내뿜더니 말했다.

"티, 사실 우스페히 씨랑 상관없어."

"그분은 솔직히 너무해서. 내가 바다에 빠져 죽으면 어쩌려고—"

"그분이 뭐라 하셨든 상관없다니까. 우스페히 씨는 우스페히 씨지. 내게 좋은 가르침을 주는 분일 뿐이야."

티티라는 그를 빤히 바라보았다. 생각보다 안스와 가까웠다.

그는 천천히 중얼거렸다.

"너는 내가 돌아갈 곳이고."

그녀는 반사적으로 그를 팍 밀쳤다가, 우물쭈물 수습했다.

"아니, 안스, 그거랑 달라."

"어쨌든 너와 우스페히 씨는 비교도 안 돼."

"아니, 아니……."

"그러니 네가 바란다면 가르쳐 줘야겠지만…… 싫어. 아직은 일러. 지금은 아니라고. 네가 스물이 넘어 정식으로 상선商船의 관리자가 되면 그때."

티티라는 당황했던 감정을 지우고 홱 몸을 돌렸다.

"한참 뒤잖아? 굳이, 왜?"

"넌 지금 수영을 배우면 수평선까지 헤엄쳐 나간다고 할걸."

"그게 뭐? 너도 등대까지 가잖아?"

"그래. 그러니까 네가 좀 덜 무모해질 때……. 그때 알려 줄게."

그녀는 인상을 찌푸렸다. 정원의 귀한 식물을 다루는 듯한 안스의 태도가 마음에 들지 않았다. 솔직히 불쾌했다.

"내가 너 아니면 배울 곳이 없는 줄 알아?"

"있어?"

다시 한번 언짢아졌다. 확실히, 우스페히 씨를 거역하고 자신에게 무언가를 알려 줄 사람은 없었다.

티티라는 기분이 상해 몸을 돌렸다. 벌떡 일어선 뒤 물이 뚝뚝 떨어지는 옷자락을 비틀었다.

등 뒤에서 목소리가 들렸다.

"기분 나빴다면 미안한데, 솔직히 네가 홧김에 행동한 적이 한두 번이 아니잖아. 지난번에 이즈디한테 도전받아서 단검을 공중에 던지고 받았던 거, 그거 진짜 위험했어."

"그래서 수영을 안 가르쳐 주시겠다? 내가 갑자기 물에 풍덩 뛰어들까 봐?"

"그렇게 말하면 어떡해? 이젠 그다지 친구도 아닌 애들이랑 떠들다가 항상 한 걸음 더 나가는 건 너잖아."

"어쨌든 내가 다 이겼는데?"

"그럼 어떻게, 질 때까지 할 거냐?"

"야—"

"아무튼 애들이 네가 수영 못하는 건 알아서 안 건드리는 거야. 그건 그대로 두려고."

'그건 그대로 두려고'? 티티라는 자신을 관리하듯 말하는 안스가 짜증스러웠다. 옷에서 꾹꾹 물기를 빼내다가 휙 뒤를 돌아보았다.

안스는 어느새 일어서 있었다. 자신보다 훨씬 크고 뼈대가 굵은 소년이었다. 다만 그 위, 어린 시절의 싹에서 불쑥 자라난 듯한 얼굴이 제게 혼란을 주었다. 내게 우리는 여전히 일곱 살에 머물러 있는 것 같은데.

소년이 자신을 내려다보았다.

"티, 그러면 무모하게 행동하지 않겠다고 약속하는가. 네가 말하면 믿을 테니까."

티티라는 코웃음을 쳤다.

"됐어. 너한테 안 배워."

"그럼 어쩌려고?"

"네가 했던 것처럼 할 거야. 포르트니 동굴 근처에서 애들 하는 거 보고 배워야지."

"……거긴 남자애들이 많잖아."

"진짜, 넌! 신경 끄시지!"

안스는 한숨을 쉬며 다가왔다. 헛짓거리 하기만 해 봐. 티티라는 만반의 준비를 하며 몸을 굽혔다.

그러나 막상 그가 자신을 안자 쭉 힘이 빠졌다. 그의 팔은 마치 모든 공격을 무력화시키는 마법 같았다.

안스는 아무 짓도 하지 않았다. 단지 정직하게 자신의 어깨를 감싸 안고 중얼거릴 뿐이었다.

"내가 그걸 싫어하면 안 돼?"

온몸의 피가 뭉쳤다가…… 부드럽게 풀려나는 듯 저릿저릿했다. 이상하게도 잔뜩 긴장되었던 몸이 어설픈 고백에 녹아내렸다.

티티라는 스스로를 잘 이해하지 못한 채 잠자코 서 있었다.

"티, 네가 무모하게 굴지 않겠다고 약속하면 알려 줄게. 그러면 무슨 미친 짓을 하더라도 내가 생각나서 멈추겠지."

몸을 떼곤 그를 바라보았다.

똑바르고, 반듯하고, 건강한 표정. 그렇게 맑고도 어쩐지 선을 넘고 싶어 하는 표정.

티티라는 입을 열었다.

"난 약속 못 해."

티티라는 헐떡이며 몸을 일으켰다.

눈앞에 안스가 보였다.

그는 더 이상 곧고 담담한 인상이 아니었다.

분노를 담아, 일그러진. 아니, 그 감정을 발라내 봤자 어차피 바닥부터 거칠 수밖에 없는 인간.

완전히 똑같은 눈을 가지고도 두 동강 난 듯 다른 삶이 되다니.

"티."

티티라는 이를 악물고 물러났다. 턱 하고 벽에 부딪혔다. 여기가 어디지? 나는…… 연회에서…… 아, 저택에서…… 마지막에는 바닥 위로 무너졌는데.

"죽고 싶나."

고개를 들어 상대를 바라보았다. 어스름이 져 어두컴컴한 방에 그 혼자 앉아 있었다.

티티라는 대답하지 않았다. 대답할 필요를 느끼지 못했다.

그녀는 몸을 돌려 침대 밑으로 내려가려 했으나, 팔뚝을 꽉 잡혔다. 당기기보단 고정시키는 힘이었다.

"나가서, 탈란타우에에게 죽을 테냐?"

그녀는 짜증스레 팔을 빼내려 했다.

머릿속이 엉망이었다. 탈란타우에를 죽이는 데 실패한 것이 가장 큰 구멍을 만들었지만, 옆에 숭숭 난 빈자리들도 그와 똑같이 자신을 괴롭혔다. 예컨대, 안스카리우스에게 감쪽같이 속은 자신이라든가…….

"놔."

"내가 탈란타우에를 수습할 때까지—"

"당신이 나한테 무슨 관심이 있다고."

그의 손아귀 힘이 조금 풀렸다.

"티, 지금은 실랑이할 때가 아니야."

저 말투에 여러 번 속았지.

"앞으로는 '티'라고 부르지 마. 그냥 전부 되돌리자. 탈란타우에가 죽인다면 죽는 거고, 재판이 잘 끝나면 소조폴로 돌아가는 거고……. 아, 당장 내일을 생각하기가 너무 힘이 드네. 이게 다 무슨 의미가 있나."

티티라는 느슨해진 그를 뿌리쳤다.

곧장 침대를 벗어나려다가, 아직도 두들겨 맞아 욱신거리는 몸에 멈칫했다.

그녀는 제 몸 이곳저곳을 눌러 보았다. 결론이 났다. 아직 멀쩡하게 뛰기는 어렵겠군. 이 꼴로 뭘 할 수 있겠어.

그녀는 그를 등지고 누웠다.

이렇게 눈을 감은 뒤 다시는 깨지 않길 바랐다. 앞일을 떠올릴 때마다 힘겨웠다. 그나마 가능한 수를 절박하게 썼음에도 탈란타우에를 죽이는 데 실패했지. 이제 제겐 세상을 바꿀 힘이 전혀 없었다. 항상 삶을 분별 있게 다루던 몸이었기에, 이 상황이 더욱 쓰라렸다.

"티."

그녀는 더 이상 답하지 않기로 했다.

그에게 쏟은 감정이 무가치했다. 속아 넘어간 스스로를 탓할 뿐이었다.

나는 과거에 저지른 잘못을 되새기며 아무것도 못 하는 쓰레기야. 완전한 실패작이고. 사팔뜨기 눈을 가졌으니 내게만 세상이 비틀려 있지. 다들 멋지게 해내는데, 나 혼자 바닥없이 익사해. 돌아갈 시기는 이미 지난 지 오래야. 저 먼 땅까지 타고 갈 배가 안 보인다고. 그래서 이렇게 빠져 죽나 봐.

그때, 갑자기 누군가가 끌어당겨, 몸이 홱 돌아갔다.

그녀는 눈을 감은 채 찡그렸다. 상대가 제 오른팔을 잘라도 가만히 있을 예정이었다.

"내가 탈란타우에는 건드리지 말라고 했지."

"……."

"가까스로 보호했더니 혼자 불구덩이에 쳐들어가는군."

와.

티티라는 눈을 떴다.

순식간에 분노가 치밀어 숨이 거칠어졌다.

"다시 말씀해 보세요."

안스카리우스는 침상을 향해 반쯤 몸을 숙인 채였다. 주변은 그의 눈 색도 잘 보이지 않을 정도로 어두웠지만, 차라리 그래서 다행이었다.

그녀는 순수하게 증오를 드러냈다.

"네가 나설수록 상황이 악화된다. 내가 알아서 한다고 하지 않았나."

가슴이 들썩거렸다. 나는 정말로 너를 믿었는데……. 아무리 내가 바보라지만, 세상이 바보에게 지키는 의리도 있는 법이야. 그런데 이건 정말…….

티티라는 짓씹듯 속삭였다.

"당신은 죽어도 탈란타우에와 한 몸이겠지."

그는 움직이지 않았다.

"더 할 말 없어. 지옥으로 꺼져."

그녀는 상체를 일으켰다. 여전히 몸이 아팠지만, 역겨워서 더 이상 이 자리에 있을 수가 없었다. 길거리에서 구걸을 해도 이보단 나을 것이다. 다시는, 다시는 저 낯짝을 보고 싶지―

"티티라 돔니니."

티티라는 소름이 돋아 뒤를 돌아보았다.

안스카리우스는 이미 양손으로 얼굴을 감싸고 있었다. 자신이 바라던 대로 그의 눈이 안 보였는데도, 갑자기 어마어마하게 불안해졌다.

침대 앞에 웅크린 괴물 같았다. 넓은 등이 서서히 부풀어 올랐다. 힘없이 놓여 있던 팔꿈치가 꽉 조여들어 이불을 뜯었다. 무엇이라도 잡으려 버둥대는 꼴이었다.

목을 찢는 듯한 신음이 흘러나왔다.

"아……."

얼굴을 가렸던 손은 이제 목을 감쌌다. 그의 일그러진 시선이 하얗게 질려 있었다. 극심한 고통에 한순간 자신을 잃어버린 것처럼 눈이 풀려 있었다. 미쳐서 같은 자리만 빙글빙글 도는 짐승.

그가 몸을 움푹 숙였다. 이내 기침을 하듯 허리가 들렸다. 허리에 이어 점차 가슴이 들리다가, 얼굴이 올라오기 전에 바닥으로 미끄러졌다. 의자가 함께 무너져서 요란한 소리에 귀가 얼얼했다.

티티라는 급하게 침대 가장자리로 기어갔다.

"괜찮아?"

스스로의 목젖을 잘라 입을 닫치게 만들고 싶었다.

그녀는 바닥으로 내려갔다.

다리도 자르고—

그녀는 그에게 팔을 뻗어 어깨를 감쌌다.

팔도 찢고—

더듬거리며 그의 얼굴을 찾아냈다. 제대로 냉정을 차리지 못하는 시선과 마주치자 콧등이 시큰거렸다. 순식간에 눈물이 그렁해졌다.

눈도 뽑아내야지—

그러자 제 몸에 남은 구석이 없었다.

그녀는 배신감과 죄책감, 분노에 몸을 내주었다. 그러자 그것들이 빨려 나간 마음이 기괴하게도 정직해졌다.

'티티라는 안스카리우스가 고통받는 모습을 지켜볼 수 없었다.'

그녀는 깨달음에 아연하여 순간적으로 그에게 기댔다. 그 역시 고통에 흔들렸으니, 서로가 서로를 쓰러지지 않도록 지탱했다는 말이 더 옳을 수도 있었다.

온몸이 불덩이처럼 뜨거웠다. 그에게서, 제게서, 혼란스러운 공기에서 식은땀이 났다.

"아, 윽…… 컥!"

티티라는 흠칫 놀라 어떻게든 그를 도우려 했다. 갈 곳 잃은 손에 축축한 것이 튀었다.

피…….

그녀는 어쩔 줄 모르고 일어서려 했다. 누구라도 불러와야 했다.

그러다 팔뚝을 꽉 쥐었다.

"가지 마."

난폭한 숨소리가 들렸다.

티티라는 눈을 비비며 더듬거렸다.

"당신, 이렇게 매번, 이딴 식으로는 안 돼. 비겁해……."

그는 다시 고통을 견디는 듯 바닥으로 쓰러졌다. 카펫이 움푹 파였다.

"차, 차라리, 칼로 허벅지를 찌르지. 그럼 아픈 이유라도 알지……."

"……."

"제발……."

안스카리우스의 몸이 경련했다. 움찔거리다가, 부들부들 흔들렸다. 점차 강도를 더해 가는 지진 같았다.

티티라는 벌벌 떨며 그의 등에 손을 얹었다. 그는 제 손이 튕겨 나올 정도로 고통스러워했다. 머리가 하얗게 변했다.

그녀는 결국 그를 뒤에서 껴안았다.

그가 움직일 때마다 더 꽉 부둥켰다. 도움이 되긴커녕 오히려 그에게 업힌 꼴이었지만, 절대 떨어질 생각이 없었다. 그의 등에 이마를 비볐다. 고통의 한 조각이라도 나누고 싶었다. 그가 흔들릴 때마다 자신에게 칼이 박혔으면 좋겠다. 이 부모 없는 개자식도 죽고, 나도 죽었으면.

한참 뒤…… 마침내 그의 숨이 규칙적으로 잦아들었다.

티티라는 그 사실을 눈치채자마자 몸을 일으켰다. 곤두선 채 급하게 그의 뺨을 움켜쥐었다.

눈이 마주쳤다.

제 시선은 눈물에 얼룩져 있었지만, 그에게도 고통이 고여 있기는 마찬가지였다.

그녀는 가까스로 입을 열었다.

"……내 이름을 부르지 말라고 했을 텐데."

안스카리우스가 어렴풋이 웃었다.

"네가 돌아보지 않았잖아."

"……미친, 미친 자식……."

"내 얘길 들어."

"그딴 소릴 하려고 지금……."

"티, 내 얘길 들어."

"……."

"탈란타우에가 무슨 소리를 지껄였나? 네게 헛짓거릴 한 건 분명한데."

"……."

"티, 내게도 해명할 기회를 주면 좋겠다."

"내가 안 듣겠다면?"

"어쩔 수 없지. 티티—"

"악!"

티티라는 크게 소리 지르며 그를 바닥으로 밀쳐 냈다.

"하지 마!"

안스카리우스는 맞은 어깨를 문지르며 그녀를 바라보았다. 시선은 꽤나 정직했다. 아니, 어쩌면 제 약한 마음이 그를 정직하게 보고자 하는 것일지도 몰랐다.

"티, 혹시 탈란타우에가 사제왕들은 서로 불가분의 관계라 하던가? 그러니 총독이 무슨 사탕발림을 했든 네가 속고 있는 거라 설득했나?"

"……."

"그리고?"

티티라는 입을 다물었다. 고개를 숙였다.

그러자 손에 말라붙은 핏자국이 보였다. 아까 전 정신 없을 때에는 아주 조금 튀었다고 생각했는데, 지금 보니 양 손바닥이 전부 피범벅이었다…….

"어쩐지 둘이 오래 사라졌다고 생각했지."

"……."

"탈란타우에는 널 끊임없이 제 권역에 끌어들이려 했다. 물론 실패했지만. 마침내 내가 대리인 소존데와 협의하여 널 증인으로 등록하자 크게 분노하더군. 그 앙금이 남아 네게 이상한 설명을 한 모양이다."

티티라는 피 묻은 손을 바라보며 말했다.

"……당신이 소조폴에서 머물렀단 사실이 밝혀져도 아무 영향 없다던데."

잠시 침묵이 흘렀다.

이내 안스카리우스가 한숨과 함께 대답했다.

"탈란타우에가 내 과거를 알고 있군. 아니, 그는 처음부터 알고 있었어."

"……."

"이제야 이해가 된다. 그가 바로 나를 소조폴에서 데려온 장본인이군. 그러니 나를 추궁하기보단 너를 노렸겠지. 기억조차 없는 인간이 대체 왜 옛 친구를 곁에 두었나……."

티티라는 그가 헤매도록 둘 생각이 없었다.

"그래서, 당신이 소조폴에 머무른 게 밝혀져도 문제가 없단 건 뭐야?"

"티, 나는 방금에야 탈란타우에가 진실을 숨겼다는 사실을 깨달았다. 그런데 내가 그걸 어떻게 알아."

안스카리우스의 말투는 자신을 마치 달래는 듯했다. 어이가 없어 인상을 찌푸렸지만, 상대는 같은 자리에서 반쯤 웅크린 채 미동도 없었다. 몸을 움직이지 못할 정도로 깊은 생각에 빠져 있는 것 같았다.

"안스카리우스."

그가 문득 놀란 듯 시선을 들었다.

"설마 지금, 당신도 아무것도 몰랐으니까 거짓말을 한 게 아니란 거야?"

"나는……."

안스카리우스는 혼란스러워 보였다.

"탈란타우에가 숨긴 비밀은 알지 못했고…… 어쩌면 법황은 내 과거를 알리라 생각했지. 아니…… 이렇게 내뱉으니 이상하군. 사실 진심으로 각오하진 못했던 것 같다. 법황이 늘 내게 무관심하기에 아버지께서 잘 숨기셨으리라 믿었다. 법황의 성정이라면, 시노드 신넬 출신에게 그렇게 냉엄하지는 못했을 텐데……."

그는 처음으로 제 앞에서 말을 흐렸다.

티티라는 제 손바닥 위에 말라붙은 핏자국과 그의 수선스러운 얼굴을 번갈아 바라보았다.

"말도 안 돼. 적어도 탈란타우에는 의심했어야지. 그 인간은 초대 총독이었잖아. 당신이 바다를 건너왔다면 누구 덕분이겠어?"

"너를 만나곤…… 그러니까, 내 과거를 안 뒤 처음으로 의심했다. 하지만 그는 시노드 신녤인들을 경멸하여 불신자처럼 죽인 인간이야. 내 삶을 알았다면 당장 내 누이에게 사제왕 위를 넘기라 강요했을 것이다. 적어도 그리 믿었다."

전부 틀렸다.

티티라는 그가 탈란타우에에 대해 전혀 모르고 있다는 사실을 깨달았다. 당혹스러웠다.

자신이 본 탈란타우에는 본인을 제하면 모두를 경계하고 증오하는 인간이었다. 시노드 신녤인이기에 누구를 더 증오하고, 증오하지 않고…… 이런 기준은 그에겐 너무도 불필요했고, 귀찮기까지 한 요소였다.

어쩌면 안스를 제하고.

안스를 이야기할 때의 그의 얼굴은 분명히 이상한 데가 있었으니까…….

"아버지는 이해할 수 있다."

그녀는 흠칫 놀라 고개를 들었다. 그는 자신을 바라본다기보단, 아무것도 없는 허공에서 헤매는 듯했다.

"그분께선 나를 사랑하시니, 내가 에드스나 군도에서 어린 시절을 보냈다고 거짓말을 하셨겠지. 어쩌면 누이도 이해할 수 있다. 그녀는 신앙심 깊은 사람이므로, 아우의 수치스러운 과거를 숨겨야만 했을 거다. 그런데…… '탈란타우에'? 그가 안다면 법황이 모를 리가 없는데……."

"……."

"왜……?"

"……."

"이 흘레한 놈들이 대체 무슨 목적으로 내게 총독 위를 안겨 보낸 거지?"

그는 갑자기 바다 한가운데 떨어지게 된 사람의 표정을 하고 있었다. 갈피를 못 잡고 일그러졌다가, 생각하느라 온 힘이 풀렸다가, 다시 경계하는 맹수처럼 변했다.

티티라는 오늘 겪은 수많은 일에도 불구하고…… 조금 마음이 흔들렸다.

결국 그녀가 먼저 말을 건네려는 순간, 그가 손을 들었다.

"이건 내 문제다. 너는 당장 탈란타우에로부터 숨어야 한다. 재판까지만이라도."

티티라는 방금 전까지 약해졌던 마음을 잊고 이를 드러냈다.

"당신 문제? 내 문제기도 하지. 시시콜콜 탈란타우에게 다 고자질해 놓고서 이제야 그를 경계한다고?"

"사제왕들은—"

"서로 한 몸이시라고? 그래. 잘 붙어먹고 살아라."

"티, 우리는 교국으로 돌아가면 언제라도 법황에게 트집을 잡혀 죽을 수 있다."

"그 소리도 지겨워. 그냥 죽어!"

"하지만 내게 의존하는 친족들과 어린아이들은……."

"아, 아이?"

"아직 문신도 못 지은 어린아이들."

"……당신 자식도 아닌데 무슨 상관이야?"

"하지만 난 그 애들이 고작 열 살에 문신을 지우고 비척거리는 꼴을 보기가 싫다."

티티라는 입을 다물었다.

개자식, 어린애들을 좋아하지도 않았으면서…….

"그렇게 어린 나이에 너무한 일이다. 그게 생존이란 명목하에 행해지는 것도 기괴하다."

"……."

"더 이상 그런 짓을 하지 않으려면 탈출구가 있어야 해. 우리에겐 시노드 신넬이 필요하다. 시노드 신넬에선 법황령조차 제약이 되지 않는다. 우리는 정말로 이 땅을 좋은 터전으로 생각하여 너희와 함께 일굴 예정이다."

"……."

"공동의 목적이 있다면, 단순히 다투었다는 이유만으로 형제에게 등을 돌릴 수는 없겠지. 내가 탈란타우에와 함께한 것은 그 때문이다."

티티라는 멍하니 듣다가 정신이 번쩍 들어 쏘아붙였다.

"아, 그래? 그럼 또 탈란타우에에게 가서 솔직하게 말하고, '티티라 돔니니'라는 이름을 부르라고 협박이나 들어. 혼자만 애틋하게 사랑하는 꼴이 같잖기도 해라."

"티, 그 또한 유일한 자식이 있다. 그녀에게도 시노드 신넬은 필요하다."

"지겨워. 자기 연민에 빠진 당신들 헛소리."

"내가 어떻게 해야 믿어 주겠나?"

그는 조금 떨어진 자리에서 꿈쩍도 하지 않았다.

티티라는 그가 스스럼없이 다가오던 얼마 전과 달라 보인다는 사실을 깨달았다. 입맞춤은커녕 온기도 없었다. 그는 절대로 제게 손을 대지 않을 작정인 듯했다. 진지해질수록 내빼는 낯짝이 누군가와 닮아 있었다.

결국 답답한 기색을 지우지 못한 말이 이어졌다.

"라요나는…… 너를 보호하는 데 급급해 그 아이에게 신경 쓰지 못했다."

"그걸로 당신 탓을 한 적은 없어."

"탈란타우에게 협조를 구한 것에는 결국 네 핑계를 댈 수밖에 없군. 그편이 너를 보호하는 데 더 도움이 되리라 생각했다."

"'보호'받길 원한 적도 없는데."

문제는 전혀 풀리지 않았다.

그는 대화를 포기한 듯했다. 한숨 쉬며 이마에 손을 얹었다. 그림자 진 시선이 기울어 있었다.

이내 느린 목소리가 흘러나왔다.

"그럼 어떡할까……. 그를 죽일까?"

티티라는 움찔 놀라 몸을 뒤로 물렸다.

"사람을 죽이는 건 차라리 쉬운 일이지."

그에게 지겨운 듯한 표정이 떠올랐다. 자신을 향한 감정이라기보단, 그저 살인이란 단어에 따라오는 즉각적인 반응 같았다. 마치 이전에 사람을 아주 많이 죽여 보기라도 한 것처럼.

티티라는 혼란스러웠다. 그는 한순간 사제왕들을 애틋하게 여기는가 싶더니 지금은 지친 표정을 하고 있었다. 모든 일이 피곤하고, 의미가 없어지는 어떤 막다른 길에 다다른 듯했다.

그녀는 그리 오래되지 않은 기억을 떠올렸다.

안스카리우스는 26구 언덕에서 자신을 발견한 뒤 꽤나 허탈했다고 말했다. 오랫동안 찾고도 그다지 기쁘지 않았다고.

텅 빈 무언가를 가까스로 감싼 의무감들, 의무감에 가까운 연민들.

그는 이제 양손으로 이마를 짓누르고 있었다.

"문제는 그 뒤 이어질 삶이고."

"……"

"네가 어디까지 감당할 생각인지 모르겠다. 라요나의 일은 안되었지만, 너도 자살할 생각은 없지 않나. 혹시 내 권력을 믿고 있다면……"

그가 허탈하게 웃었다.

"잘못된 생각이라는 점을 지적해 주고 싶군. 바를라암이 위명을 떨친들, 적은 나머지 스물하나다. 결국 난 대양에 수장水葬되어 가문만큼은 살리거나, 내륙으로 도망쳐 모든 사제왕들을 배신하거나. 둘 중 하나를 선택하게 되겠지."

안스카리우스는 침대에 피곤한 듯 기대 있었다. 그렇게 덩치가 크고도, 깃발처럼 날리는 의지가 없어 패배한 병사 같았다. 두터운 고개가 밑으로 기울자 도저히 보고 있기가 힘들 정도였다. 대체 처음 만났던 그 오만한 인간은 어디로 가고, 이렇게 찢어진 종이만 남아 있나.

티티라는 약한 사람을 만날 때마다 힘이 솟았다. 그가 자신에게 고압적이었을 땐 분개했지만, 저 모습을 보자 갑자기 모든 화가 녹아 사라졌다. 반나절 전 독약 병을 열었던 열기가 다시 돌아왔다.

그녀는 자신이 무슨 말을 하는지도 몰랐다.

"탈란타우에를 죽이고 나랑 도망갈래?"

안스카리우스의 눈이 커졌다.

익숙한 시선이 깜빡이다가, 이내 미소 지었다.

"내가 왜?"

아.

순식간에 정신을 차렸다. 저도 모르게 웃기지도 않은 소리를 한 것 같았다. 앞에 있는 사람은 잔뜩 연약해져 있다고는 해도, 여전히 사제왕이자 총독이었다.

입을 꾹 다물었다. 말을 되돌릴 방법이 없었다.

안스카리우스가 몸을 틀었다. 자신에게로, 천천히…….

그의 손이 뻗어 와 제 눈썹을 만졌다.

피부가 아니라 잔털에 닿듯, 살살, 아슬아슬하게 어루만졌다. 빛이 내리쫴 온기가 느껴졌다. 제게 머문 손끝이 아니라…… 얼굴을 덮을 정도로 큰 손에서…….

티티라는 꼼짝도 못 했다.

그는 여전히 웃으며 물었다.

"탈란타우에를 여기에 두고, 나와 떠나는 건 어떤가?"

"……."

"법황은 시노드 신넬에 한 사제왕이 오래 머무르도록 두지 않는다. 그러니 나도 몇 해 안에 교국으로 돌아가야 한다. 그때 날 따라오는 건?"

티티라는 반사적으로 대답했다.

"어쨌든 탈란타우에도 교국으로 돌아오게 될 텐데. 아무 소용 없는걸."

내뱉어 놓고 소름이 오스스 돋았다. 내가 저 사람을 따라가는 것이 고려해 봄직한 선택지라, 교국에 탈란타우에가 돌아올 게 걱정되는 거야?

안스카리우스도 똑같은 사실을 눈치챈 것 같았다. 그가 웃음을 꾹 참는 모습이 보였다. 티티라는 얼굴이 붉어졌다.

"나는 탈란타우에를 죽이려 한 너를 보호할 수 있다. 그럼에도 걱정된다면, 대체 무슨 짓까지 저지르려고."

"……."

그의 손이 뺨으로 내려가더니, 결국 어깨를 감쌌다. 자신을 끌어당겼다. 티티라는 주춤거리다 그 품으로 쓰러졌다.

"교국에선 네게 괜찮은 삶을 안겨 줄 수 있겠지."

그는 겸손하게 말했다.

티티라는 갈피를 잡지 못했다. 안스의 복수를 하기 위해 탈란타우에를 죽이려 했는데, 당장 눈앞에는 안스카리우스의 친절한 품이 있었다. 그는 분명 안스와 다른 사람이지만…… 한편으론 그저 새로운 친구에게 기대어 더 이상 괴롭지 않고 싶은 마음도 컸다…….

티티라는 그를 밀어냈다.

그는 여전히 반쯤 기대어 있는 그녀를 가늘게 내려다보았다.

"……당신은 탈란타우에에게 끌려가 당신 아버지에게 인계되었대. 그렇게 사제왕 위를 승계하자, 시노드 신넬에서의 기억이 교국을 해칠까 봐…… 기억을 잃었을 수 있댔어."

"그래."

"놀라지 않네."

"내 눈을 가린 것은 믿음이었다. 탈란타우에— 아니, 사제왕들에

대한 믿음. 그걸 제한다면 자연스레 추론할 수 있겠지."

"어…… 이게 끝이야. 난 더 이상 아는 게 없어."

티티라는 '안스의 기억을 되살릴 방법을 알려 주겠다.'고 말하던 탈란타우에를 애써 무시했다. 자기가 죽이려 한 이상 그는 절대로 도움을 주지 않을 테니까. 그저 간절한 이를 놀렸을 뿐일 텐데, 그 가벼운 문구에 휘둘려 아쉬워하고 싶지 않았다.

안스카리우스가 고개를 조금 더 숙였다. 숨이 가까웠다.

"그런데?"

티티라는 몸을 빼내려 했지만 가로막혔다. 어느새 그의 손이 단단히 허리를 껴안고 있었다.

그녀는 자포자기한 사람처럼 말했다.

"탈란타우에에 대한 건 물론이고, 이젠 안스와의 기억도 다 말해 주었잖아. 당신이 총독으로 남아 있는 몇 해 동안 서로 이야기할 거리가 있으면 신기할 지경인데, 많은 시간이 지난 뒤 교국에서라면 대체 우리 사이에 뭐가 남아 있겠어."

"네게 궁금한 게 있어 데려가려는 게 아닌데."

티티라는 눈만 되록되록 굴렸다.

다시 한번 빠져나가려 했다.

갇혔다.

그녀는 가까스로 내뱉었다.

"놔."

"내가 요새 옛날에 대해 묻기는 했고?"

"일단…… 놓고……."

"모른 체하려는 건지, 정말 모르는 건지 알 수가 없군."

티티라는 그가 제게 가진 감정이 무엇인지 잘 몰랐다. 겉으로 드러난 잎사귀가 애정이라 하더라도, 그 뿌리는 분명 잃어버린 기억에 대한 갈증이었다.

그걸 정말 '애정'이라고 부를 수 있나?

입이나 배를 맞추는 건 너무도 단편적인 일이지. 그가 자신을 인간적으로 좋아해서 스며드는 것인지, 아니면 제 모든 기억을 삼키기 위해 덤비는 것인지 구분하기 어려웠다.

물론 제 눈앞의 총독도 그것들을 똑똑히 구분하리라곤 생각지 않았다…….

그들은 서로 혼란스럽게 말을 던지고 있었다. 무엇인지도 모른 채 단지 곁에 붙여 두고 싶어 더듬거렸다.

티티라는 목을 가다듬었다.

"총독님, 저는 여기서 나고 자랐어요. 그러니 이 땅에 묻힐 거예요."

"……."

"제가 이상한 소리를 하는 바람에 저희 모두 난처해졌네요. 그만합시다."

그녀에게 공대는 그와 자신 사이를 가르는 편리한 도구처럼 느껴졌다. 무슨 짓을 하더라도 그에게 예의 바르게 대하기만 하면 순식간에 지배자와 일개 시민으로 바뀔 수 있다고 믿었다.

때문에 이제 그가 자연스레 자신을 놓아줄 줄로만 알았다.

그녀는 빠져나오려 몸을 비틀었다.

그러나 꼼짝도 하지 않았다.

양손으로 그의 가슴팍을 밀치다가 당황해서 손을 뗐다. 단단하면서도 무른 느낌이 이상했다. 물론 그러고도 지지 않고 팔뚝을 쥐어

뜯었다. 이것 좀, 놔!

앞이 잘 보이지 않았다. 방이 캄캄해서이기도 하지만, 그보단 그의 어두운 품에서 떨어지기가 너무도 어려웠기 때문이다. 마지막으로 기억하던 안스는 절대 이 정도 힘이 아니었는데, 지금은 단순히 붙잡혀 있는 것만으로도 압박감이 들었다.

그녀의 가슴이 크게 들렸다. 깊고, 거칠고, 짧은 숨. 온몸이 팽창했다가, 줄어드는 느낌. 불 옆에 떨어진 작은 주머니쥐 같았다. 발끝 하나만 잘못 디뎌도 녹을 듯한 열기에 한순간 냉정을 잃었다.

티티라는 주먹을 휘둘러 그의 얼굴을 때렸다. 자세가 엉망이라 힘이 세지는 않았지만, 그가 멈칫할 정도는 되었다. 그 순간 몸을 뒤로 빼내어 그의 가랑이 사이를 밟으려 했다.

그러나 상대가 더 빨랐다. 휙 둘러매였다. 숨을 들이켜는 순간 이미 아찔한 충격에 정신을 차릴 수 없었다. 붕 떴다가, 얻어맞듯 침상 위에 떨어졌다.

티티라는 눈을 꽉 감은 채 고통을 참았다.

이내, 더듬더듬 말했다.

"죄송합니다. 좀 당황해서……."

그녀는 압박감에 반응했다. 시야가 좁아지자 유일한 탈출구로 가는 길에 안스카리우스 홀로 서 있다고 생각했다. 저놈을 물리쳐야 도망갈 수 있을 것만 같았다.

그러다 얼굴을 한 대 갈기고서야 정신을 차렸다. 습관적으로 공격을 이어 갔지만, 그 수가 이미 잘못되었음을 느끼고 있었다. '마아 줘야 하는데.' 그가 반격하여 차라리 다행이었다.

눈을 도로록 굴려 옆에 선 안스카리우스를 올려다보았다. 그의 표정에는 별로 달라진 구석이 없었다. 아, 웃음기만큼은 사라진 뒤였다.

그래도 저 얼굴에 상처가 안 남아서 다행이야……

티티라는 양손으로 얼굴을 덮어선 아직도 헐떡이는 숨을 진정시켰다. 자신이 왜 이렇게 흥분했는지 도무지 알 수가 없었다. 그가 접근하는 게 문제라면, 지금까지 웃기지도 않는 입맞춤에 멀쩡했던 건 어떻게 된 거야. 그저 껴안고 몸을 기댔을 뿐인데.

그러나 그녀는 아직도 큰 그림자와 압박감이 두려웠다.

그 생각을 짓씹는 순간 갑자기 숨이 막혔다.

어이가 없어 웃음이 났다.

그녀는 숨도 못 쉬면서 꺽꺽대며 웃으려 했다. 물론 그건 완전히 글러 먹은 짓이었다. 그나마 남아 있던 호흡을 내보내자 폐부가 말라붙었다. 몸이 오그라들고, 얼굴을 덮었던 손까지 어떻게든 주인을 살려 보려 목을 쥐었다. 눈앞이 하얘졌다.

다음 순간, 배에 끔찍한 고통이 닥쳤다.

동시에 겨우 숨통이 트였다.

티티라는 기침을 터뜨리며 옆으로 굴렀다. 잠시 기댔다가 겨우겨우 엎드렸다. 침상에 몸을 뭉갰다. 버르적거리며 이불을 쥐어뜯었다.

제 등 뒤로 그의 목소리가 떨어졌다.

"나는 '안스'처럼 네게서 도망가지는 않는다고 했지."

그녀는 대답하지 않았다.

"그러니 너도 더 이상 피할 수 없다고. 그만 땅에 고개를 처박으라고 했다."

"……"

"친구를 죽이고도 여전히 똑바로 이야기할 줄을 몰라."

티티라는 어두컴컴한 시야 속 작은 먼지를 노려보았다.

"같이 시노드 신넬에 머물자고 제안한 것은, 나를 네 아래에 두어야만 비로소 마음 놓을 수 있기 때문이겠지. 내가 정반대로 묻자 사색이 되는 꼴이 볼만하더군. 나를 원하는 것이 아니라 네 아래에 있어 안심이 되는 어떤 증거를 원했을 테니."

"……."

"내 그토록 신뢰를 얻고자 간청했는데 너는 단 한 순간도 귀 기울이지 않았다. 설득되었다간 패배한다고 믿었을 것이다. 이제 혼자 구렁텅이에 처박혀도 차라리 그편이 행복한가 보군."

"……."

"방금 숨이 막힌 것도 영 이유를 모르겠다고 하겠지. 갑자기 꼴이 우스워졌다고, 그게 이유 없는 고통이라도 되는 듯이……. 나는 분명한 의도를 가지고 자해하면서 멍청하지 않다고 주장하는 꼴을 더 이상 보기가 힘들다."

티티라는 여전히 얼굴을 들지 않았다.

안스카리우스의 걸음 소리가 한 발자국 멀어졌다.

"내 약속은 진실 되니, 달아나지 않겠다는 말은 여전히 유효하다. 널 포기할 생각은 없다."

"……."

"하지만 네 고집을 다 들어주다간 내 손에 시체만 남을 것 같군."

그녀는 아무 말두, 아무 생각도 하지 않았다. 그의 말을 마주하길 거부했다.

"너는 재판 때까지 이 방에서 나갈 수 없다."

"……."

"재판에선 내일 받는 서류 그대로 발언해라. 허튼 생각을 했다간 네 소조폴 상단의 씨를 말리겠다. 오늘 전갈을 보내 모두 투옥시킨다. 날이 잘 드는 처형대를 준비해 둘 것이다."

그는 더 말을 잇지 않고 떠났다.

한참 동안, 잠긴 방 안에서 쌕쌕거리는 숨소리만 울려 퍼졌다.

안스는 아침 햇살이 눈을 찌르는 가운데 깨어났다.

이곳에 온 지도 벌써 여러 달이 지났다.

그는 천장을 바라보며 얼마 전 있었던 작은 승계식을 떠올렸다.

자신은 디아딜로테와 함께 바를라암의 집무실에 들어갔다. 책상 위에 위엄 있게 놓인 가문 계승록을 내려다보았다. 귀한 흑단 나무 표지 위로 월계수가 새겨져 있었다.

몸을 숙여 관찰하려 했으나, 바를라암이 책장을 거칠게 넘기는 바람에 실패했다. 하마터면 이마를 긁힐 뻔했을 정도로 급한 움직임이었다.

투덜거리려 했지만 분위기가 영 엄숙했다.

한 장에 쓰인 이름은 몇 개 되지 않았다. 심지어 장 수도 그렇게 많지는 않았다.

사르륵 넘어간 종잇장들 뒤로 마침내 바를라암— 아니, '아버지'의 이름이 나타났다.

[일라예스 다나메온 바를라암]

바를라암은 제게 펜을 건넸다. 말없이 오른쪽의 빈자리를 가리켰다. 안스는 '어떻게 해라'라는 설명을 전혀 듣지 않았지만, 무엇을 해야 할지 알고 있었다.

그는 빈 공간에 자신의 이름을 썼다.

[안스카리우스 드라수스 바를라암]

그 위로 바를라암의 낮은 목소리가 깔렸다.

"사제왕은 두려워 말라. 디아딜로테 세메라 바를라암의 입회하에 주께 섬김과 인내를 맹세하라."

이건 또 무슨 개소리냐고 생각했다.
그러나 속내와 달리 고분고분히 말했다.

"네. 맹세합니다."
"이름."
"안스카리우스 드라수스 바를라암."

옆에서 디아딜로테가 슬며시 웃는 모습이 보였다.
곧 그녀의 웃음이 빙글빙글 돌아 제 이름이 새겨진 책과 함께 사라졌다. '이걸로 정말 끝난 건가요?' 제 멍청한 질문도 기억 사이에서 메아리처럼 왕왕거리다 희미해졌다.

다시 새로운 시간 속의 디아딜로테가 떠올랐다.

그녀는 교국인의 표본 같은 차림새로 바를라암 관 앞에 서 있었다. 자신이 이제 카르달리아스로 떠나니 한동안은 혼자서 몸을 철저히 관리해야 한다고 충고했다. 어딘가 아파서 '터지기라도' 하면 곤란하니 말이지.

그녀의 말은 얇은 회초리 같아 따끔거리면서도 기분이 그다지 나쁘지 않았다. 처음으로 친구도 적도 아닌, 무풍지대의 동료를 만난 것만 같았다.

디아딜로테는 이 주 동안 그토록 극진하게 자신을 간호하고도 뒤도 돌아보지 않고 떠났다. 이후 편지 한 통 없었으나, 바로 엊그제 카르달리아스의 특산품이라는 우둘투둘한 과일을 보내왔다. 그는 쪽지도 없이 궤짝에 한가득 실린 과일을 보곤 웃음을 참지 못했다.

상념을 마친 안스는 자리에서 벌떡 일어났다.

침대맡에 잘 씻어 놓은 못생긴 과일을 쥐었다. 건성건성 뜯어 먹으며, 어젯밤 바닥에 던져 둔 책들을 줍기 시작했다.

이런, 책 제목만 봐도 골치가 아팠다. 밤에 외운 것들이 다시 폭포수처럼 머리에 쏟아졌다.

바닥에 널브러진 잡동사니들을 더 이상 거두지 않은 채 비척비척 욕실로 기어 들어갔다. '죽겠다'와 '살겠다'를 반복하며 누군가 받아 둔 뜨거운 물에 풍덩 빠졌다.

사람이란 정말 약해 빠졌나 보다. 안스는 이제 자기가 '나무통'에서 몸을 씻었던 적이 언제였는지 잘 기억이 나지 않았다. 이렇게 기분 좋은 풀 냄새가 나는 물이 아니라면 대체 어떤 물에서 몸을 헹구었는지도 잘 기억이 나지 않았다.

몹시도 안락한 데다, 제 몸을 넣고도 남을 정도로 거대한 대리석 욕조에 완전히 적응해 버렸다. 지금까지 수영으로는 소조폴 누구에게도 지지 않았는데 이젠 그냥 이 따뜻한 고랑에 둥둥 떠 있고만 싶었다.

그렇게 한참을 뭉개던 와중, 누군가 문을 두드리는 소리가 들렸다.

한 가지 더 바뀐 것, 그는 '사용인'들에게 익숙해졌다. 물론 여전히 어색해했지만, 적어도 수치심은 조금 덜 느끼게 되었다. 그러니까 목욕 중에 이렇게 외칠 수도 있는 것이다.

"들어와요!"

물론 그렇게 말하고도 물에 쑥 들어가 숨긴 했다. 등 또한 욕조 벽 위로 꾹 눌렀다. 하인들은 절대로 자신의 맨몸을 보지 않지만, 걱정과는 별개의 감정이었다.

그보다 이렇게 편리하게 사람을 부리는 자신이 조금쯤⋯⋯.

'쪽팔려.'

⋯⋯그럼에도 대답하지 않으면 곤란해지는 건 저쪽이었다. 제가 무엇이라도 된 양 바짝 엎드리니 말이다.

저 너머에서 문이 열리는 소리가 들렸다.

"사제왕 탈란타우에 각하께서 접견을 요청하고 계십니다."

안스는 당황한 채 대답했다.

"어, 아직은 안 되는데."

"예, 좌하, 각하께 잠시 기다려 주시길 부탁드리겠습니다."

안스는 허둥지둥하다가, 문득 자신이 탈란타우에도 '기다리게 만들 만큼'의 인간이 되었다는 사실에 아연해졌다.

탈란타우에를 만나는 것은 교국에 들어온 뒤 처음이었다. 그렇기에 이전과 비교할 기회가 없었는데, 지금 이 순간, 자신은 올가미에 목 졸려 이프루이우호에 들어왔던 소년과 너무도 다른 존재 같았다.

그는 허탈한 심정이 되어 욕조에서 걸어 나왔다.

가운을 걸쳤다. 으슬으슬한 기운이 들 정도로 곱게 직조된 천이었다. 그렇기에 제 등의 상처를 스칠 때, 소름이 돋았다. 덜 아물어 여린 피부에 누군가 손자국을 내는 것만 같았다.

안스는 부르르 떨며 자기가 벗어 놓았던 바지에 다리를 끼워 넣었다. 위에 걸칠 것이 있나 두리번댔지만, 엉망인 방에서 멀쩡한 상의를 찾기란 불가능에 가까웠다.

그는 머리를 쥐어뜯다가—

아! 내가 탈란타우에를 세워 둘 수 있을 정도면, 좀 벗고 있어도 뭐라 할 순 없겠지?

안스는 살짝 열린 문 사이로 올라오시라 외쳤다.

그러곤 킬킬대며 엉성한 가운을 졸라맸다. 지금 제 방은 갓 폭풍에 얻어맞은 꼴이었으니, 탈란타우에를 꼭 이곳에 초대해 모욕을 주고 싶었다.

문이 벌컥 열렸다.

석 달 만에 보는 탈란타우에였다.

그의 인상은 여전히 친절한 듯 야비해 보였다. 아니, 이전보다 마른 것 같기도 했다. 그래서 더 친절하고, 더 야비해 보였다.

탈란타우에는 눈살을 찌푸린 채 엉망인 방을 둘러보았다.

"비좁은 선실 이상의 방은 감당하지도 못하는군."

안스는 한숨을 쉬며 대답했다.

"오랜만에 만났는데도 전혀 변한 게 없군요."

탈란타우에는 바닥에 깔린 책들을 툭툭 걷어찼다. 제 말에 대답하기는커녕, 들을 생각이 있는지조차 의심스러웠다.

"오늘 소조폴의 네 짐을 들고 왔다. 이따 정리 정돈을 지휘하도록."

난데없이 대화의 주제를 내팽개치는 꼴도 이전과 똑같았다. 아주 성의가 없었다.

안스는 더 이상 그의 태도에 신경 쓰지 않기로 했다. 저딴 건 타고난 거야. 고칠 수가 없어.

물론 상황이 변하긴 했으니, 딱 하나, 물어보고 싶은 것이 있었다.

"저는 언제부터 '사제왕'인 거예요? 제가 '사제왕'이 되면 당신도 그런 말투, 더 이상 못 쓰지 않나?"

탈란타우에가 인상을 팍 찌푸렸다.

"속이 좁군."

"어이가 없네요."

"승계는 어디까지 진행이 되었지?"

"가문 계승록에 이름을 썼어요."

"그리고?"

"바를라암이 준비가 되면 알려 준다고 했는데, 정확히 무슨 '준비'인지 이해를 못 했습니다. 가문을 정리하고 법황청에서 인가를 받는다나? 솔직히 저도 지금까진 전혀 신경 안 썼는데, 당신 때문에 알아봐야겠단 의욕이 드네요."

탈란타우에는 읽기 어려운 표정으로 자신을 응시했다.

"너는 이미 사제왕이다."

"뭐?"

안스는 반사적으로 인상을 찌푸렸다.

"다만 바를라암이 말했듯 신민에게 공인받기 위해선 법황의 인가가 필요하지. 계승자가 직접 법황청에서 의례도 치러야 하고 말일세."

"그래서 내가 사제왕이라는 거예요, 아니에요?"

"가문 계승록에 이름을 썼으니 사제왕이다. '사제왕 바를라암.' 이렇게 불러 주어야 만족하겠느냐? 유치하군."

"그러면 말 똑바로 해, 미친 늙은이."

탈란타우에가 우뚝 멈췄다. 책을 밀어내던 발이 멈췄다.

그가 잠시 뚜하게 자신을 바라보더니, 픽 웃는다.

"그 말을 하고 싶어서 얼마나 참으셨나."

"계속 이럴 거야."

"버릇 들면 어쩌려고? 우리는 서로를 존중해야 하는 사제왕인데."

"당신 말투나 먼저 고치시지."

"사제왕이 되어서 처음 하는 일이 마음에 안 들었던 놈에게 막말을 하는 것이라니, '바를라암'이란 성이 서럽겠습니다. '사제왕 바를라암.'"

안스는 빈정거리는 말투에 짜증을 내려다가 자신을 부르는 호칭에 멈칫했다.

탈란타우에 또한 그의 어색한 감정을 알아차린 모양이었다. 그가 반복했다.

"사제왕 바를라암."

안스는 자기도 눈치채지 못한 사이, 뒤로 한 걸음 물러났다.

상대는 약점을 잡은 듯이 빙그레 웃었다.

"사제왕 바를라암, 조만간 법황을 접견해야 하는데 이런 호칭에 당황해서야 되겠습니까? 그 자리에서 법황이 당신에게 어떤 말을 지껄일 줄 알고요. 그자는 필시 계승자의 출신을 알고 있을 테니, 별별 질문들을 감당해야 할 겁니다. 결심을 꽉 붙드십시오. 알겠습니까, 사제왕?"

"……."

"……."

"……."

"……이렇게 빨리 물러서면 어떡하나. 진짜로 걱정이 되려 하는군."

"……."

"그리고 진심으로 충고한다. 앞으로 다시는 그런 차림으로 사람을 맞이하지 말게. 등을 지졌을 텐데 용기가 좋아. 대체 바를라암은 자식에게 뭘 가르친 건가? 멜로스 로불레호에 있을 때와 하나도 다를 게 없는 놈이라니."

탈란타우에는 자신이 쪼그라들자마자 함께 가라앉았다.

그는 더 이상 압박하지 않고 성큼 걸음을 옮겼다. 이 방에 와 본 적이 없을 텐데도 자연스럽게 걸어가 옷장을 찾았다. 그 안에서 얇은 셔츠 하나를 꺼내 제게 던졌다.

"입어라. 나와 대화하다가 누군가 들어오기라도 한다면 곤란해진다."

아스는 욕설을 중얼거리며 옷을 받아 입었다. 그의 말마따나, 제게는 아직 지운 문신을 숨기려는 자세가 부족했다.

부스럭대는 제 옆에서 탈란타우에의 목소리가 들렸다.

"안스카리우스. 내가 벌써 몇 번이나 너를 만나길 요청했는데…… 바를라암이 거절하더군."

"……."

"그 인간은 아직도 탈란타우에가 사제왕들의 주도권을 쥐었다는 사실에 적응하지 못하고 있다. 시노드 신녤 점령 이전처럼, 바를라암이 모두의 대변인 여할을 하리라 착각했겠지. 그러니 그토록 경멸하며 대양으로 내보낸 인간을 따르기는 죽기보다 싫을 터."

그가 혀를 크게 찼다.

"물론 그럼에도 그가 이토록 비이성적으로 행동할 줄은 미처 몰랐다. 너를 먼저 선물한 것이 꽤나 후회될 정도야. 대체 아들을 돌려준 값으로 문전박대를 당하는 경우가 어디 있나."

탈란타우에의 말에는 날이 서 있었다. 안스는 셔츠를 동여매며 그를 바라보았다. 그의 표정을 확인하고 싶었다.

그러나 탈란타우에는 눈이 마주치자, 준비하기라도 한 듯 미소 지었다. 방금 전 독설을 내뱉은 사람이라고는 상상하기 힘들 정도였다.

"별수 없지. 결국 바를라암에게 더 열심히 빌었다. 천문청에서 한몫 쥐는 데 도움을 줄 테니 부디 당신 아들을 만나게 해 주시오. 애달프지 않나?"

"천문청이요? 아…… 그 바다에 몰려 서 있는 곳들?"

"그래. 내가 목숨 걸고 바다를 넘어와 얻은 정보를 공유할 예정이다. 어차피 법황은 물론이고 사제왕들도 모두 알게 되겠지만, 바를라암이 가장 먼저 가질 수 있도록 했다. 그는 사제왕 위를 내놓는 대신 천문청의 조언자로 들어가게 될 거야. 한 치도 손해 볼 생각이 없는 인간이니까."

"……."

"네 아버지가 너를 너무 급하게 입적한다는 생각이 들지는 않더냐? 바를라암의 자리가 흔들리는 마당에 네 누이, '광신자'를 사제왕으로 세우기가 그간 얼마나 두려웠겠어. 그 마음을 이해해 봐라. 그런데 이제 적당히 사리에 밝은 아들도 구했고, 덤으로 천문청도 감시할 수 있게 되었지."

안스는 짜증스레 내뱉었다.

"'광신자'라는 소리 하지 마요. 디아딜로테는 괜찮은 사람이에요."

"문신도 못 숨겨, 네 쓸모없는 누이는 높이 평가해. 대체 언제 사제왕 위에 걸맞게 행동할는지."

안스는 그의 모욕을 무시했다.

"그렇게 지껄여 봤자예요. 그동안 날 만나고 싶어서 퍽 애가 탔나 보죠."

"아, 그래. 만나서 네 '파견'에 관해 이야기하고자 했다. 법황에게 승계 인가를 받으면 너는 곧 바를라암이 다스리는 지역 중 한 곳에 나가야 한다. 그 건을 논하며 바를라암이 같잖은 제안을 할지도 몰라서, 그가 천문청에 정신이 팔려 있는 사이 만나려 했다."

"당신보다는 제 '아버지'가 저한테 더 신경 쓰지 않을까요?"

"지난 한 해간 너를 완전히 책임진 나를 믿겠나, 아니면 가문에 눈이 뒤집힌 바를라암을 믿겠나?"

치아과 치아이었다.

"진짜 싫다."

탈란타우에는 비웃지 않았다.

대신 자신을 진지하게 바라보았다.

"나는 너를 동반자로 생각하고 있다."

"……."

"이미 이야기를 들었겠지만, 너는 파견에 다녀온 뒤 바로 총독 위를 이어받게 될 거다."

"……."

"파견은 북부로 가라. 법황의 지배력이 가장 약한 곳이다. 미리 경고하는데 바를라암이 교읍지 근처를 추천할 수도 있다. 그건 안 돼. 그가 너를 휘하에 넣기 위해 가까운 곳을 추천하는 것뿐이고, 장기적으로는 악수惡手다."

그는 한 마디, 한 마디를 힘주어 이야기하고 있었다.

안스는 인상을 찌푸린 채 서서, 자신이 철없는 스무 살짜리라는 것을 다시금 절절하게 깨달았다. 아무리 배워도 보잘것없었다. 심지어 모르는 세계에 대해서라면 더더욱…….

"네 노력 여하에 달렸지만, 북부로 가면 강인한 바를라암 지역군을 부릴 수 있다. 가끔 들불처럼 일어나는 불신자들, 화적 떼들, 짐승들…… 다 네 책임이 될 거다. 네가 훌륭하게 행동하면 수많은 정예가 너를 따라 교읍지로 오겠지. 더 나아가 대양을 함께 넘을 수도 있고."

"……."

"게다가 유독 탐욕스러운 법황의 대리인들은 절대 빈곤한 북부로 가지 않으므로, 비교적 청렴한 대리인들과 협력하여 지역을 다스릴 수 있다는 장점도 있다. 그러니까…… 종합적으로 네 몸은 좀 힘들겠지만, 북부는 교국을 배우기에, 또 너 스스로를 갈고닦기에 좋은 곳이다. 바를라암이 가문을 쥐고 있는 상황에서 무기를 만들어 와야 한다."

"계속 '아버지'를 경계하라고 하는데, 저는 잘 이해가 안 갑니다."

"그가 너를 해치지는 않을 것이다. 하지만 너를 본인처럼 만들 거야. 속으면 안 된다."

"본인처럼 만들어요? 그게 왜 나쁜 거죠?"

"그럼 그게 좋아 보이나?"

"……."

"한 가지 묻지. 내가 너를 고치려 든 적이 있던가?"

안스는 굳이 거짓말을 하지 않았다.

"아니요. 당신은 그런 사람은 아니잖아요."

"흔쾌히 대답해 주어 영광이로군."

"그리고 저도 거기에 따를 사람은 아니고요. 제 아버지란 작자가 무슨 짓을 하든 세뇌되지는 않을 거예요."

"바를라암은 나와 다르지."

"절 왜 이렇게 당신 편으로 끌어들이려 하는지 잘 모르겠네요. 당신 딸도 있잖아요?"

"내가 딸과 동시대의 동반자가 될 수는 없잖나. 너는 이미 사제왕이고."

"……."

침묵이 흘렀다.

탈란타우에는 한숨을 쉬더니, 같은 이야기인 듯 다른 이야기를 시작했다.

"이렇게 복잡한 짓을 하느니 가끔은 법황의 입에 독을 처넣고 싶다는 생각이 든다.”

“……”

“이방인의 독을 먹여야겠어. 난다 긴다 하는 녀석들도 다른 대륙의 해독법은 모르니 꽤 쓸 만하겠지.”

“그래 봤자 다른 법황이 승계하면 상황은 똑같을 텐데요.”

“잘 알고 있군.”

그는 빙그레 웃었다.

“그러니 우리에겐 시노드 신넬이 필요한 거야.”

“……”

“이를 위해 너는 적어도 오 년간은 교국을 배워 가며 밑바닥에서 굴러야 하고. 또 어차피 밑바닥에서 구른다면 성과를 낼 수 있는 북부로 가는 편이 합리적이겠지. 이해했나?”

“생각해 볼게요.”

“그래. 네가 왜 그 고생을 해 가며 여기까지 왔고, 왜 네 문신을 불로 지졌는지 기억하길 바란다.”

탈란타우에는 인사도 없이 몸을 돌렸다.

안스는 조금 당황하여 한 걸음 앞으로 나섰다.

“벌써 갑니까?”

그는 고개를 끄덕이며 문을 열었다.

“이제 내가 너를 만나는 것은 자유다. 용건은 끝났으니, 조언이 필요하면 사람을 보내라.”

탈란타우에는 왔던 것만큼 빠르게 떠났다.

폭풍에 뺨을 얻어맞은 기분이었다.

안스는 닫힌 문을 보며 의미 없는 욕설을 몇 번 읊조렸다.

그러나 듣는 사람이 자신밖에 없고, 그래서 기분 나빠지는 사람도 자신밖에 없다는 사실을 깨닫고는 자포자기했다.

그는 잠시간 탈란타우에가 던진 제안에 대해 생각하다가, 곧 내팽개쳤다.

제게는 그보다 훨씬 중요한 일이 있었기 때문이다.

안스는 옷을 차려입고 저택의 정문으로 걸음을 재촉했다.

탈란타우에가 전했던 소식대로 어마어마한 양의 짐마차들이 줄지어 서 있었다. 바를라암 관의 책임자가 당황한 듯이 자신을 바라보았다.

"사제왕 탈란타우에 각하께서 선물하셨습니다. 그런데 '선물'이라기엔 너무도 질이 좋지 않아, 어떻게 할지 말씀을 주시면 좋겠습니다. 처분할까요?"

'처분하게 해 달라'는 얼굴이었다.

안스는 콧방귀를 뀌곤 멋대로 권력을 부렸다.

"빈방 있어요?"

"물론입니다."

"다 보관해 줘요."

"예."

그는 어색하게 고개를 주억거렸다.

안스는 상대를 본체만체하며 마차 안을 확인했다. 소조폴에서 떠날 때 확인했던 제 물건, 티티라의 물건들이 모두 멀쩡히 있었다.

그는 만족하여 물러났다. 짐을 옮기기 시작할 때 꼭 불러 달라고 당부하며 안으로 들어갔다. 그들이 본격적으로 일에 착수하기 전, 아침이라도 먹을 생각이었다.

그는 콧노래를 부르며 홀을 가로질렀다. 이제 제게 위압감을 주기는커녕, 아름다운 관이었다.

그러다 이상한 것을 발견했다.

안스는 휘적휘적 걸어가다가 우뚝 멈췄다. 다시 뒤로 돌아갔다.

정원으로 가는 문이 활짝 열려 있었다. 그것은 이상할 일이 아니었으나, 정원 구석에 굴러다니는 항아리는 확실히 미심쩍었다. 하인들이 절대 저런 꼴로 내버려 두지 않았을 텐데?

그는 재빨리 방향을 돌렸다. 언제부터 '집안' 꼴에 신경을 곤두세우게 되었는지 모르겠다. 한편으론 우스웠지만 걸음을 늦출 생각은 없었다.

그는 항아리를 세워 놓곤 주변을 둘러보았다. 평소와 똑같았다. 정원을 이리저리 오갔다. 정원 손질용 작대를 주워 넓은 덤불 사이를 쿡쿡 찔러 대기까지 했다.

그러다 뭔가 걸리는 것이 있었다. 의아한 채, 그러나 여전히 지루함을 숨기지 못한 채 관목을 빙 돌아갔다.

한순간 심장이 내려앉았다.

베오메네스가 덤불에 기대어 앉아 있었다.

눈이 감긴 채였다.

순식간에 손이 떨렸다. 죽었나? 죽인 건가? 어떻게 바를라암 관에서? 누가?

누구긴, 누구겠어?

갑자기 화가 치솟았다. 이제야 탈란타우에가 왜 바득바득 바를라암 관에 방문했는지 깨달았다.

하지만 제 감정에 취해 있을 때가 아니었다.

"여기!"

안스는 외쳤다.

그리고 베오메네스의 다리를 잡아당겨 바닥에 완전히 눕혔다. 그는 마치 잠에 들기라도 한 듯 평온해 보였다. 가슴에 귀를 대자— 한순간은 그가 죽은 줄 알았다. 한참이나 심장 소리가 들리지 않다가, 겨우, 한 번.

안스는 손을 벌벌 떨며 베오메네스의 뺨을 툭툭 쳤다.

"여기, 의사 불러요!"

한 번 더 소리를 높이자 주변이 시끄러워지는 것이 느껴졌다.

안스는 어쩔 줄 모른 채 베오메네스를 붙잡고 있다가, 누군가에게 붙잡혀 일어섰다. 제 부름을 받은 사람들이었다.

그러다 문득 베오메네스의 부풀어 오른 귓가를 발견했다.

"이방인의 독을 먹여야겠어. 난다 긴다 하는 녀석들도 다른 대륙의 해독법은 모르니 꽤 쓸 만하겠지."

깨달음은, 도박과 같았다. '알아냈다'는 희열이 왔다가도 바로 다음 순간 자신이 잘못 본 것은 아닌가 하는 의심이 들었다.

하지만 생각보다 입이 먼저 달려 나갔다.

"박하를 가져와! 잎, 잎사귀! 달여서!"

더듬거렸으나, 몇몇 사람들이 알아듣고 빠르게 떠나는 모습이 보였다

안스는 바닥에 주저앉았다. 사람들을 밀치고 무릎으로 베오메네스에게 다가갔다.

칼을 달라고 외쳤다.

안스는 독이 발린 칼을 든 해적과 싸우느라 '말디비 독'의 해독법을 잘 알고 있었다. 첫째, 음독하자마자 귀밑을 붓게 만드는 피를 빼 줘야 하고, 둘째, 박하 잎을 달여 먹여야 했다.

물론 숙련자도 반 이상 실패하는 시술이지만…… 지금 당장은 다른 방법이…….

안스는 선원 시절 세 명을 구하지 못했고, 한 명을 살렸다. 걸어 볼 만한 확률이었다.

그는 칼을 들었다.

누군가 영리하게도 들고 온 불에 칼끝을 담갔다. 안스는 날을 달구며 심호흡을 했다. 떨리는 손을 최대한 진정시켰다.

마침내 칼을 빼내어 베오메네스의 부풀어 오른 오른 귀 아래로 가져갔다.

선원들은 입을 모았다. 이런 건 운에 달린 거라고. 안스는 여태껏 지긋지긋하게도 없던 제 운에 빌었다.

"제발……."

푸른색을 띠는 살갗이 없는지 살펴보았다. 주어진 시간이 점차 줄어들고 있었다.

안스는 반신반의하며, 겨우 발견한 자리에 칼끝을 댔다.

아주 약하게 눌렀다가…… 한순간 꾸욱 찔렀다. 이어서 살짝 위로 비껴 들어 올렸다.

검은 피가 주르륵 흘러나왔다.

안스는 헐떡이며 뒤로 나동그라졌다. 칼을 던졌다. 안도의 한숨이 절로 터졌다.

"됐어, 됐으니까……. 박하, 달인 물은 어딨어요? 빨리……."

시야 속으로 그릇을 든 채 몸을 숙이는 하인이 보였다. 그는 베오메네스를 부축하여 능숙하게 목을 축여 주었다.

"환자는…… 내 방으로 옮겨요."

"……어떤 병에 걸렸는지도 모르는데 좌하의 거처를 사용하게 할 수는 없습니다."

"옮기라고 했잖아……. 옮겨……. 내가 아는 병이니까……."

"……."

"처치는 끝냈지만, 열이 오를 수도 있어…… 바로 의사를 보내요."

"예."

안스는 자리에서 벌떡 일어섰다. 다시 손이 떨리고 있었다. 너무 긴장한 탓이었다.

베오메네스는 맥박이 정상으로 돌아온 뒤에도 정신을 차리지 못했다.

안스는 자신이 처치 시기를 놓쳤다고 생각하여 완전히 겁을 집어먹었다. 칼을 들고 뭉그적대는 동안 죽어 버린 거야. 내가 조금만 더 냉정했으면 사람 하나를 살렸을 텐데. 저자가 다른 누구도 아닌 나를 꽉 붙들고 살려 달라고 했는데…….

동시에 탈란타우에게 화가 났다. 그래, 그렇게 실없는 용건만으로 나를 찾아올 인간이 아니지. 그걸 몰랐던 것도 아닌데 멍청하게 또 속았어.

분노를 계속 곱씹다가, 수업 시간에 맞춰 자신을 찾아온 아펭글로마저 한 대 칠 뻔했다.

"뭡니까?"

아펭글로가 한 걸음 물러나며 숨을 들이켰다.

안스는 소파에 앉아 있다가 일어섰다.

"오늘은 오지 마십시오. 나가 있어요."

"베오메네스에게 무슨 일이 생긴 겁니까?"

"제발, 좀 나가 있어요."

"……"

아펭글로는 침대 위에 잠든 듯 누워 있는 베오메네스를 의심스레 바라보았다. 그러나 그답게 더 이상 캐묻지 않았다.

"무슨 일인지는 모르겠지만 진정되면 절 부르십시오. 저는 아래층에 가 있겠습니다."

안스는 대답하지 않았다. 아니, 듣지도 않았다.

아펭글로가 떠난 뒤 하인을 불러, 의사를 제하곤 아무도 들어오지 못하게 하라고 윽박지르기나 했다.

물론 그동안 자주 셋이 함께 있었으니…… 그가 베오메네스를 해치려 했다면 이미 오래전에 죽이고도 남았을 거다. 그럼에도 탈란타우에가 아펭글로를 '소개'해 주었다는 사실이 안스를 두렵게 만들었다.

그렇게 걱정과 초조에 잠긴 채 반나절…….

마침내 작은 신음이 들렸다. 고통받는 소리가 그렇게 반갑기는 또 처음이었다.

안스는 벌떡 일어나 베오메네스에게 다가갔다.

"괜찮아? 정신이 들어?"

그는 인상을 잔뜩 찌푸렸다가 겨우 눈을 떴다.

시선은 놀랍게도 침착했다. 오히려 자신보다 사태를 더 냉정하게 파악하고 있는 듯했다.

"……얼마나 지났습니까?"

목소리도 멀쩡했다.

확실히 말디비 독은 한번 해독하면 후유증을 거의 남기지 않는다. 예전에 배 위에서 치료받았던 동료도 하루 만에 벌떡 일어서 돌아다니곤 했다.

하지만 몸 상태보단, 그가 이 순간 이토록 매서운 정신을 가지고 있다는 사실이 믿기지 않았다.

"반나절 조금 넘게. 너야말로 어떻게 된 거야?"

베오메네스는 침상을 꽉 누르며 상체를 일으켰다.

"탈란타우에 각하께서 바를라암 관에 방문하셨다는 소식을 듣고 급히 정원으로 나왔습니다. 내부인이 아닌 이상 바를라암 정원에 들어올 수 없으니 문제가 안 되리라 생각했습니다."

"그런데?"

"정원에서도 가장 안쪽에 있었는데 어떻게 알아차렸는지 모르겠습니다. 누군가가 제게 달려들어 잠시 실랑이를 벌였습니다만, 제가 승기를 잡자 도망쳤습니다. 아직도 생김새를 기억합니다. 눈매가 높고…… 아, 의미 없겠군요. 어차피 누구 사주를 받았는지 알고 있으니 말입니다."

"……."

"탈란타우에 각하께서 떠나시면 좌하께 직접 보고드리려 했습니다. 더 안전한 내실로 들어가려 했는데, 갑자기 무릎에 힘이 빠졌습니다. 순식간에 정신을 잃었기 때문에 이 이상으로 설명드리긴 어렵습니다."

"……."

"저를 어떻게 살리신 겁니까?"

"'말디비 독'이었어."

베오메네스의 시선이 변했다. 그는 갑자기 귀밑을 만져, 그 자리에 두껍게 감긴 붕대를 찾아냈다. 시노드 신녤인도 아닌데 곧장 그곳을 두드리다니. 안스는 깜짝 놀랐다.

"그래……. 내가 거기를 쨌어. 소조폴에서 배를 타는 녀석이면 한두 번은 해 본 일이라. 물론 그렇게 해도 열에 아홉은 죽지만, 나는 운이 좋았다. 아니, 네가 운이 좋았다고 해야 하나?"

"저를 빨리 발견하셨으니 그 운을 시험할 기회라도 얻을 수 있었던 겁니다. 인사가 늦었습니다. 감사합니다."

"네가 다치지 않은 건 아니잖아. 미안해."

그는 대답 없이 자신을 응시했다.

안스는 그 시선을 받아 주다가, 괜히 허공으로 피했다. 조금 민망했다.

"앞으로 이런 일이 일어나지 않도록 대책을 마련해 보자. 내가 아예 탈란타우에 와 만나지 않는 건…… 아무래도 어려울 것 같아. 애초에 바를라암 관에서까지 사람을 죽이려 든 게, 나는 도저히 이해가 가지 않을 정도의 집착이라…… 이 상식적이지 않은 놈을 어떻게 대처해야 할지 모르겠다."

베오메네스는 여전히 침묵 속에 있었다. 아니, 이번에는 대답 대신 이불을 들춰 일어나려 하고 있었다.

안스는 기가 막혀 그를 말렸다.

"더 쉬어. 몸이 어떤 줄 알고."

"아니요."

그는 곧장 침대에서 내려왔다. 순식간에 하인들이 의자에 걸어 두었던 겉옷을 걸쳐 입었다.

"어딜 나가려고? 안전하지 않을 텐데."

"꽤 오랫동안 고민했습니다."

"'고민'?"

"한때는 그저 모른 체하면 될 거라고 생각했는데, 도무지 그렇게 내버려 두지 않는군요. 탈란타우에 각하께서는 사람을 부릴 줄을 모르십니다."

안스는 조금 불안한 심정으로 그가 옷차림을 가다듬는 모습을 바라보았다.

"또한 당신이 제 목숨을 구했으니……."

"대체 무슨 소리야?"

"마지막으로 하나만 여쭙겠습니다. 사제왕 위를 승계하셨습니까?"

"아, 어……. 탈란타우에가 그렇다던데? 가문 계승록에 이름을 썼으니, 남은 건 의례히 진행되는 일뿐이라고."

"좋습니다. 부디 훌륭한 사제왕이 되시길 바랍니다."

안스는 이해할 수 없었다. 베오메네스는 따지자면 침착하고 느긋한 성격에 속했다. 지금처럼 죽음에서 벗어나자마자 난데없이 떠날 채비를 할 사람은 절대 아닌 것이다. 그것도 이상한 질문들을 해 가면서…….

"사제왕 바를라암 각하."

안스는 반사적으로 대답했다.

"그런 식으로 부르지 마."

베오메네스는 무시했다.

"'당신이 찾는 자는 소조폴이 함락되던 날 밤 도이도호로 떠났다.'"

안스는 멈칫했다.

"'우스페히 상단의 주, 터르노보 우스페히.'"

온몸의 털이 곤두서는 것 같았다.

자신이 우스페히의 주검 앞에서 읽었던 편지였다. 그를 추모하며 직접 불태웠기에, 저 인간이 알 리가 없는데…….

당황하여 되물었다.

"뭐라고?"

"저는 글씨를 잘 씁니다."

"……."

"물론 군의 본분을 잊지 않습니다만."

"……."

"저는 소조폴 점령 초기부터 진압 대대에 속해 있었습니다. 그렇기에 문신을 지닌 소년을 찾으려 우스페히 상의 사람들을 죽였고, 다른 이도 많이 죽인 데다, 마침내 좌하의 얼굴을 목격했고, 글을 잘 베끼는 희한한 재주도 있어서 탈란타우에 각하께서도 일단 한 사람은 남겨 놓아야겠다는 생각을—"

"지금 무슨 소리를 하는 거야?"

"제 이야기를 들은 뒤 각하께서 저를 처형하셔서도 받아들이겠습니다. 이미 목숨 빚을 지고 있으니까요."

뺨을 얻어맞은 듯한 충격이 연달아 닥쳤다.

머릿속에서 베오메네스의 이야기들이 논리적으로 이어지지 않았다. 불가능했다.

혼란스러운 와중, 상대가 무턱대고 설명을 밀고 들어왔다.

"소조폴 점령 당시, 저희 대대는 다른 대대들과 함께 주요 상인들을 구속했습니다. 그 와중에 우연찮게도 우스페히 상단이 제 백인대 관리하에 들어오게 되었습니다."

"……."

"처음에는 관련인들을 우스페히 상관의 중앙 홀에 몰아넣고 감시할 뿐이었습니다. 그런데 갑자기 사제왕 탈란타우에 각하께서 제 백인대를 사제왕 직속으로 편입시키시더군요. 그 전령을 받은 지 얼마 안 되어 '황금 돛 상주'라는 인간과 함께 오셨고요."

"……."

"그자가 말하더군요. '저자가 맞습니다.' 각하께서 손짓하시자, 그 뒤에 서 있던 백인대장이 황금 돛 상주의 목을 베었습니다."

"……."

"굳이 그럴 필요는 없었을 텐데, 아마 원하는 것을 빨리 얻어내기 위해 극적인 효과를 사용하신 것이었겠죠. 무인도에서 당신을 앞에 두고 군인들을 직접 처형하셨듯이 말입니다."

"지금, 무슨……."

베오메네스는 옷을 단정히 한 뒤 바르게 섰다. 군인처럼, 제 앞으로 걸어왔다.

안스는 뒷걸음질을 치다가 소파에 다리가 걸렸다. 털썩 무너졌다.

"탈란타우에 각하께서 말씀하셨습니다. '문신을 지닌 소년을 찾는다. 이름은 '아스카리우스'.'"

더 물러날 곳이 없었다. 꼼짝없이 포위당했다.

"그러자 다들 표정이 변했습니다. 모른다고 부정하기에는 너무 크게 동요한 뒤라, 터르노보 우스페히로서도 빠르게 판단할 수밖에 없었을 겁니다. 결국 우스페히는 '안스카리우스'가 제 상단에 있었다고 인정했습니다."

"……."

"탈란타우에 각하께선 '안스카리우스'의 소재를 고백하면 목숨을 살려 주겠다고 선언하셨습니다. 그러나 각하께선 ―끝끝내 저를 죽이려 하셨던 것처럼― 도저히 사람을 설득할 줄을 모르십니다. 사실 저는, 눈앞에서 황금 돛 상주를 죽이고 어떻게 신뢰를 살 수 있다고 생각하신 건지 아직도 잘 이해가 안 갑니다."

"……."

"우스페히는 당연히 모른다고 말했습니다. 단호하다 못해 완강했습니다. 그러자 탈란타우에 각하께서 제게 신호를 보내셨고, 저는 명령에 따라 당장 앞에 있던 사람을 처형했습니다."

안스는 소파에 묻혀 난쟁이처럼 오그라들고 싶었다. 아니, 이미 줄어든 것 같기도 했다.

베오메네스의 침착한 눈을 바라보자 모든 것이 거짓말처럼 느껴졌다.

물론 미친 종교인인 그가 상단 사람들을 아예 죽이지 않았으리라곤 생각지 않았다. 오히려 결백하다면 놀라고 말았을 것이다.

하지만…… 이건…… 제 생각과 너무 달랐다…….

"탈란타우에 각하께선 그렇게 두 사람을 연달아 처형하신 뒤에야 일이 잘 풀리지 않겠다는 생각을 하신 듯했습니다. 저와 부관 한 명에게 우스페히를 구속하게 하고, 나머지를 바깥으로 내보내셨습니다. 그 뒤에야, '안스카리우스'라는 문신을 지닌 이는 우리의

'귀족'이고, 따라서 표류자를 구했다면 후한 대접이 기다리고 있으니, 그를 아껴서 침묵하는 거라면 생각을 고치라고 설득했습니다."

거짓말이지?

"'내가 어떻게 그 이름을 정확히 알고 있겠나? 그 정도로 우리에게 있어 중요한 사람임을 의미하겠지. 상인답게, 냉정히 판단하도록.' 제가 보기에, 우스페히는 각하의 말씀을 의심하지 않았습니다. 오히려 귀 기울여 듣는 눈치였기에, 각하께서는 희망을 품고 회유하려 하셨습니다. '안스카리우스'를 우리가 찾을 수 있다면 당신 역시 그의 지위만큼 존중받을 거라고, 당신의 도움으로 말미암아 소조폴의 모든 인간이 살 수 있으리라고 부드럽게 말씀하셨습니다."

"……"

"'제가 모른다면 어찌 됩니까?' 우스페히가 묻자, 탈란타우에 각하께선 곧장 모든 상단의 씨를 말리겠다고 하셨습니다. 단 한 사람도 빼놓지 않고 죽을 때까지 살을 발라 소재를 찾아내리라 강조하셨습니다."

"……"

"그에 우스페히는 고개를 젓곤 자기는 아는 게 없다고 말했습니다. 각하께선 실망하신 듯 더 이상 설득하지 않으셨습니다. 대신 정문을 반쯤 열고 무언가를 명하셨습니다. 곧장 비명이 울리더니 각하께서 사람 하나의 머리채를 잡고 홀로 들어오셨습니다. 그자는 버둥거렸지만 한쪽 다리가 정강이부터 잘려, 움직일수록 각하에게 끌려오게 되었습니다."

안스는 턱에 뜨거운 무언가 닿는 것을 느꼈다.

뺨 위로 눈물 자국이 느껴졌다. 언제 울었지? 그러나 시간을 따질 계제가 아니었다. 방금, 지금, 수없이, 계속 새로운 눈물이 새어 나왔다.

"각하께선 다시 한번 우스페히를 설득하셨습니다. 우스페히가 모른다고 주장하자 과다 출혈로 이미 충격 상태에 이른 인간의 입에 칼을 쑤셔 넣으시더군요."

"그만! 그만해! 알겠으니까! 그만…… 대체 왜 이러는 거야? 왜 이렇게 자세하게……"

"그래야만 각하께서 탈란타우에 각하를 더 잘 이해할 수 있으시기 때문입니다."

"아, 제발……"

"각하, 저는 처음에, 당신이 사제왕의 불순한 핏줄에 불과하다고 생각했습니다. 그렇기에 무시하고 경멸했으나, 결국 당신은 스스로를 증명하셨습니다. 바를라암이라는 가문보다 당신이 더—"

"입 닥쳐! 그만……"

"그러니 앞으로 계속 마주하실 탈란타우에 각하께서, 어떤 일까지 가능한 분인지 정확히 아셔야 합니다."

안스는 소파에서 굴러떨어졌다. 바닥 위로 뒹굴다가, 반사적으로 탁자를 짚고 일어서려 했다.

거울 속의 자신이 보였다.

교국인의 복장.

갑자기 구역질이 났다.

그는 더듬거리며, 뛰어갔다. 방문으로 향했다.

문을 열어젖히고 당장 긴 복도를 달려 나갔다.

복도 끝, 빙글빙글 돌아 내려가는 계단에 이르러 발을 헛디뎠다.

그는 계단에서 두어 바퀴 구르다가 돌로 만든 난간에 머리를 부딪혔다.

충격을 못 이긴 채 멍하니 천장을 바라보았다.

희고, 오래된, 거대한, 권력.

그는 비틀거리며 일어섰다.

그리고 바로 앞에 있는 사람과 마주쳤다.

"좌하, 무슨 일이십니까……. 아니, 대답하지 마세요."

소란을 듣고 올라온 듯한 아펭글로였다.

안스는 제 팔이 상대의 어깨에 둘리는 모습을 멍하니 응시했다. 방금 전까지 맹렬하게 달려 나왔는데, 이젠 힘없이 바라보고만 있었다.

그러다 한순간 발작하듯 그를 뿌리쳤다. 상대를 엎어뜨리고 난간을 부여잡았다. 숨이 거칠어졌다.

"이봐요."

아펭글로는 지치지도 않고 그를 돌려세웠다. 안스는 돌아보며 상대를 한 대 치려 했으나—

"안스!"

제 오래된 이름이 불려 나왔다.

안스는 제자리에 우뚝 섰다.

"일단 방으로 들어갑시다. 무슨 일인지는 모르겠지만, 적어도 안정된 자리에서 이야기를 나누는 게 좋겠습니다. 제가 조금이라도 도움이 될지 어찌 입니까?"

돌덩이처럼 서 있던 그는 다시 아펭글로에게 부축당했다.

저보다 작은 사람에게 기대어 계단 위로, 복도로 질질 끌려갔다.

그렇게 뛰어갔던 길을 되짚어 왔다.

안스는 다시 방문을 열었을 때 아무도 없기를 바랐다. 그곳에 있는 것이 텅 빈 침묵뿐이라면, 자신도 모조리 잊은 채 편히 잠들 수 있을 테니까.

그러나 방 한가운데에는 여전히 베오메네스가 서 있었다.

"무슨 일입니까, 베오메네스?"

아펭글로의 물정 모르는 질문에 안스는 다시 헐떡이기 시작했다. 도망가야 할 것 같았다.

그러나 몸을 돌렸을 때는 이미 아펭글로가 방문을 막은 뒤였다.

"누구든 말을 해야 할 것 아닙니까!"

그가 언성을 높이는 모습은 처음 보았다. 여러 달 동안의 여행과 가르침을 겪으면서 단 한 번도 그의 험악한 목소리를 들은 적이 없었는데……

아, 알 바 아니지.

안스는 아펭글로를 밀어내고 다시 밖으로 나가려 했다.

그러나 아펭글로가 제 허리를 꽉 껴안은 탓에 그럴 수가 없었다. 뿌리치는 것과 동시에 다른 쪽에서 자신을 들어 올렸다. 베오메네스였다. 소스라치게 놀라 사방에 주먹질을 하고 발버둥 쳤지만, 돌아온 것은 침대 위로 떨어지는 충격뿐이었다.

안스는 몸을 웅크렸다.

충격 속에서 움츠러들고만 싶었다.

손발이 차게 식었다. 조금 떨리는 것 같기도 했다.

내가 지금 뭘 하고 있는 거지?

"베오메네스, 사정을 압니까? 아까 당신이 쓰러졌던 것과 연관이 있어요?"

"……."

"이봐! 아무나 대답을 하란 말이야!"

"……시간이 많진 않으니까."

베오메네스는 한숨처럼 토로했다.

"탈란타우에 각하께서 이분을 얻기 위해 얼마나 많은 시노드 신넬인을 죽였는지 말씀드리고 있었습니다."

"뭐……?"

"당신이 탈란타우에 각하께 가서 일러바친들 상관없습니다. 어차피 저는 교읍지를 떠난 뒤일 테니 말입니다. 이미 그분께서 저를 죽이려 하신 이상 딱히 몸을 사리겠다는 생각이 들지 않는군요."

"무슨 뜻입니까?"

"아펭글로."

군인은 달래듯 말했다.

"당신처럼 똑똑한 사람이라면 이미 알고 있으리라 생각했습니다. 모른다면 무엇이 당신의 눈을 가렸을지 의심스럽군요."

"……."

"탈란타우에 각하께선 바를라암 후계자의 소재를 찾기 위해 저분의 후견인과, 저분을 키운 상단 일원을 모두 죽였습니다."

"……."

아펭글로는 이제 무시무시하게 조용했다.

순신한 모험가 대신, 베오메네스기 침대 곁으로 몸을 숙이는 것이 느껴졌다. 그는 가까운 바닥에 주저앉아 자신이 도망갈 수 없도록 말을 꺼냈다.

"어디까지 말씀드렸지요? 아, 탈란타우에 각하께선 우스페히의 눈앞에서 사람을 죽였습니다. 바깥 상단의 일원들은 도살자 손에 한 명, 한 명 끌려와 죽는 양 떼 같았습니다. 큰 홀에 비명이 가득했습니다. 누군가는 목숨을 빌었고, 누군가는 우스페히를 설득하려 애썼고, 누군가는 각하께 침을 뱉었습니다. 그동안 우스페히는 눈을 돌리지도, 대답을 하지도 않았습니다."

"······."

"저는 군법을 잘 압니다. 그건 필요한 처형이 아니었습니다. 살인이었고 학살이었으며 우왕좌왕하는 지옥이었습니다."

"······."

"서른 구가 넘는 시체가 홀에 쌓이자 설 자리가 없어질 지경이었습니다. 그 광경을 지켜보던 우스페히가 처음으로 입을 열더군요. '저는 모릅니다.'"

너무 괴로워.

죽을 것 같아.

"탈란타우에 각하께선 좀 쉬었다 하자고 권유하셨습니다. 저는 탈란타우에 각하께서 시체 옆에 자리를 트는 사이, 우스페히를 잠시 뒤돌아 앉게 해 주려 했습니다. 명령에 복종하는 군인으로서도 이 모든 것이 바르지 못한 행위라고 느꼈기 때문입니다. 아무리 불신자를 대상으로 한다 하나, 단순히 사제왕의 사리사욕으로 살인을 저지르는 것은 주 앞에 수치스러운 범죄입니다."

"······."

"그런데 그렇게 돌리는 순간, 갑자기 우스페히가 바닥으로 쓰러졌습니다."

머리가 새하얘졌다. 다시 검게 변했다.

"저는 깜짝 놀라 흔들었지만, 이미 경련이 시작된 뒤였습니다. 독을 먹은 것이 분명했습니다. 어디에 독을 숨겨 두었던 것인지, 어떤 독인지 생각하기도 전에, 탈란타우에 각하께서 달려와 쓰러진 자를 확인하셨습니다."

"……."

"상태를 보시곤 바깥에서 군의와 상단 사람을 하나 부르시더군요. 상단 사람이 더듬거리며 말했습니다. '말디비 독을 한 모금 가득 삼켰으니 가망이 없다'고. 그는 진실을 말했습니다. 의사가 조치했으나, 우스페히는 발작이 시작된 뒤 오 분 안에 숨이 멎었습니다."

숨소리가 너무도 크게 들렸다. 처음에는 제 숨뿐인 줄 알았으나, 점차 온 세상이 제 귀에 대고 씩씩거리고 있단 사실을 깨달았다.

나한테 무슨 억하심정이 있어 기절하지 못하도록 붙드는 거야.

"탈란타우에 각하께서는 대단히 노여워하셨습니다. 우스페히의 죽음은 끝이 아니라 시작에 가까웠습니다. 우스페히 관에 있던 백인대 셋은 그 뒤 일주일간 수없이 많은 처형을 도맡아야 했습니다. 모든 상단 관계자를 색출하여 '안스카리우스'의 행방을 묻고, 죽였습니다. 인간들은 수숫대처럼 죽어 나갔습니다. 그 처형 자체가 거대한 협박이었으니 구태여 고문할 필요도 없었습니다. '말하지 않으면 죽는다.'"

"……."

"마침내 당신이 침공 날 배를 타고 북쪽으로 갔다는 사실을 알아냈습니다. 그리고 여러 상단의 증언에 의거, 우스페히의 상비라면 필시 도이도흐로 갔으리라 추정했습니다."

"……도이도흐에서는?"

아펭글로였다. 지독히 낮은 목소리였다.

"똑같은 일이 발생했습니다. 저희는 또다시 학살에 동원됐습니다."

"도시가 격렬히 반항했을 겁니다. 군은 막다른 선택지에 놓였을 테지요."

"도이도흐는 빠르게 항복하여 시청과 귀족청의 열쇠를 바쳤습니다."

"도시 내부에 세력이—"

"아펭글로, 없었습니다. 저희는 동물 멱을 따듯 사람을 죽였습니다."

"……."

"저는 그 일을 겪고도 교국에 적극적으로 협력하는 시노드 신넬인들의 비굴함을 경멸합니다."

예전에 베오메네스가 비슷한 말을 한 기억이 있었다. 자신이 산호 채취 배에서 정보를 내주자 '역겹다.'고 했지.

그때 안스는 베오메네스의 말을 대수롭지 않게 여기고 말았다. 저 교국 군인에게는 '이유'가 있었는데 말이다……. 무고한 이들이 그토록 많이 살해당했음에도, 아무도 반항하지 않는 도시라면 그 자들의 용기와 진정성을 의심할 수밖에 없는 것이다.

실제로 그들을 잡아 죽인 살인자라면 더더욱 의아했을 테지. 이렇게 죽였는데, 우리에게 협조를 해?

구역질 나는 광신자 놈.

"그렇게 도이도흐를 쥐어 짜내자 드디어 실질적인 성과가 나왔습니다. '안스카리우스'가 마주두 섬 중앙 도시로 갔다고 하더군요. 마주두 중앙 도시에선 '안스카리우스'가 섬 남부에 산호를 채취하러 갔다는 소식을 확인할 수 있었습니다. 그 뒤로는 마주치는 배마다 사람들의 등을 확인한 뒤 바다에 수장시켰습니다."

"……."

"이프루이우호 승선자는 소조폴에서부터 사천 명 이상을 죽였던 세 개의 백인대뿐이었습니다. 그리고 마침내 '안스카리우스'를 찾아내 소조폴로 돌아왔을 때, 그 세 개의 백인대는 모두 군법 위반으로 처형당했습니다."

"……."

"저를 제하고요. 적어도 한 사람은 사정을 모르는 각하를 관리해야 했기 때문입니다."

곁에 선 두 사람은 몹시도 다른 인물이었다.

베오메네스는 오랫동안 함께했을 백인대원들의 죽음을 이야기하면서도 침착했다.

그러나 아펭글로는 대해를 함께 건너온 동료들이 전부 죽었다는 사실에 분노했다.

그 차이는 분명했다.

덕택에 목소리를 듣지 않고도 누군가 화를 삼키고 있다는 사실을 알 수 있었다.

"그건…… 그래서는 안 돼."

아펭글로는 더듬거렸다. 동시에 발을 헛디딘 듯 구르는 소리가 났다.

안스는 아무것도 없는 베갯잇 속 검은 시야를 노려보았다.

"아니! 당신이 착각했을 겁니다, 그저 붐신자들을 집압할 때 썼던 전략이었을 테지요. 극소수에겐 잔인하게, 나머지 신민에겐 친절하게. 오래된 묘수입니다."

"저도 압니다. 하지만 그것은 상대가 격렬히 반항할 때의 이야깁니다. 시노드 신넬은 양순하기 그지없었습니다."

"……."

"또한 그런 '처형'에는 이유도, 감정도 없어야 합니다. 그러나 저희는 '안스카리우스'의 이름을 물은 뒤 계속 죽이길 반복했습니다. 마지막에는 그렇게 학살했던 사냥개들조차 목이 매달렸고 말입니다. 저는 이것을 처형이라고 생각하지 않습니다."

"세상에, 당신 지금 무슨 말을 하는 건지 알아! 교국군이—"

"압니다. 각하께 고해야 하니 조용히 하십시오. 각하, 듣고 계십니까?"

안스의 몸이 덜덜 떨렸다. 도저히 죽었다고 주장할 수 없었지만, 죽어 가는 것 같았다.

"탈란타우에 각하께선, 후견인을 잃은 소년이 증거를 요구하리라 우려하셨습니다. 만일 그 요구에 바로 응답하지 못하면 지금까지의 노력이 수포로 돌아갈 거란 생각이셨겠지요. 그래서 '아직 처형당하지 않은' 백인대원들에게 혹시 필적을 잘 따라 하는 이가 있는지 수소문하셨습니다."

"……."

"제가 가능하다고 말씀드렸습니다. 그간 대대장님의 문서 작업을 몰래 도맡았으니까요. 확실히 탈란타우에 각하께서 만족하실 만큼은 되었던 것 같습니다. 우스페히 관의 모든 서류를 들고 와 공부한 덕인지, 다행히 각하께서도 제 손으로 쓴 쪽지를 믿어 주셨습니다."

"……."

"저는 휘하 장병들이 '명령 불복종' 죄를 물어 처형되었을 때에도, 각하께서 매우 중요한 인물이기에 어쩔 수 없다고 생각했습니다. 그리고 마침내 바를라암의 일원이심을 깨닫고 제 판단에 감사했습니다. 존경할 만한 분이셨습니다."

"……."

"유일하게 진실을 아는 죄로 목숨이 위태로워졌지만, 각하께서 저를 아끼셨기에 한동안 안전했습니다. 그렇게 안전했던 시간이 꽤나 길었으므로 저는 탈란타우에 각하께서도 경계를 푸셨다고 생각했습니다."

"……."

"그런데 오늘……. 제가 한 해 동안 기밀을 유지했다면 탈란타우에 각하께선 그 이유를 신뢰하셨어야 합니다. 한데 그것을 못 믿고 또다시 저를 죽이려 하셨다는 사실에 처음으로, 아주 조금…… 저는 환멸감이 듭니다. 새로이 나타난 사제왕께서 성스러운 임무를 훌륭히 해내실 수만 있다면 제가 그 무엇도 희생할 수 있단 사실을 이해하지 못하신 걸까요? 저는 이제 탈란타우에 각하께 남은 존경심이 없습니다. 이건 단지 그분께서 저를 죽이려 하셨기 때문이 아닙니다. 그보다 저는 그분께서 믿고 있는 가치에 근본적인 의문이 듭니다. 교국의 미래 외에, 대체 무엇을 보고 계신 건지 모르겠습니다."

누군가 깊은 한숨을 내쉬었다.

"그렇게 의심하자, 수주풀에서 막아 두었던 생각까지 떠올랐습니다. 잃어버린 사제왕의 핏줄이 노름을 즐기는 밑바닥 인생인지, 돈에 눈이 먼 시노드 신녤인인지, 훌륭하고 신실한 청년인지, 그러니까 되찾을 가치가 있을지 없을지 전혀 몰랐으면서 왜 그렇게 많은 사람을 무턱대고 죽였을까? 탈란타우에 각하께선 좋은 사제왕을 새로 모신다는 생각 외에, 각하의 욕심으로 사천 명을 죽인 것은 아닐까? 그런 생각이……."

베오메네스는 처음으로 말끝을 흐렸다.

발을 구르는 소리가 들렸다.

"당연히…… 당연히……!"

"아펭글로, 저는 당신과 이야기할 시간이 없습니다."

"이 개자식아, 돌대가리 같은 살인자야……."

"당신은 뭐가 문젭니까? 관련 없잖습니까?"

"탈란타우에는 바를라암에게 대가를 받고 애를 찾은 거다. 아, 어떤 대가가 사천 명의 핏값에 준했을까! 나는 탈란타우에를 출항할 수 있게 만든 사제왕들의 연판장이 아닐까 하는데!"

아펭글로는 거의 악을 쓰고 있었다.

"뱀 같은 탈란타우에 자식! 시노드 신넬로 나가려고 눈이 뒤집어져 있더라니, 그래도, 신민들이 사랑했기에…… 내가, 나도…… 아, 몇몇 완강하던 사제왕들을 돌려세운 뇌물이 있었겠구나. 아주…… 성의 있는 뇌물들 말이야……. 그렇지. 스물두 명이 모두 출항에 찬성했다는 게 말이 안 되지. 아무리 사제왕들이 같은 방향을 바라본다 하더라도, 몇 명은 정신 나간 탈란타우에가 교국에서 '안전하게' 정신이 나가 있길 바랐을 거라고……."

안스는 두들겨 맞은 몸에 찬물이 끼얹어지는 듯한 느낌을 받았다. 처음엔 욱신거리다가, 이젠 짜릿할 정도로 고통스러웠다. 어떤 일이 일어났는지 자세히 알수록 진짜로 몸에 충격이 왔다. 과장이 아니었다. 몸이 먼저 받아들이고, 정신은 그다음이었다.

이번 고통은 엎드린 몸이 이겨 내질 못했다.

그는 침대 기둥을 잡고 일어났다.

반쯤 감긴 눈으로 대치 중인 두 사람을 바라보았다.

아펭글로는 어느새 주워 든 두꺼운 책을 무기처럼 내뻗고 있었다.

베오메네스는 뻣뻣하게 사지를 펼친 상태였다. 그의 시선엔 반항적인 색이 엿보였다.

안스는 기둥을 꽉 잡았다.

잔뜩 잠긴 목소리로 입을 열었다.

"아……. 그래서, 탈란타우에는 시노드 신넬로 출항하고 싶어 바를라암과 거래를 했다?"

정적.

"그 약속을 지키기 위해 나랑 아무 상관도 없는 시노드 신넬인을 수천 명 죽이고…… 나를 키워 준 사람들을 죽이고…….'

아무도 대답하지 않았다. 차라리 누군가 바로잡아 주길 바랐던 자신이 불쌍했다.

그는 작게 흐느꼈다.

아니, 웃음이었다.

"아, 아, 아, 아펭글로."

아펭글로는 응답하지 않았다.

"다시 말해 봐요. 예전에 말했던 거 있잖아. 뭐더라? 사천 명을 죽인 건 '전략'이라고? 포위될까 두려워서 기선을 제압했을 뿐이라고 주장했죠?"

"안스……."

"입 닥쳐. 어쩐지 말도 안 되는 이상론을 이야기하더라. 그걸 믿었으면 그 나이를 먹고 멍청한 거고……. 그렇네. 멍청한 거네. 너 진짜 멍청하다."

"……."

"아! 깜박했네요. 미안합니다. 미안합니다, 아펭글로! 당신은 그냥 바닷길이 뚫리기만을 기대한 거죠. 그 목표는 이뤘으니까 멍청하단 소린 취소할게요. 당신 의도대로 됐습니다. 사천 명이 죽은 도시는 '안전'하겠죠?"

아펭글로는 침묵했다.

베오메네스는 인상을 찌푸렸다.

자신은…….

그에겐 도망갈 곳이 없었다.

방을 나서도 바를라암 관이었다. 바를라암 관을 떠난들 여전히 교읍지의 한복판에 있을 테지. 그리고 이 거대한 신앙의 둥지에서 벗어나 봤자 교국이었다.

갇혔다.

안스는 무기력하게 창가로 향했다. 책에 걸려 중심을 잃었고, 다시 바로 서려다 탁자를 밀어냈다. 모든 것이 밀리고 쓰러졌다.

그는 마침내 창문 앞에 섰다.

넓고 고귀한 정원이 내려다보였다. 어두컴컴한 밤 속에 흐릿한 등불이 켜져 있었다. 하인들이 두엇씩 모여 지나다녔다. 중앙 건물에서 부속 관으로, 부속 관에서 정원으로, 정원에서 다시 하인들의 거처로. 자신이 소리 높여 부르면 당장 이 층까지 올라올, 사제왕의 충실한 하인들…….

"안스."

반쯤 뒤를 돌아보았다.

불안한 표정의 아펭글로가 보였다.

"제가 잘못했습니다."

그를 빤히 쳐다보았다.

책을 떨어트린 아펭글로가 한 발자국 걸어온다.

"제가, 잘못했습니다."

"……."

"대체 왜 그렇게까지 했는지……. 그럴 이유가 없었습니다. 탈란 타우에는 시노드 신넬에서…… '원만한 대화'로 현지인들과의 협의체를 만들 예정이었습니다……. 제게는 그리했다고 말했어요……."

아펭글로가 더듬거리더니, 주저앉았다.

"제가 잘못했습니다."

"……."

"그 독사 같은 자식은…… 거래에 철저합니다……. 바를라암에게 당신을 돌려주었던 것처럼, 제게도 시노드 신넬을 배우겠다고 약속했습니다."

"……."

"우리가 성전을 치르는 동안 그리했듯…… 난폭하게 점령하되…… 세율을 낮추고 제도를 정비하여 대중의 지지를 얻겠다고 선언했습니다. 그러지 않으면 오히려 먼 바다에 나간 자기가 죽은 목숨이라고……. 아펭글로 너를 위한 약속이 아니라, 내가 살아남기 위한 방책이라고…… 했습니다."

"……."

"그는 교읍지로 돌아와 자기가 어떻게 소조폴을 '정비'했는지 알려 주었습니다. 다음 총독의 통치안도 상세하게 공유받았어요. 탐욕스러운 도시와 보호 귀족들, 비효율적인 제도 탓에 너무 많은 사람들이 굶어서 다들 무슨 짓이든 하는…… 시노드 신넬……. 우리에겐 그곳이 필요했습니다. 탈란타우에에게도 필요했다고요……."

아펭글로의 말이 빙글빙글 돌았다. 누구에게 들으라고 하는 이야기가 아니었다. 그보단 충격에 못 이긴 채 떨어져 나오는 부스러기 같았다.

"사실…… 죽었다 해도 고작해야 사천 명입니다……."

안스는 웃으며 고개를 숙였다.

"사람들이 오가면 시노드 신넬은 체계가 잡히고, 교국은 보다 자유로워질 거라고……."

"그래."

"그걸 위해서 사천 명 정도는 괜찮잖아요."

"그렇네. 맞아."

"제 잘못입니다……."

항상 주의 깊게 말을 고르던 아펭글로는 사라져 있었다. 변명과 사과가 두서없이 흘러나왔다.

안스는 계속 허탈하게 웃었다.

자신은 연약했지만, 그래도 양심적이었다. 아펭글로만 비난할 수 없었다.

안스는 심지어 평생 알았던 사람들이 처형당했음에도 탈란타우에에게 이유가 있었을 거라고 생각했다. 교국군은 소조폴의 지배 계층을 죽여 기선을 제압할 수밖에 없었을 거라고. 종종 분노할 때도 있었지만, 논리적으로 이해하라면 못 할 일은 아니었다.

그런데 그게 사실 '나를 찾기 위해' 저지른 살인이라 갑자기 역겨워졌다면……

안스는 아펭글로와 똑같았다.

단지 아펭글로는 웃기지도 않는 꿈을 위해 살육을 무시했고, 자신은 이기적인 마음에 살육을 무시했다는 차이가 있었을 뿐이다.

안스는 창틀을 꾹 쥐었다.

아펭글로는 주먹을 움켜쥐고 있었다.

베오메네스는 잠시 방을 둘러보더니 한숨을 쉬었다. 그는 이 방에서 가장 침착한 사람이 되어 입을 열었다.

"저는 내일 아침에 떠날 겁니다."

"……"

"각하께 정직하게 말씀드렸기에 드디어 안심이 됩니다. 탈란타우에 각하는 교묘한 분입니다. 그분을 무조건 믿지 않으셔야 한다는 게 아닙니다. 신뢰하되, 거리를 두셨으면 좋겠습니다."

눈앞에 폭풍을 맞아 쓰러진 나무들이 보이지도 않는다는 투였다.

아, 물론 그는 사천 명을 직접 죽인 사람이었다. 저 정도 방어 기제는 있어야 제정신으로 살아남을 수 있었을 것이다.

그를 원망해야 하나?

안스는 아직도 조금씩 웃고 있었다.

저 인간은 무기에 불과했다. 화를 낼 수는 있지만, 의미가 없었다. 자신은 오늘 밤 짧은 시간 동안 너무 많이 지쳤다.

안스는 중얼거렸다.

"나가."

"……."

소리를 높였다.

"베오메네스, 나가."

베오메네스는 한 걸음 물러났다.

"저를 보호하겠다는 약속을 지켜 주셔서 감사합니다."

"후회하고 있으니까 나가라고."

"죄송합니다."

안스는 장식물을 집어 들어 그에게 던졌다.

"꺼져."

베오메네스가 고개를 숙였다. 독을 먹었던 사람이라 느껴지지 않을 정도로 똑바른 행동이었다.

아, 이제야 어떻게 교국인이 '말디비 독'이라는 말에 귀 뒤를 긁을 수 있었는지가 이해되는군.

"죽게 내버려 둘걸. 말디비 독에 떠나신 우스페히 씨와 같은 자리에 있었다면 너도 똑같이 뒈져야 했는데—"

"각하께서 저를 인내하실 수 있으실 거라곤 생각하지 않았습니다. 하지만, 이미 이십이 사제왕 중 한 분으로 인정받지 않으셨습니까. 각하께선 앞으로 수만 군대를 바다 너머로 보내실 분입니다. 법황 성하의 은총이 닿지 못하는 구석구석에서 피땀 어린 쟁기로 땅을 일구어 주십시오. 점령하여 다스리십시오. 신의 은총을 널리 알리십시오."

안스는 다시 한번 청동 조각상을 들었다. 저 입을 닫치게 만들고 싶었다.

베오메네스는 무기를 쥔 그의 오른손을 흘끔 쳐다보곤 뒤돌아 문을 열었다.

떠났다.

안스는 조각상을 떨구었다.

방은 한참 동안이나 침묵에 감싸여 있었다.

안스는 창밖을 응시했다. 아펭글로는 바닥에 누운 채 천장을 노려보았다. 서로 한마디도 하지 않겠다고 각오한 사람들처럼 입을 꾹 다물었다.

마침내 안스가 먼저 움직였다.

그는 눈가가 벌건 중년 남성을 내려다보았다. 발끝으로 다리를 툭 쳤다.

"이제, 당신 필요 없어요."

"……."

"배울 이유가 없다고요. 사제왕이든 지랄이든 안 한다고 할 겁니다."

"……."

"당신도 다신 제 눈에 띄지 않았으면 좋겠습니다. 서로 갈 길 가요."

아펭글로의 시선이 그에게 멈추었다.

"갈 길? 난 못 갑니다."

안스는 상대를 무시하곤 침대에 엎어졌다.

"나도 항해든 지랄이든 안 돕는다고 할 거거든요."

아펭글로답지 않은 말이었다. 고개가 절로 돌아갔다. 바닥에 쓰러진 한심한 인간이 보였다.

"개새끼, 나를 속였어."

안스는 하마터면 제 입에서 튀어나온 말인 줄 착각할 뻔했다. 그러나 아니었다.

아펭글로의 부릅뜬 눈은 꽤나 미친 사람처럼 보였다. 그는 뻣뻣하게 굳은 몸으로 제 생각과 똑같은 말들을 줄줄 내뱉었다.

"물론 탈란타우에가 본인 외엔 아무도 신경 쓰지 않는단 사실을 알았지요. 하지만, 하지만⋯⋯. 이 정도로 이기적인 인간일 줄 내가 어찌 알았겠습니까. 이기적이라 약속을 지킨다니, 이런 웃기는 말이⋯⋯. 그는 나와의 약속도 지켰습니다. 당신도 이야기했잖습니까. 시노드 신녈인들은 지금 만족하고 있다고, 한껏 부패하던 인간들이 죽었단 사실에 기뻐하고 있다고⋯⋯ 환송식에서 수많은 시노드 신녈인들이 탈란타우에의 손을 잡았다고⋯⋯."

"⋯⋯."

"사제왕 위를 때려치우겠다고 하셨습니까? 좋습니다. 베오메네스가 말한 것이 사실이라면, 나도 조언자 역할은 때려치우겠습니다."

안스는 상체를 반쯤 일으켰다.

"충격받은 꼴이 웃기네요, 위선자."

"안스, 절 뭐라고 부르든 마음대로 하세요. 방금 내 인생의 십 년이 사라졌으니까."

"탈란타우에는 바를라암과의 약속 때문에 나를 찾은 거면서 그동안 왜 그렇게 진심인 척했을까?"

"전, 그의 가족이 죽어, 진심이라고 생각했는데⋯⋯. 가족이 죽었는데 원한을 품지 않는 게 가능키나 합니까? 법황의 미움을 사 골방에 갇히다시피 한 내게 찾아왔을 때, 그가 한 말들이 있어요. 저는 그게 진짜라고 생각했습니다⋯⋯. 그 자식은 교국을 열렬하게 탈출하고 싶어 했어요. 아주 오랫동안 관찰했는데 탈란타우에에겐 도망가고 싶다는 생각 외엔 개인적인 욕망이 하나도 없었습니다. 아, 아, 물론 그렇기 때문에 연판장을 얻으려 했겠지…… 이 천치 같은 놈아…….”

“정말 중간에 나한테 정이 든 걸까? 내가 뭐라고? 나는 보잘것없는 소조폴의 상인일 뿐인데…….”

“아니, 아니……. 그래도 그런 목적으로 사람을 죽일 수는 없습니다. 심지어 비효율적이지요. 저는 그가 시노드 신넬에서 온건하게 기틀을 세울 것을 기대했습니다. 시노드 신넬은 각 지역끼리 전혀 관계가 없으니, 탈란타우에 또한 새로운 세력으로 잘 받아들여지리라 생각했다고요. 교국은 그들의 선택지일 수 있었습니다…….”

“차라리 소조폴 사람들을 고문이라도 해 보지. 그렇게 무턱대고 죽인 건 탈란타우에 본인이 잔인한 탓 아닌가? 나는 행선지를 숨기지도 않았어요. 률린을 지나 도이도흐로 가는 건 그다지 획기적인 계획이 아니라고요. 게다가 항구에서 계약한 선원들은 다 기록에 남습니다. 도이도흐에서 쉽게 추적할 수 있었을 텐데…….”

그들은 서로 시끄럽게 떠들었다. 충격을 이겨 내려는 몸부림이 애처로웠다.

먼저 지친 사람은 안스였다. 후견인 살해자를 한 순간이라도 가까이했다는 사실은 하룻밤 말로 풀어낼 수 있는 고통이 아니었다. 그는 말을 줄이다, 말줄임표 사이로 사라졌다. 문장은 어절로, 어절은 단어로, 단어는 신음으로 변했다.

결국 아펭글루만이 남아 지난 십 년 동안의 범죄를 고백했다. 끊임없이 변명하는 꼴을 보자니, 그가 처음으로 평범하고 멍청한 인간으로 전락한 것 같아서 쓴웃음이 났다. 똑똑할수록 본인이 잘못했다는 걸 인정하기 어려워하는 법이다.

물론 아펭글로는 절대 진심을 이야기하지 않았다. 그러나 그가 교묘하게 진심을 피해 가자, 오히려 그 윤곽이 더 선명하게 보였다.

아펭글로는 그간 '꿈'이란 말로 스스로를 속였다. 그것이 그를 상처 입힌 것이다. 본인조차 자기가 내보였던 해맑은 순진함이 진짜인 줄 알았는데, 알고 보니 고작 욕심이었단 사실을 너무 늦게 깨달은 듯했다.

물론 이상을 꿈꿨겠지. 그러니 사천 명이 처형당해도 그럴 수 있다고 생각했던 것이다. 시노드 신넬과 교국이 교류하면 더 나은 미래가 펼쳐질 테니, 가는 길에 짓밟히는 인간들은 아무것도 아니라고 여겼던 것이다.

아펭글로는 그 사실을 절대 언급하지 않은 채 탈란타우에가 어떻게 자신을 설득했는지, 자신의 모든 결정이 얼마나 합리적이었는지만을 떠들었다.

안스는 남의 변명을 들어 주기 힘들었다. 그는 변명을 잘 하지 않는 성격이기에 더더욱 그랬다.

안스는 인정했다.

자신은 사제왕 위를 욕심내어 여기까지 따라왔다.

자신을 인도한 점령군이 고향에서 사천 명을 죽였다는 사실은…… 오히려 그를 극적인 주인공으로 만들었다.

사천 명이 죽었지만, 나는 새로운 땅을 찾아 떠나.

불가피한 일이었기에 비극을 애도할 뿐이야. 나는 슬픔과 함께 더 나아가겠어.

구역질이 났다.

우스페히 씨의 차가운 주검, 도끼가 박힌 우스페히 씨의 의자를 기억했다. 그가 자신을 팔았다고 오해했던 추악한 감정들을 기억했다.

"안스, 그렇다면 이제 네게도 성이 필요하겠구나."

"……."

"마침내 홀로 결정한 삶은 귀중하니, 너 스스로 지어야겠다."

우스페히 씨는 약속을 지켰다. 자신이 직접 성을 짓도록 자유롭게 풀어 주었다.

그런데 자신은 '안스카리우스 드라수스 바를라암'으로 기어 들어왔다.

상대는 죽음으로 약속을 지켰는데.

그 사실이 짐승의 앞발처럼 자신을 할퀴었다. 그는 내장이 다 터진 채로 헐떡일 수밖에 없었다.

죽기 직전의 몽롱한 상태처럼…… 크게 고통스럽지는 않았다. 생각을 하는 아주 아주 작은 조각 하나가 더 이상 나머지 몸을 돌보지 않겠다고 선언했을 뿐이다. 자신은 이제 그 손톱만 한 조각 하나였다. 나머지는 삐걱이는 막대와 헝겊, 솜, 보푸라기에 불과했다.

그 지경으로 추락하자 몸은 확실히 죽어 갔다. 사고하는 도중에도 깜빡깜빡 정신이 사라졌다. 충격에서 스스로를 보호하려 애쓰는 것일지도 몰랐다.

그렇게 아침 햇살이 들어오는 것을 보며 눈을 감았다가, 한참 뒤에 다시 뜨곤 했다.

한심한 아펭글로 또한 쓰러졌다가, 발작하듯 깨서 몇 마디 중얼거리고 다시 잠들길 반복했다.

　그들은 거의 만 하루 동안 난장판의 쓰레기처럼 널브러져 있었다.

　하인들은 방에 들어왔다가도 두서없는 악다구니에 질려 나갔다. 아무도 반항하지 못했다. 바를라암이 바를라암 관에 부재한 이상 — 아니, 그가 바를라암 관에 있었다 하더라도 이제는 자신이 가장 높은 자리를 차지했기에 무조건 제게 복종할 수밖에 없단 사실이 웃겼다.

　그런 엄청난 권력이라면 승계를 거부해도 받아들일 수밖에 없겠지.

　안스는 마침내 비척비척 일어섰다. 바닥에 누운 아펭글로를 지나쳐선, 하인들이 아침나절 겨우 방 안에 넣어 둔 음식을 집어 들었다.

　물을 벌컥벌컥 마셨다. 빈 유리잔은 카펫 위로 던졌다. 잔이 소리 없이 굴러가더니, 아펭글로의 머리에 맞고 멈추었다. 안스는 나머지 딱딱한 빵을 짓씹으며 다시 창 가까이로 갔다. 석양이 지고 있었다.

　그는 여전히 바닥에 누워 눈을 감고 있는 아펭글로를 돌아보았다.

　"그만하고 일어나요."

　"……."

　"당신도, 나도 탈란타우에게 용건이 있잖아요."

　아펭글로가 눈을 떴다. 한 순간도 주저하지 않았다. 한참 전에 잠에서 깬 사람처럼 또렷하게 앞을 바라보았다. 중년의 나이에도 불구하고 어쩐지 아이처럼 생기가 도는— 아니, 생기가 돌았던 눈이 움푹 꺼져 있었다. 밤사이 주름이 수십 개는 더 생긴 것 같았다.

　그러나 전혀 동정심이 들지 않았다. 안스가 그를 발로 툭 건드렸다.

"일어나라고."

아펭글로는 한숨을 쉬었다. 바닥을 짚고 상체를 일으켜 세웠다.

"⋯⋯안스, 내가 탈란타우에에게 용건이 있는 거지요. 당신이 탈란타우에에게 무슨 용건이 있습니까? 더 이상 사제왕 위에 응하지 않겠다면 그건 바를라암과 협상해야 할 내용입니다."

안스는 기가 막혀 짧게 웃었다.

"탈란타우에한테 무슨 용건이 있냐고? 죽일 건데요."

"오, 이 땅에서 사제왕이란 불사의 몸입니다. 법황이 아닌 이상 그들을 죽일 수는 없습니다. 당신도 그걸 알 텐데요."

"당신, 아직도 내 선생이라 생각하는가 본데―"

"선생이 아니니까 이야기를 나누는 겁니다. 현실적인 대책을 마련해야지요."

아펭글로는 비틀거리며 일어섰다. 술에 취한 사람처럼 걸어가다가 가까스로 탁자를 부여잡았다.

"탈란타우에는 당신을 아낍니다. 이해할 수 없지만 그렇습니다. 따라서 당신이 사제왕 위를 거부하는 게 현재로서는 그를 가장 상처 입히는 수입니다. 그리고 그러기 위해서는 아무것도 모르는 척 바를라암 관에 있는 편이 낫습니다."

"내가 당신을 어떻게 믿어요? 당신도 꺼져요."

"교읍지 생리를 하나도 모르면서 어떻게 살아남으려고요? 얼간이처럼 굴면 바를라암의 아들이라고 누가 봐줄 것 같습니까? 탈란타우에까지 고려하지 않아도, 바를라암이 순순히 당신 말을 따르겠냐는 말입니다. 돕게 해 주시지요."

"당신은 내가 지금 무슨 심정인지 전혀 몰라―"

"모릅니다. 하지만 무엇을 하고 싶으신지는 압니다."

"─'평생 키워 준 사람'이라는 게 무슨 뜻인지도 모를 테지. 나는 십 년 동안……."

안스는 잠시 말을 멈추었다.

아펭글로는 묵묵히 포화를 건디다가, 의아한 표정으로 고개를 들었다.

"'십 년 동안'?"

"……십 년 동안 나를 먹이고, 재우고, 가르친……."

목소리가 다시 쪼그라들었다.

아펭글로는 이상하다는 듯 한 걸음 다가왔다.

"어디 아픕니까?"

양손을 위로 들어, 허락 없이 제 귀밑을 짚었다. 안스는 그를 뿌리치지도 못한 채 인상을 찌푸렸다.

"문제없는 것 같은데. 열도 안 나고."

"……."

"이봐요."

이해할 수가 없었다.

'십 년 동안 나를 먹이고, 재우고, 가르친' 사람의 이름이 기억나지 않았다.

혼란스러웠다.

그 사람의 얼굴, 목소리, 집무실, 그가 다스렸던 거대한 창고들, 배들……. 전부 기억했다.

그런데 이름을 몰랐다. 마치 어느 날 즐겼던 공놀이의 승패를 기억하지 못하는 것처럼 자연스레 잊고 말았다.

안스는 아펭글로를 바라보았다. 그의 일그러진 눈썹만으로도 자기가 이상한 얼굴을 하고 있단 사실을 깨닫기엔 충분했다.

고장 난 것처럼 덜컥였다. 바로 직전까지 저 나이 든 선생을 욕했지만, 선택지가 별로 없었다. 지금 이 땅에서 자신이 솔직할 수 있는 상대는 아펭글로가 거의 유일했다.

결국 조용히 물어보았다.

"그 사람…… 이름이 뭐였죠?"

아펭글로가 인상을 찌푸렸다.

"당신 후견인의 이름 말입니까?"

"……."

"장난합니까?"

"……왜지? 잠깐…… 이거…… 뭐야?"

안스가 머뭇거리는 사이, 아펭글로가 투덜거렸다.

"안스, 차라리 탈란타우에 관에 가고 싶다고 제 멱살을 잡으시지요."

"아니…… 우리가 처음 만났던 부두도 기억나고, 매일 올렸던 보고 형식도 기억하고, 처음 술을 같이 마셨을 때도 기억하고, 다 기억하는데……. 이름을 모르겠어. 이름을 모르겠어요. 미쳤나? 뭐야……."

아펭글로는 여전히 자신이 놀리고 있다고 생각하는 모양이었다. 그가 잔뜩 일그러진 얼굴로 서 있더니, 마침내 뱃사람의 욕설 비슷한 단어를 내뱉었다.

"'우스페히'."

안스는 입 안에서 읊조려 보았다. 우스페히.

바깥으로도 중얼거렸다.

"우스페히, 우스페히……. 이게 성입니까? 이름은요?"

"……괜찮은 거 맞습니까? 그 사람 이름을 제가 어떻게 압니까? 당신도 항상 '우스페히 씨'라고만 불렀습니다."

"'우스페히'……."

"이봐요!"

안스는 흠칫 놀라 아펭글로를 바라보았다.

"농담이라면 전혀 재미없습니다. 그럴 때가 아니잖습니까."

"저, 진짜 기억이 안 나요."

그는 아펭글로의 팔을 뿌리치곤 뒷걸음질을 쳤다.

"이해가 안 가요. 지난밤 내가 뭐라고 말했는지 전부 다 기억이 나는데, 그 이름만 생각이 안 납니다. 당신이 알려 주어서 다행…… 인가? 아니, 문제는 전혀 해결이 안 됐어요. 단어를 완전히 새로 배우는 느낌이거든요……."

"……."

"당신, '티티라 돔니니'를 발음할 때 어때요? 낯설다 못해 발음부터 배워야 하죠? 지금 제가 똑같은 심정입니다."

안스는 서성이다가 갈 길을 잃었다. 자신은 오밤중, 베오메네스와의 대화를 모두 기억했다. 그 충격들, 감정들이 아직도 생생했다. 그런데 그 대화에서 후견인의 이름만 지워진 듯 사라져 있었다.

힘이 빠진 것처럼 털썩 침대에 누웠다.

"자야 할까 봐요. 잠을 못 자서 그런 것 같습니다."

그러자 아펭글로가 저벅저벅 걸어와 제 시야 앞을 차지하고 섰다. 그는 골똘히 생각하는 얼굴이었다.

"음……."

"아펭글로, 이따 봐요. 나는 눈을 좀 붙이고."

그렇게 그에게서 등을 돌리는 순간, 갑자기 팔뚝이 꽉 붙잡혔다. 그리 강하지 않은 힘이었지만 제 몽롱한 기분을 깨우기에는 충분했다.

"……왜 그래요?"

"잠을 덜 잤다고 평생 키워 준 사람의 이름을 기억 못 하는 바보는 없습니다."

"멀쩡히 깨 있다가 평생 키워 준 사람의 이름을 까먹는 건 말이 되고요?"

"아니. 지금 자 봤자 바뀌는 게 없을 거란 뜻입니다. 당신, 곰곰이 생각해 보세요. 팔다리를 움직여 보시고요. 멀쩡하지요?"

질문과 동시에, 그가 어디서 났는지 모를 힘으로 자신을 끌어당겼다.

안스는 침대 기둥에 머리를 박을 뻔하다가 겨우 피했다. 가볍게 옆으로 달아났다.

그렇게 석양 아래 너무도 건강하게 서고 말았다. 아픈 곳 하나 없이, 머리도 무척 맑아선.

아펭글로는 제 생각이 맞았다는 듯 팔짱을 꼈다.

"바를라암이 북부에 가진 가장 큰 주의 이름은?"

"요르타시 주."

"시노드 신녤 남부 도시에서 세리들을 부르는 별명은?"

"바다 이리들."

안스누 천천히 대답하며 하나하나 곱씹었다. 그가 물어볼수록 제 기억과 판단력이 명료하다는 사실만 확실해졌다.

아펭글로는 발을 바닥에 두드리더니, 갑자기 손짓했다.

"어제 당신이 넋 빠져 있는 사이, 당신 옛 물건을 정리하는 일을 내가 도왔습니다. 잠시 그 방에 가 봐야겠습니다."

"……가서 뭘 어쩌려고요? 쉬면 괜찮아질 거라니까요."

"밑져야 본전이지요."

아펭글로는 안스를 떠밀었다.

인정하기 싫었지만 자신은 조금 불안한 상태였다. 난데없이 기억의 한 꺼풀이 사라졌다면 냉정을 유지하기란 불가능에 가까운 일이다.

그래서 그에게 반항하지도 못하고 방 바깥으로 쫓겨났다. 아펭글로는 너무도 확신에 찬 채 움직이고 있어서, 위태로운 자신이 함부로 뻗대기 힘든 상대였다.

안스는 아펭글로에게 떠밀려 꼭대기 층까지 올라갔다.

처음 보는 문을 벌컥 열자 넓은 공간 속 다양한 가구들, 잡동사니들이 드러났다. 모든 물건 위로 흰 천이 덮여 있어서, 관리하겠다는 의도보다는 보관하겠다는 목적이 훨씬 뚜렷해 보였다.

안스는 뚜벅뚜벅 걸어가 흰 천을 확 걷어 냈다.

티의 침대였다.

다시 옆으로 걸어가 천을 걷고, 또 걷었다. 티의 책상, 옷장, 책들, 꼬질꼬질한 서류들, 필기구들, 자신이 건넸던 선물들.

안스는 옷장에서 티가 자주 입던 옷을 하나 꺼냈다. 그 옷을 끌어안은 채 티의 침대 위로 거칠게 누웠다.

둘 모두에 코를 묻었다.

기억 속에 익숙한 향기는 전혀 남아 있지 않았다—오히려 퀴퀴하게 썩은 물 냄새가 났지—. 하지만 그는 방금 전보다 훨씬 냉정해졌다.

안스는 선언했다.

"잠을 못 잔 건 상관없겠네요. 저는 멀쩡합니다."

안스는 티의 옷을 끌어안은 채 점차 냉정을 찾았다.

그는 아직도 티와 처음 만났을 때 먹은 음식을 기억하고 있었다. 백리향, 포도주, 사과에 재운 돼지고기 요리. 후식으로는 차가운 블루베리를 먹었다. 식기를 사용하는 법을 겨우 배운 나머지, 가슴팍에 자꾸만 음식을 흘리던 티의 모습이 어제처럼 선명했다.

또한 후견인이 제게 처음 먹여 준 음식도 기억했다. 갓 만들어 속이 연하고 흰 빵 위로 병아리 콩을 갈아서 얹은 간식이었다.

그는 자신을 빼내자마자, 부두에 있는 매대에서 따끈한 빵을 사 와 건넸다. 그때 그다지 배가 고프진 않았지만, 제 앞에 있는 인간이 먹을 것으로 호의를 표시했다는 것 정도는 알 나이였다. 빵을 우물거리며 '일단 여기 있어 봐야겠다.'라는 생각을 했던 것 같다.

탈란타우에와 처음 먹은 음식도 기억했다. 죽은 눈알이 허옇게 드러난 병아리 요리. 억지로 입에 넣었지. 이 자식에게서 도망가지 않으면 언젠간 자신이 죽이고 말 거라고 생각했다—첫 인상이 아주 정확했군. 도망가지 못했으니 죽여야겠어—.

제 머리는 아주 잘 굴러가고 있었다.

입 안으로 계속해서 '우스페히'를 중얼거렸다. 혀끝에 붙지 않았다. 동시에…… 후견인의 이름을 기억하려고 지나치게 애쓰다가, 어제 겪은 충격을 상실할까 두려워졌다. 잊어버린 이름 자체에 집중하다 보니 그에게 무슨 일이 생겼는지를 순간적으로 잊곤 했다. 베오메네스의 말이 희미해질 때마다 현실감이 떨어졌다.

그래서 우선 '단어'를 생각하길 멈추었다. 그게 제 최선이었다.

고개를 돌리자 아펭글로는 문 앞을 지키듯 기대어 서 있었다. 의심스러운 시선으로 자신을 바라볼 뿐, 아무 말도 하지 않았다.

안스는 뚜하게 중얼거렸다.

"잠을 못 자서 이러는 건 아니겠지만, 그렇다고 당장 문제를 해결할 방법도 없습니다. 애초에 왜 기억이 안 나는지도 모르겠는걸요."

"……."

아펭글로는 대답하지 않은 채 갑자기 다른 방으로 걸어갔다. 안쪽에서 부스럭대는 소리가 들렸다.

이내 안스는 고개를 들어, 그가 손에 한 아름 들고 오는 서류를 발견해 냈다.

서류는 매캐한 바람을 일으키며 그 앞으로 떨어졌다.

안스는 무심하게 몇 장을 훑어보았다.

"'우스페히' 상단……."

"그 아래를 보세요."

자신이 평생을 써 온 서명이었다.

안스는 종이를 바닥에 떨어뜨렸다.

"안 보여 줘도 됩니다. 저도 당신 말을 의심하지는 않아요. '우스페히' 상단, '우스페히' 상단……."

"'의심'? 아니요. 당신의 신뢰를 사려는 게 아니지요. 과거가 켜켜이 쌓인 문서를 보면 뭐라도 번뜩일 거라고 생각했습니다. 저한테 장난을 쳤단 사실이 발각될 수도 있고 말입니다. 이 방에 끌고 온 것이나, 저 서류들을 보여 준 것이나, 다 같은 이치입니다. 당신 얼굴은 정직해서 보면 다 알 수 있습니다."

"장난은 무슨. 지금은 할 수 있는 게 없다니까요. 저걸로 되겠어요?"

"기억이 안 나도 괜찮은 겁니까? 아무렇지도 않아요?"

아펭글로는 이 상황에 이르러서야 마침내 당황한 듯했다. 그의 의심은 믿음으로, 믿음은 당혹으로 변했다.

안스는 한숨을 쉬며 서류를 여러 장 더 훑어보았다. 이 문서들을 썼던 이유도 대부분 기억이 났다. 오래되어 봤자 일이 년 정도 전이니, 굵직한 건들을 기억하지 못하면 바보였다. 단지 그 위에 멋진 글자로 박힌 '우스페히 상단'만 기억을 못 하는 것이다.

제 감정을 설명하기 힘들었다. 단어 하나를 잊었을 뿐이다. 모든 기억이 남아 있었기에 방황할 이유가 없었다. 때문에 당장은 마음이 괴롭기보단, 차라리 병에 걸린 느낌으로 다가왔다. 고칠 수 있는 문제처럼 여겨졌다.

안스는 인상을 찌푸린 채 설명했다.

"아무렇지 않은 걸로 보이나? 난…… 어떻게 해야 할지 모르는 건데. 정말 머리부터 발끝까지 괜찮거든요. 여기 있는 내용들도 기억이 나고요. 단지 이름을 까먹은 거예요. 당신이 이즈버르 보호 귀족들의 이름을 까먹었듯이……."

"……."

"차라리 조용히 의사를 데려와 주시면 좋겠습니다. 가능하다면 바를라암에게 들키지 않고요."

아펭글로는 고개를 끄덕였다. 지금까지 들었던 내용 중에 가장 합리적이라고 여기는 모양이었다.

"탈란타우에에게는…… 당신이 정상으로 돌아오면 갑시다. 부사제들을 다루는 의사를 압니다. 이 자리에 부르겠습니다."

안스는 동의했다.

달이 뜨기 전, 피곤해 보이는 의사가 방문했다.

안스는 의사에게 어제까지만 해도 알았던 사람의 이름이 기억나지 않는다고 고백했다.

의사는 제 몸을 이리저리 살펴더니 건강하기 그지없다는 결론을 내렸다. 뒤이어 사람 이름을 기억하지 못하는 건 모두가 그렇다며 웃었다.

자신이 기가 막혀 하는 사이, 아펭글로가 '아주 오래 알았던 사람이라 잊는 것은 말도 안 된다.'고 항의했다.

의사는 내키지 않는 태도로, 아주 큰 충격이 있었다면 그와 관련된 기억을 잊게 될 수도 있지만 일시적인 현상이며, 시간이 지나면 절로 돌아올 거라고 중얼거렸다.

아펭글로는 그 정도 말이면 나도 할 수 있겠다고 투덜댔다. 의사는 무례한 태도를 견디지 못하고 이 건강한 분을 내가 어떻게 해야 하느냐며 화를 내기 시작했다. 결국 두 사람이 싸우다가, 하인들이 와서 씩씩거리는 의사를 아펭글로에게서 떼어 내는 사태까지 왔다.

방은 다시 조용해졌다.

안스는 벌써 새벽이니 일단 쉬어야 한다고 말했다. 흥분해 있는 아펭글로를 가라앉히기 위해서였을 수도 있고, 점차 불안해지는 제 마음을 달래기 위해서였을 수도 있다.

그들은 뾰족한 수 없이 두 번째 밤을 함께 넘겼다.

다음 날 아침, 아펭글로는 아직 기억이 돌아오지 않았더라도, 우선 탈란타우에를 어떻게 공격해야 할지 이야기하자고 제안했다.

안스는 탈란타우에를 왜 공격해야 하는지 몰랐다.

"내가 그렇게 베오메네스를 죽이지 말라고 했는데, 또 그 짓을 해서 화가 나긴 했지만요. 그래도 좀 더 고민해 봐야 하고…… 그런데 그건 내 일이지, 당신이 왜?"

아펭글로의 얼굴이 딱딱하게 굳었다.

그가 대뜸 물었다.

"당신 후견인이 어떻게 죽었는지 잊었습니까?"

안스는 눈을 여러 번 깜빡였다.

"아는데요."

"설명해 보세요."

"'제 후견인'은 소조폴이 함락되어 자살했습니다."

"틀렸습니다. 교국은— 아니, 탈란타우에는 오로지 당신을 찾기 위해 상단 사람들을 죽였습니다. 당신 후견인은 그 학살을 더 이상 지켜볼 수 없어 자살했습니다. 기억 안 나십니까? 아니, 후견인 이름을 알긴 아십니까?"

"……."

이상했다. 안스는 그의 이름이 기억나지 않았다.

"잠깐만……. 갑자기 생각이 안 나네요. 잠을 너무 못 자서 같은데……."

"안스, 어제 무슨 일이 있었는지는 기억합니까?"

"당연히……."

안스는 혼란에 빠졌다. 딩연히 알고 있노라 대답하려 했지만, 정신 차려 보니 자신이 왜 이 자리에 와 있는지조차 모르고 있었다. 왜 내 방이 아니라, 이 정체도 모를 공간에…….

제 품에는 티의 옷이 있었다. 언제, 누가 가져다 둔 거지?

"……."

다시 고개를 들어 발견한 아펭글로의 표정은 무시무시했다. 안스는 상황을 이해할 수 없었기에, 그에게 묻기보단 먼저 제 기억을 헤집어 보려 했다.

제 마지막 기억은…….

아펭글로에게 야단 맞으며 공부했지. 그리고 잠들어 사제왕 위를 승계하는 꿈을 꿨다.

안스는 인상을 찌푸린 채 물었다.

"여기는 어딥니까? 내가 자는 사이에 옮겨 둔 거예요?"

"……."

"아펭글로."

"일단 어디까지 기억나는지 이야기해 보시죠. 당신도 지금 얼마나 정신이 없으면, 후견인이 어떻게 죽었는지 알려 줘도 무시하겠습니까."

"……."

아펭글로는 제 후견인이 '탈란타우에의 협박에 못 이겨 자살'했노라 했다.

그런데 안스는 그의 이름을 기억하지도 못하고 있었다.

분명 후견인과의 기억은 잘 보관되어 있는데, 이름을 기억할 수 없었다. 게다가 대체 저 흉악한 자살 이야기는 무엇인지…….

안스는 지끈거리는 이마를 짚었다.

"안스."

"……."

"어디까지 기억납니까? 당황하지 말고 이야기해 보세요."

"……어제 당신이 나한테 주요 도시들을 설명해 줬잖아요."

아펭글로는 더 이상 인상을 찌푸리지도, 혼란스러워하지도 않았다. 단지 어린 제자를 달래려는 듯 진지했다.

"그건 어제가 아니라 '이틀 전'입니다. 당신 기억에서 만 이틀이 사라졌습니다. 그저께, 당신은 독을 먹은 베오메네스를 살리곤 그에게 충격적인 고백을 들었습니다. 당신 후견인에 대한 이야기 말이지요. 그 이야길 들은 나도 속이 멀쩡하진 않아서, 서로 욕설을 지껄이며 하루를 보냈습니다."

"……."

"그리고 잠시 눈을 붙이고 나자 갑자기 당신이 후견인 이름을 기억할 수 없다고 하더군요. 그래서 혹시 농담을 하는 건지 알아보려 이 방으로 끌고 왔습니다. 아니더군요. 의사를 불렀는데도 전혀 도움이 안 되었습니다. 결국 우리 둘 다 지쳐 잠들었습니다."

"……."

"어제는 정말 한순간 당신이 깜빡했나 싶었지요. 하지만 이젠, 이건 아닙니다. 무언가 이상한 일이 일어나고 있습니다."

안스는 맨손을 바라보았다. 주먹을 여러 번 쥐었다 폈다.

"아펭글로, 제 후견인의 이름을 말해 주세요."

"'우스페히'."

입 안으로 여러 번 외웠다.

"외울 필요 없습니다. 어차피 내일이면 까먹을 텐데."

흠칫 놀라 아펭글로를 바라보았다. 그는 여전히 차분했다.

"새로 뭔가를 배우려는 생각은 하지 마시고, 순서대로 기록해 봅시다. 당장은 그게 우리가 할 수 있는 최선입니다."

그는 몸을 돌려 탁자를 질질 끌고 왔다. 그 위에 종이를 놓더니, 빠르게 글씨를 휘갈기기 시작했다.

안스는 조심스레 따라 읽었다.

"'첫째 날, 후견인의 이름을 기억하지 못함.'"

펜은 빠르고 단호했다.

"'둘째 날, 후견인이 죽은 이유를 잊음. 동시에 그 사실을 고백한 베오메네스의 기억이 모두 사라짐.'"

안스는 더듬더듬 따르다가, 갑자기 생각난 사람처럼 물었다.

"베오메네스는 어디 있습니까? '독을 먹었다'면…… 탈란타우에에게 죽을 뻔했던 거죠?"

"맞습니다. 그는 당신한테 진실을 고백한 뒤 교읍지를 떠났습니다."

"아, 도무지……."

"당신의 기억상실증에 충격받는 건 어제로 끝내겠습니다. 매일매일이 새롭겠지만, 감탄할 시간이 없습니다."

여전히 비현실적이었다. 제 기억은 부드럽게 이어졌다. 단 한 부분도 찢어지지 않은 서류처럼 앞뒤가 잘 들어맞았다. 후견인의 이름이 생각나지 않는다는 사실은 좀 의아했지만, 또 이상하게도 애타지는 않았다.

안스는 한 발자국 물러나 후견인과의 기억을 관찰해 보았다. 잘려 나간 손을 바라보는 듯했다. 분명 제 것인데 낯설었다.

"안스, 물어봅시다."

"……."

"후견인을 어떻게 추억하고 있습니까? 이런 상황에서도 애틋합니까?"

아펭글로는 제 대답을 듣지 않은 채 '첫째 날' 다음에 '진실에 분노함.'이라고 썼다.

그리고 '둘째 날' 옆에 펜을 기댄 채 자신을 바라보았다. 안스는 왠지 쫓기는 듯한 기분이 되어 입을 열었다.

"우선 제 후견인이 그렇게 죽었다는 게 믿기지 않습니다. 게다가 상관도 없는 당신 입으로 들으니 더 거짓말 같아요. 그래서 화가 안 납니다. 그런데 그걸 제하고도……."

안스는 곰곰이 고민하다, 툭 내뱉었다.

"제 후견인의 이름이 궁금하지 않아요."

아펭글로는 '둘째 날' 옆에 '감정적 유대감이 희미해짐.'이라고 썼다.

그리고 더 이상 묻지 않았다. 대신 숨도 안 쉬고 기록했다.

안스는 혼란스러운 표정으로 이마를 짚었다. 아직도 어제 꿨던 꿈, 아펭글로에게 배웠던 내용이 생생했다.

제 인생에서 바뀐 것은 하나도 없었다. '후견인'의 이름이 기억나지 않는단 사실도 그다지 극적이진 않았다. 오히려 아펭글로가 거짓말을 하는 건 아닌지 의심스러울 지경이었다.

그는 일어서 방 안을 서성였다. 곰곰이 기억을 짚어 보았다.

후견인을 처음 만났던 부두. 상단에서 일했던 날들. 티와, 제 모든 것. 그리고 마지막…… 컴컴한 복도 앞에서 닫히던 문과 불타는 소조폴.

미간의 눈가가 뜨끈해졌다.

감정은 천천히 차오르는 바닷물 같았다.

이제야. 겨우, 이제야.

안스는 방 한가운데에 서서 완전히 다른 사람이 되었다. 얼어붙었던 기억이 녹아내렸다. 느릿느릿 빛깔을 되찾았다. 제 기억이었고, 제 삶이었다.

그는 허둥지둥 방 안을 둘러보다 책상 서랍을 열어젖혔다. '후견인'의 친필이 가지런히 쓰인 종이를 여러 장 발견할 수 있었다. 그와 동시에 어제, 엊그제 있던 일도 기억이 났다.

베오메네스, 이 개자식!

안스는 과거에 얻어맞곤 바닥에 주저앉았다.

"'우스페히'."

그 목 졸린 소리에, 아펭글로가 고개를 돌렸다.

"기억이 납니까?"

"어렴풋이……."

"안스, 정확히 말해 봐요."

"우스페히, 우스페히. 당신이 알려 줘서가 아니라, 원래 알고 있는 이름이에요. 나를 키운 사람입니다. 나를 키웠고, 이 교국 잡놈들한테 몰려서 자살한……."

아펭글로는 반색하며 종이와 함께 걸어왔다.

"다행입니다! 베오메네스의 이야기로 큰 충격을 받은 게 맞나 봅니다. 그 탓에 아주 잠깐 문제가 있었군요. 제가 얼마나 걱정했는지 당신은 상상도 못 할 겁니다."

안스는 인상을 찌푸렸다.

"잠깐…… 그런데, 얼굴이 기억이 안 나요. 우스페히가…… 어떻게 생겼지?"

아펭글로의 걸음이 우뚝 멈추었다.

안스는 멍하니 그를 올려다보았다.

자신이 미쳤다는 사실을 인정하기 힘들었다.

바를라암이 자리를 비운 동안, 그들은 꼭대기 방에서 나오지 않았다. 그 기간이 일주일은 족히 되었다.

아펭글로의 일지는 벌써 상당한 두께로 쌓였다. 안스는 그의 기록 덕에 눈을 뜰 때마다 자신이 기억을 잃어 간다는 사실을 깨닫곤 했다.

[첫째 날. 후견인의 이름을 기억하지 못함.

후견인과 소조폴, 도이도흐가 학살당했다는 사실에 분개함. 모든 기억이 생생한 가운데 후견인의 이름만 기억하지 못해서 의사를 부름. 그러나 의사가 충격에서 비롯된 일시적 기억 상실증으로 치부하여 전혀 도움이 되지 않았음.

둘째 날. 후견인이 어떻게 살해되었는지를 한동안 잊음. 겨우 기억을 되살린 뒤, 심지어 후견인의 이름까지 기억해 냈으나, 끝끝내 후견인의 얼굴을 기억하지 못함.

셋째 날. 후견인의 존재를 완전히 잊음.

본인이 '얼굴 한 번 본 적 없는 사람'에게 잡혀가 소조폴 상단에서 일했다고 믿고 있음. 상주가 그 정도로 무관심했다면 본인에게 지금만큼 공을 들였겠느냐 묻자 의심하고 괴로워함.

넷째 날. 후견인의 기억이 일부 돌아옴. 그러나 어린 시절 후견인과 맺었던 관계가 잘려 나감. 소년기, 이별, 베오메네스의 고백에 대한 기억은 잘 살아 있음. 다만 추억이 많이 사라진 탓에 감정적인 동요는 적음.

다섯째 날. 후견인의 기억이 돌아옴. 그러나 홀짝 패에서 홀이 빠진 것과 같이 듬성듬성 기억하고 있음. 넷째 날과 마찬가지로 후견인에 대한 감정을 느끼기 힘들어함.

여섯째 날. 후견인과의 기억이 더 많이 사라짐. 노력해도 기억을 되살릴 수 없음. 후견인의 기억이 사라질수록 본인이 왜 노력해야 하는지 몰라 의욕을 북돋기 힘든 상황.

일곱째 날. 후견인의 기억을 대부분 잊음. 이제 모든 이야기가 본인 머릿속에서 정합성을 띠고 있음. 우스페히 상주가 자신을 사환으로 쓰기 위해 고용했으며, 가끔 그에게 직접 보고한 적은 있지만 그다지 친하지 않았다고 함. 그 탓에 베오메네스의 고백을 기억하면서도 그에게 악감정이 없음.]

안스는 구깃구깃한 종이를 읽어 내려갔다.

신기했다.

"이게 당신이 날 놀리려 꾸며 낸 건 아니고요? 그것부터 확인해야겠는데."

그러나 아펭글로를 돌아보자, 그 얼굴에 대고 마냥 웃을 수가 없었다.

그는 잠을 거의 못 잔 듯 움푹 팬 눈에 험악한 인상을 하고 있었다. 말 한마디라도 실수하면 제게 달려들 것만 같았다.

안스는 주춤했다가, 지지 않고 투덜거렸다.

"이런 게 어딨습니까? 기억을 잃었다면 아예 그 사람을 몰라야지, 전 다 기억하는데요?"

"뭘 기억합니까."

아펭글로가 음산하게 물었다.

안스는 아랑곳하지 않은 채 방 안을 돌아다녔다. 티의 물건을 정리하며 무관심하게, 그러나 침착하게 입을 열었다.

"우스페히 씨는 절 '주우신 분'이 맞습니다. 그런데 제 소조폴 인생 동안 그분을 많이 뵙진 못했어요. 너무 바쁘셨거든요. 오히려 티가 그분을 더 많이 봤을까? 그런데 그래 봤자지. 저흴 사환으로 키워 주신 건 맞지만, 그분이 돌아가셨단 이유만으로 복수를 하겠다고 나설 정도는 아니에요……. 물론 슬픕니다. 하지만 저도 교국에 넘어오면서 각오했던 게 있잖아요."

"……."

"아펭글로, 에예우에서 교읍지로 올라오면서 우리 얘기했던 걸 잊었어요? 제 입으로 이런 말을 하려니 힘들지만…… 전 소조폴하고 도이도흐에서 수천이 죽었다는 이야길 듣고도 그 학살자를 따라왔다고요……."

"'당신 소재를 알아내려' 학살한 겁니다."

"네. 정말 역겹습니다. 탈란타우에게 죄를 물을 거예요. 이제 제가 사제왕이라 하니, 발밑을 단단히 다진 뒤 그에게 벌을 줄 수 있겠죠."

"당신 후견인도 그렇게 죽은 사람 중 하나라고요."

"그래서 슬프다고 말씀드렸잖습니까."

답답했다. 이 사람은 내가 이기적인 잡놈이라고 고백하길 바라는 것 같았다. 나는 오래 머물렀던 상단이 학살당했단 사실을 알고도 성실하게 교국에 협조하는 배신자라고.

안스는 부끄러움을 숨기려 언성을 높였다.

"대체 저한테 무슨 대답을 원하시는 거예요?"

아펭글로가 눈가를 짚었다.

안스는 중언부언했다.

"……저 대신 이 방을 정리해 줘서 고맙습니다. 제가 추억을 파먹느라 방에 처박혀 있는데도 공부를 도와줘서 고맙고요. 그런데 솔직히 말씀드리자면 전 더 이상 여기 있을 필요가 없는 것 같습니다. 내일이면 바를라암도 돌아오는데, 계속 이 잡동사니 창고에 있다가 무슨 소리를 들으려고요."

아펭글로는 대답 없이 주섬주섬 종이를 챙겼다.

또 무언가를 쓴다.

[처음으로 방을 벗어나 일상을 찾으려 함.]

안스는 어이가 없어서 웃었다.

"내가 당신 수조에서 키우는 거북이도 아니고."

실실 웃으며 아펭글로의 어깨를 툭 건드렸다. 그러곤 곧장 걸어가 문을 열었다.

품에는 어느새 티의 책 몇 권을 챙긴 뒤였다. 유달리 곰팡이가 슬어서, 어떻게든 살려 보고자 태양 아래로 가져갈 생각이었다.

그는 마지막으로 의자에 반쯤 누운 아펭글로를 돌아보았다.

그의 무력한 모습은 곧 문틈 사이로 사라졌다.

아펭글로가 왜 이상한 이야기를 꾸며 내고 있는지, 솔직히 잘 몰랐다. 경고하는 걸까? 앞으로 공부에 열중하지 않으면 저 꼴로 기억을 잃는다고?

아펭글로의 얼토당토않은 종잇조각이 주장하는 바와 달리, 안스의 이십 년 기억은 —그러니까 진실은— 다음과 같았다.

물론 자신은 우스페히 아래서 십 년을 배웠다. 그가 자신을 재우고 먹이고 가르친 것은 맞다. 하지만 그들의 관계는 완벽히 공적이었다. 함께 보낸 대부분의 시간은 건조할 뿐이었다.

진심을 섞지 않은 대화가 뭐가 그리 중요하단 말이야? 이런 관계라면, 베오메네스의 고백에 충격받은들 딱히 도망갈 생각이 안 드는 것이 당연하다.

그러면 베오메네스가 떠난 뒤 왜 일주일이나 추억이 담긴 방에서 뭉개고 있었냐고? 티의 물건을 뒤지느라, 그리고 아펭글로가 마침내 제게 휴식 시간을 주었기 때문에. 얼마나 타당한 이유야. 저 사악한 선생이, 내가 충격받은 줄 알고 조마조마한 얼굴로 돌봐 주는 게.

자신은 그 자유를 마음껏 누렸다.

그럼에도 일주일이면 충분했다. 아무리 아펭글로가 자신을 닦달하지 않는다지만, 더 이상 동굴에 갇혀 있을 수 없었다. 자신은 충분히 회복되었다.

제 기억이 진실이었다. 아펭글로는 저를 놀릴 뿐이고.

안스는 가볍게 달려 제 방에 다다랐다.

방 안은 깔끔하게 정돈되어 있었다.

그는 햇살 아래 티의 책을 펼쳐 둔 뒤 욕실로 들어갔다.

아펭글로는 닫힌 문을 바라보았다.

오늘의 안스는 감히 어제까지의 그와 비교할 수 없었다.

안스는 자신이 종이에 기록하기 시작한 날부터 엊그제까지 계속 울었다. 우중충하다가 가끔 쏟아지는 장대비처럼, 항상 글썽이다가 결국 눈물을 흘렸다. 후견인의 죽음도 죽음이지만 그보단 기억을 잃어 간다는 불안감이 더 커 보였다.

안스는 자신이 후견인의 기억을 잃고도 온전히 살 수 있을지 의심했다.

"아펭글로, 내가 미쳐 버리진 않을까요?"

아펭글로는 양손으로 눈가를 꾹 눌렀다.

멀쩡하더군요.

얼마나 멀쩡한지, 저보다 당신 기억에 대해 더 잘 설명합디다.

물론 아펭글로는 오늘이 닥칠 것을 각오하고 있었다. 그간 안스가 아슬아슬한 저울처럼 굴었기 때문이다.

어느 순간까지는 소중한 기억에 눈물겨워하다가도, 한 지점을 넘어서면 결국 짜증을 냈다. 설명할 수 없는 허무에 고통스러워했지만, 동시에 왜 기억을 되찾아야 하는지 모르겠다고 외쳤다. 제 삶은 완벽한 하나의 조각이므로 당신이 나를 속이는 거라고 추궁했다.

그때…… 저울은 흔들거리다 다시 반대편으로 쏟아지곤 했다. 침대에 엎어져 이리저리 구르던 안스는, 갑자기 심장을 찔린 것처럼 '우스페히'의 이름을 불렀다.

"우스페히 씨, 나한테 이름을 지으라고 했잖아요……."

이해할 수 없는 말들을 지껄였다.

다만 그런 '흔들림'도 시간이 지날수록 점차 드물어졌다. 본디 기억으로 돌아가는 빈도가 점점 줄어들었다. 하루하루 눈에 띄게 기울었다.

누군가 안스의 마음속에서 말도 안 되게 새로운 이야기를 만들어 내는 중이었다.

그리고 오늘, 안스는 잠에서 깨어나더니 웃음을 터뜨렸다. '당신이 내 농땡이를 이 정도까지 봐줄 줄은 몰랐다'고 했다. 자신이 멍하니 앉아 있자, '내가 졌다. 알겠으니 이만 다시 공부하러 가겠다.'고 덧붙이기까지 했다.

안스는 베오메네스에게 충격적인 이야기를 들은 뒤, 선생인 자신이 배려하여 공부를 쉽게 해 주었다고 생각하는 모양이었다. 더 나아가 추억이 서린 창고를 제공하였으며 하인까지 막아 주었다고, 꽤나 고맙게 여기는 듯했다.

그 이야기는 하나부터 열까지 가짜였다.

……그러나 새로운 기억을 가지고 나타난 안스는 가짜가 아니었다.

그는 본래의 안스와 완전히 똑같았다. 침착하고 신중했으며 유쾌하기까지 했다. 단면은 한없이 어리지만, 멀리서 보면 이상하게도 어른스러운 사람이었다.

아펭글로는 더 이상 이 사건을 단순한 병으로 치부하지 않았다.

베오메네스의 말을 듣고 충격을 받아 저 꼴이 되었다고? 말도 안 되있다. 새로운 안스의 말이 배버 마다 충격을 받았다면 아예 기억 자체가 잘려 나가야지, 저렇게 완벽하게 대체되는 건 불가능했다.

아펭글로는 이유를 찾으려 애썼다.

물론 아무리 고민한들 자신이 아는 인간의 섭리 중 저런 미친 일은 없었다.

그러다 탈란타우에가 제게 풀어 준 사제왕의 비밀까지 뒤지기 시작했다.

그중 오래된 저주를 발굴해 냈다. 탈란타우에는 '문신을 지운들, 교국에 보탬이 되지 않으면 제 인생은 불타 없어질 뿐.'이라 했다. 그리고 불쾌한 어조로 '사제왕은 차라리 교국에 무관심할지언정, 해를 끼치진 못한다.'고 덧붙였다.

'문신'이 진짜였으니 그의 다른 이야기도 진짜일 법했다.

아펭글로는 첫날 밤, 안스가 진심을 담아 읊조린 말을 생생하게 기억했다.

"사제왕이든 지랄이든 안 한다고 할 겁니다."

그 자리에 탈란타우에의 말을 붙여 보았다.

"사제왕은 교국을 해칠 수 없다. 그 전에 제 몸이 상할 거다."

아펭글로는 아주 오랫동안 생각했다.

마침내 종이를 모아 품에 넣었다.

다음 날, 아펭글로는 마침내 돌아온 바를라암에게 저택에 머물수 있도록 허락받았다. '새로운 사제왕 각하'의 공부에 필요하다고

하자, 그는 두 번 묻지도 않고 방을 제공해 주었다.

안스에게는 더 이상 본인이 기억을 잃었다는 허황된 이야기를 하지 않았다. 대신 계속 지켜보았다. 그가 어떤 말과 행동을 하는지 놓치지 않았다.

물론 안스가 싫어할 테니 최대한 내색하지 않으려 애썼다. 제 연기력이 믿음직스럽지는 않아서, 일부러 어려운 주제들을 꺼내 학생의 정신을 혼미하게 만들기도 했다.

안스가 퀭한 시선으로 고개를 숙일 때마다 어느 정도 성공했다고 생각했다. 이제 '기억을 잃었다.'는 등의 말은 제 실없는 장난으로 여기는 모양이었다.

그러니까, 안스가 짜증을 낼 때까진 그렇게 믿었단 이야기다.

"아펭글로! 왜 계속 미친 사람을 보는 눈입니까? 다 느껴집니다. 좀 적당히 하세요."

"……."

"그런 식으로 보니까 공부에 집중을 못 하겠잖아요. 설마 아직까지 기억을 잃었으니 말할 건 아니죠?"

아펭글로는 모른 척 일어서려다가 안스에게 팔을 잡혔다.

"아펭글로, 앉아 봐요."

그는 앉았다.

힘이 느슨하게 풀렸다.

"일단 내가 당신 말을 믿어 보겠습니다. 노력하겠다는 뜻이에요. 그러니끼 장난치지 말고요."

"……."

"다시 설명해 줄 필요는 없습니다. 우스페히 씨가 부모처럼 저를 키운 후견인이라 하셨습니까? 그 후견인을 탈란타우에가 죽었으니 마땅히 화내야 한다고요."

아펭글로는 흘끔 그를 바라보았다. 안스는 여느 때와 같았다. 젊은이답게 부족하고, 젊은이답지 않게 여유롭고. 다만 어떤 방향으로든 제 신뢰를 살 수 있던 청년이었다. 이런 상황에서도 지켜볼 필요가 있었다.

안스는 머리에 양손을 집어넣어 헝클어뜨렸다. 작게 한숨을 터뜨렸다.

"제가 매일매일 잠자기 전에 생각해 봤습니다. 당신은 한 번도 저한테 헛소릴 한 적이 없어요. 처음 만났을 때부터 '장난'이 뭐예요…… 당신 말은 언제나 밀도가 너무 높아서 절 미치게 해요. 모든 걸 배워야 할 것 같아서 돌아 버리겠다고요. 그런 아펭글로, 당신 입에서 이만큼 거대한 농담이 나올 린 없겠죠. 그럴 이유도 딱히 없고요. 그래서 이미 말씀드린 것처럼 믿어 보겠다고 생각했습니다."

"……."

"하지만."

청년은 인상을 찡그렸다.

"결국 당신도 말뿐인데, 그것만으로 제 행동을 결정할 수는 없습니다. 제가 '사제왕'이라면서요. 몇 주 전 바를라암이 돌아왔죠. 그가 관리하는 수많은 지역의 보고서를 넘겨주더군요. 당장 제가 결정해야 될 일들이라고요. 처음으로 실감이 나더군요. 신기하고, 재밌기도 하고."

"……."

"그러니 저는 당장 사제왕 위를 때려치우고 탈란타우에를 죽이러 가자는 주장에 반대합니다. 너무 무모하잖아요. 솔직히 이상한 선택이기도 하고요."

"......"

"하지만 그렇게 딱 자르는 건 너무 당신을 무시하는 일이니 좀 더 생각을 해 봤습니다. 확실히 방법이 있더라고요. '당신 말'이 아니라 '진짜 증거'를 보기 위해 제가 시노드 신넬로 돌아가면 되지 않겠습니까?"

아펭글로는 눈을 크게 떴다. 탈란타우에를 벌할 수는 없어도, 그리운 고향에 돌아갈 생각은 있다는 것일까?

"아, 총독으로요. 현실적으로 생각해야죠. 총독이 되어 돌아가겠습니다."

마음속 허무맹랑했던 질문이 뻥 하고 터졌다.

"일전에 얘기했던 칠팔 년은 너무 길고, 삼사 년 안에 총독직을 맡는 법은 없을지 바를라암과 논의해 보겠습니다. 그렇게 최대한 빨리 시노드 신넬로 돌아가서 탈란타우에의 범죄를 확인하면 될 것 같습니다. 당신 말이 증명되면 탈란타우에를 바다에 빠뜨려야죠."

"......"

"개자식이 고분고분 따라와 줬더니 뒤에서 무슨 짓을 저지른 거야? 책임지게 만들 겁니다. '책임'은 죽이겠단 뜻이에요. 어쩌겠어요. 난 사제왕들 간의 유대감 같은 거 모르는데."

안스는 멋진 대안을 자랑하는 듯했다. 기억을 잃은 사람으로서 당연한 일이지만 분노라곤 조금도 없었다. 그보단, 만일 탈란타우에가 자신을 배신했을 시 할 수 있는 일을 뽐내기 바빴다.

아펭글로는 잠시 침묵했다.

당장 저 고집쟁이를 말릴 방법은 존재하지 않았다. 안스는 벌써 권력의 향에 조금쯤 취해 있었다. 설사 그게 아니더라도 본인의 어린 나이가 스스로를 의심할 수 없도록 만들 터였다.

이내 그가 운을 뗐다.

"알겠습니다."

안스가 멋쩍게 웃었다. 드디어 상대를 설득했다고 생각한 모양이었다. 무작정 돌진하여 목표를 이루고 난 뒤, 갑자기 실수를 돌이켜보는 멋쩍은 웃음. 정말 스무 살짜리였다.

아펭글로는 그런 스무 살을 달래는 방법을 잘 알았다.

일단 가장 먼저, 어른의 패배를 인정하는 것.

"우선 제 얼토당토않은 이야기를 경청해 주셔서 감사합니다."

"아니, 저는 당신을 믿는다니까요."

'사실 하나도 안 믿는다.'는 승리자의 웃음이 만면에 배어 있었다.

"각하, 저도 처음 말씀드렸을 때와 달리 제가 무얼 착각한 건지 의심하고 있습니다. 특히 각하께서 다락방에서 나오신 뒤로 이 주 동안 변함없으신 걸 고려하면 더욱 그렇습니다. 다락방에서 매일 같이 혼란스러워하시던 모습이 눈에 선한데, 지금은 너무도 견고하십니다⋯⋯."

"전 한 번도 제 이야기를 뒤집은 적 없습니다."

"맞습니다. 그래서 이젠 제가 미쳤는지 궁금하더군요."

"⋯⋯아니, 당신이 뭘 미쳤단 거예요? 전 시노드 신넬에서도 당신만큼 똑똑한 사람은 본 적이 없는데요."

"아닙니다. 문제가 있어요. 그러니 저도 휴식기를 가져야 할 것 같습니다. 아직은 아니라도, 근 시일 내에 당신 선생직을 넘기고 쉴 생각입니다.”

안스는 의자 뒤로 넘어갈 듯 몸을 빼고 있었다. 당황한 시선이었다.

“전 당신에게가 아니면 배우기 싫습니다.”

아펭글로는 고개를 저었다.

“스스로를 의심하면서 남을 가르칠 수는 없습니다. 한동안 휴식을—”

“당신 아니면 배울 수 없다니까요. 아펭글로, 부탁드립니다.”

“어렵습니다.”

그는 꾸준히 사양했다.

안스는 언제 의기양양해했냐는 듯 순식간에 어쩔 줄을 몰라 했다. 그가 몇 번이나 더 만류했지만, 아펭글로는 화제를 돌려 다음 공부로 넘어가려 했다.

“아, 부탁이에요. 저는 뼛속까지 교국인인 선생한테 배우고 싶지 않습니다. 아펭글로, 제가 어떻게든 도울 방법이 있다면 말씀해 주세요.”

“……”

“아펭글로.”

“그러면…….”

아펭글로는 뜸을 들였다.

안스가 한 번 더 재촉하자, 마침내 말했다.

“오늘부터 일기를 쓰십시오.”

“……네?”

“매일매일 일어난 일들과 감정을 써 두세요.”

안스는 얼빠진 얼굴로 대답했다.

"저도 '일기'가 뭔지는 알아요. 그런데 제가 그걸 왜 써야 합니까?"

"제게 보여 주실 필요는 없습니다."

"쓴다 해도 안 보여 줄 건데 선심 쓰듯 말씀하지 마시쇼……."

"만일 각하께서 다시 기억을 잃으신다면 써 두신 내용이 도움 될 겁니다. 물론 그게 기억을 살려 주진 않겠지만, 적어도 제가 거짓말을 한다고 주장할 순 없으시겠지요."

상대가 어이없다는 듯 혀를 찼지만, 아펭글로는 기다리지 않고 설득했다.

"각하, 딱 한 달만 일기를 쓰십시오. 모든 게 제 착각이었다면, 좋은 습관을 들이게 될 뿐입니다."

"'좋은 습관'? 안 들일 건데요. 엉망진창으로 써도 됩니까?"

"그런 식으로 빠져나갈 구멍을 찾는 게 어른스럽진 않으시군요."

"당신, 방금 본인이 미쳤다고 고백했던 거, 다 거짓말이었죠?"

"아니요. 진심입니다. 그만큼 불안해하는 저를 달래시라는 겁니다. 고작해야 일기 아닙니까?"

"……."

"비단 이런 이유가 아니더라도 십 년 뒤에 일기를 읽으시면 흥미로우실 겁니다. 서른 살의 '안스카리우스'를 위해 하는 거라고 칩시다."

안스는 인상을 찌푸렸다.

어리고, 불만스러운 사제왕.

그가 무슨 말을 하려 들 때마다 아펭글로는 고개를 저었다. 받아들이지 않으면 당장 나가겠다는 태도였다.

안스는 결국 협박에 굴복했다.

"당신을 믿지 않으면 당신에게 배울 이유도 없으니까……. 어떤 방향으로든 일단 따르겠습니다. 일기, 쓰면 되죠. 까짓거."

"좋습니다. 감사합니다."

"한 달만 쓰면 되죠?"

안스는 불만스레 종이를 끌어와선 오늘의 날짜를 휘갈겼다. 그리고 혼자 첫 문장을 쓰더니, 그에게 보여 주었다.

[아펭글로가 내게 일기를 쓰라고 강요했다.]

아펭글로는 고개를 끄덕였다.

"좋은 시작이군요."

안스는 머리를 감싸고 고민했다. 벌써 한밤중이었다. 평소라면 기절하듯 잠들었을 텐데 이상한 과제 하나 때문에 이게 무슨 꼴인지.

[아펭글로가 내게 일기를 쓰라고 강요했다.]

그렇게 오기를 부린 문장 뒤로는 한 글자도 못 쓰고 있었다.

문득 어렸을 때가 기억났다. 책 읽은 감상을 써 보란 말에 어쩔 줄 몰라 하던 열네 살짜리 그대로였다.

'주인공이 고민하다가 자살했다.', '그렇게 복잡하게 생각하는 이유를 모르겠다.', '왜 이웃한테 그런 말도 안 되는 짓을 저질렀는지 이해가 안 된다.', '감상 끝.'

안스는 펜을 들었다.

[아펭글로는 내가 기억을 잃었다고 하는데 정말 이해할 수가 없다.]

열네 살 때 썼던 서평과 비슷하게 가고 있군.

[나는 티와 우스페히 상관에서 십 년 동안 자랐다. 그 기억 하나하나가 생생하다. 이렇게 강조하는 게 웃길 정도로 과거는 그대로다. 그리고 우스페히와 사천 명이 탈란타우에게 죽었다는 사실도 이젠 잘 알고 있다. 하지만 그것만으로 지금까지 내가 해 왔던 선택을 되돌리기엔 부족하다는 것뿐이다.]

의외로…… 글로 쓰니 정리가 되는 것 같은데.

[한 해하고도 절반이 넘도록 볼 꼴, 못 볼 꼴을 다 겪으며 지내고 있다. 마침내 사람들이 나에게 사제왕이라 불러 주어도 아직은 실감이 안 난다. 곧 지역에 파견된다는데, 거기서 내 명령에 복종하는 군인들을 보면 느낌이 다를까? 잘 모르겠지만, 그 동네 '법황의 대리인'과 권력을 두고 다퉈야 할 수도 있단다. 솔직히 겁나는데.]

안스는 흠칫 놀라선, '솔직히 겁나는데.' 부분을 열심히 지웠다. 그렇게 벅벅 줄을 긋자 머릿속이 텅 비었다. 더 풀어 보려던 문장이 사라졌기에, 결국 힘없이 마무리했다.

[아무튼 오늘은 끝.]

무언가 부족하단 생각이 들었다.

아, 생각났다.

안스는 혼자 빙긋 웃었다. 곧장 펜을 잉크에 담갔다.

[바다가 얼었다는 소식을 들었네.
세상이 변했나 보오, 겨울 곁에.]

처음 쓰는 일기라면, 또 제 과거를 풀어내야 한다면 이 문구를 빼놓을 수 없었다.

다만 '우리가 헤엄쳤던 파도, 흔적이 없노라. 얼어붙은 수평선에서 벗이 돌아오면⋯⋯.' 구구절절 덧붙일 마음은 없었다. 저 소절 뒤로 이어지는 '겨울 친구'는 그와 전혀 관계가 없었으니까.

이제 제 세상은 바뀐 게 분명했으므로 그것만 이야기할 작정이었다.

자신은 멋진 항해에 나와 있었다. 얼어붙은 수평선에서 친구를 기다리는 처지도 아니었다. 그는 티티라를 위해 자신을 불태우지도 않을 것이고, 익사할 생각도 전혀 없었다. 단지 바다가 얼어붙은 세계로 넘어왔을 뿐이다.

안스는 소조폴 26구 언덕 위에 아주 다른 모습으로 나타날 자신이 있었다.

돌아가기까지 삼 년은 무리일지도 모르겠다. 그러나 육 년은 가능해 보였고, 구 년은 확실했다. 그때 자신은 소조폴에 있을 것이다.

아무도 우스페히 사환을 기억하지 못하는 도시에서 티티라만이 자신을 추억해 줄 것이다. 그 생각에 배 속이 짜릿했다.

자신이 없는 동안 티티라와 알게 된 사람들이 '저 인간이 누군데?' 해도 티티라가 설명할 수 없어 쩔쩔매는 모습을 보고 싶었다. 그러면서도 그동안 떠났던 친구가 불안하니 손을 놓지 못하겠지. 대체 왜 바로 안 돌아왔냐며 분에 차서 속삭일 거야. 그러면 나는 '이젠 걱정 말라.'는 말과 함께 여유롭게 굴 수 있을 거라고.

안스는 세상을 등지고 그녀와의 비밀을 간직할 수 있었다. 아무도 침범할 수 없는 벽을 세운 뒤 날 알아보겠느냐며 그 애를 껴안아야지.

그는 씩 웃으며 '일기'에 몇 마디를 덧붙였다.

['겨울 친구'는 네 얘기가 될걸, 티.]

아펭글로는 안스가 공부하다 조는 사이, 그의 일기를 훔쳐보았다. 숨긴다고 숨겼겠지만 찾는 데까지 별로 오래 걸리지 않았다.

긴장한 채 종이를 넘겼다.

벌써 부탁한 지 한 달이 가까워져 가고 있었다. 물론 그동안 제 눈앞의 안스는 하나도 변하지 않았다. 기억에 대해 물어보려 하면 제대로 대답하기는커녕 짜증을 내기 십상이었다. 다만 적어도 이 종이 위에서는 진실을 알아낼 수 있지 않을까 기대했다.

그러나 안스의 일기는 잡다한 내용으로 가득 차 있었다. 이런 짓을 하게 만든 자신에 대한 불평, 생활에서 짜증 나는 점, 교국 제도에 대한 불만, 신을 향한 욕설, 항상 고분고분한 아버지를 향한 경멸, 맛있는 음식, 마음이 쓰이는 사용인에 대한 이야기들. 누가 보면 꼬마 폭군이라고 요약할 수 있을 정도로 제멋대로 휘갈긴 감상들이 보였다.

그리고 처음부터 끝까지 '티'에 대한 이야기는 사라지지 않았다. 무슨 감상을 풀든 글 위로 소금처럼 뿌려져 있었다.

티도 이런 불만을 가질지, 티가 자신이 아끼기 시작한 음식이나 풍경을 똑같이 좋아할지, 소조폴에서 이런 사건이 벌어졌다면 어떻게 되었을지, 또 티가 신에 대해 이야기했던 내용들⋯⋯. 그녀를 이야기하지 않고는 일기를 마무리 짓는 방법을 모르는 것 같았다.

아펭글로는 '티'가 누구인지 알았다. 안스가 가끔 흘리고 다니는, 색이 뭉개진 초상화의 주인공일 것이다. 짧은 단발에 입매가 고집세 보이는 소녀.

가끔 실수로 제 앞에서 그녀의 이야기를 흘리고 당황하는 모습이 아무래도 아주 오랫동안 좋아한 모양이었다. 들키지 않으려고 애쓰는 것 같긴 한데, 글쎄, 그와 대화를 나눈 사람 중에 모르는 인간이 있기는 할까 싶었다.

소조폴에서 거의 평생을 함께했다고 했지. 저 위, 다락방에 감춘 물건들 중 절반은 그녀의 것이기도 했다. 그 정도로 징글징글한 애정이었다.

그러니까 그 감정이, 처음부터 끝까지 사라지지 않았다고?

이제 자신은 안스의 기억이 '우스페히'를 제하면 완벽히 보존되었노라 표현할 수 있었다. 후견인이 인생의 조연으로 물러났을 뿐, 안스는 확실히 멀쩡했다.

안스는 아직도 스스로 소조폴에 처음 떨어졌을 때 얼마나 황당했던지 떠들어 대길 좋아했다. 마침 그도 마주두 제일섬에 표류한 인간이니 혼란스러운 감정을 공유할 수 있다고 생각하는 모양이었다. 그래서 장단을 맞춰 주다 보면, 꽤 오랫동안 서로의 과거 이야기를 하게 되곤 했다. 한때는 안스가 스스로 멀쩡하다고 주장하기 위해 그러는 거라고 의심했을 만큼.

아펭글로는 '30일째. 내일이면 끝이다.'라고 쓰여진 마지막 장을 덮었다. 그리고 원래 숨어 있던 자리에 일기장을 던져 넣었다.

이제 아펭글로의 의심은 확신이 되었다.

"사제왕은 교국을 해칠 수 없다. 그 전에 제 몸이 상할 거다."

그 '약속'이란 건 꽤나 효율적으로 일을 집행했다. 후견인이 탈란타우에게 죽었단 사실이 걸림돌이라면, 그 후견인을 별것 아닌 존재로 만들면 되는 것이다. 기억을 편집하고 감정을 흐릿하게 만들어 구태여 사제왕이 배신할 이유를 제공하지 않으면 된다.

아펭글로는 감탄하면서도 언짢았다. '약속'은 '너무' 훌륭하게 작동했다.

자신이 탈란타우에를 추궁하고, 더 이상 탈란타우에를 돕지 않는 것과 별개로 ―아펭글로는 이 구절에 조금 침울해졌다. 이제 그는 단물이 다 빠진 인간이었기에 별 영향이 없을 터였다.― 안스가 반항한다면 상황이 암담해졌을 것이다. 교국을 위해서라기보단 ―엿 먹어라.― 저 애를 위해서였다.

안스에겐 도망칠 구석이 없었기 때문이다.

본인은 이미 '사제왕 바를라암'이 되었고, 그 아버지인 '바를라암

천문 감찰관'께선 미래 계획을 착착 세우고 있으며, 법황은 승계 서류를 검토하고 있을 터. 이제 와서 그만둔다고 해 봤자 몸 성히 나갈 수 있을 리가 없다……

처음에는 탈란타우에게 배신당했다는 사실에 분노했지만, 곧 정신을 차렸다. 자신의 늙고 천진한 정신은 적당히 버려져도 문제없었다. 그보단 머리부터 발끝까지 속아 이 자리에 선 젊은이가 중요했다.

아펭글로는 안스가 피해 입지 않길 바랐다. 아무것도 모른 채 부귀를 누려도 좋았다. 냉정해진 뒤론 차라리 이 길이 나으리라는 생각도 들었다.

물론 자기 합리화는 내 고질병이지만…….

아펭글로는 잠들어 있는 안스를 흔들어 깨웠다.

"아! 자게 내버려 둬……."

"각하, 저는 오늘은 이만 가 보겠습니다."

"……."

"근 시일 내 탈란타우에 관에 방문하실 수 있도록 바를라암 감찰관께 허가를 맡고, 탈란타우에 각께도 말씀드리겠습니다."

"……뭐? 왜……?"

"기억 안 나십니까? 저는 그분과 담판을 지어야 합니다. 증인으로서 함께 가 주시면 정말 감사하겠습니다."

"뭐, 그러든가……."

당연하지만 탈란타우에게 아무 감정도 없는 듯한 태도였다.

아펭글로는 한숨을 쉬며 방을 나갔다.

안스는 잠결에 내뱉었던 말에 책임을 져야 했다. 그다지 내키지 않았지만 그렇다고 아펭글로의 부탁을 거절하긴 싫었다. 어쨌든 존중하는 스승이 배신당했고, 저도 피해를 입었지 않나.

결국 투덜대며 아펭글로를 도울 준비를 했다. 탈란타우에가 저지른 학살을 함께 성토할 예정이었다.

그렇게 대회할 생각으로 방문했기에, 지금 이 상황이 더더욱 짜증스러웠다.

그들은 탈란타우에의 집무실에 있었다. 셋 모두 씩씩거리며 땅바닥에 구르거나 양 주먹을 쥔 채였다.

그러니까 시작은 이랬다.

"아펭글로, 무슨 일인가? 한동안 바를라암 관에서 떠나질 않더니. 아, 우리 새끼 사제왕도 어서 오시게."

"각하, 말씀 돌리지 마십시오. 제가 하나하나 설명해 드려야 합니까?"

"뭘?"

"베오메네스 백인대장이 각하 몰래 교읍지를 나간 걸로 압니다. 아마 자길 죽이려 했던 사람과 같은 도시에 살 마음이 없어서겠지요. 그가 떠나기 전 저희에게 무슨 말을 했겠습니까?"

탈란타우에는 멈칫했다. 그는 계속 대화를 끌고 가던 아펭글로가 아니라, 자신을 돌아보았다.

눈이 마주쳤다.

안스는 인상을 찌푸린 채 말을 받았다.

"탈란타우에. 시노드 신넬에서 나를 찾겠답시고 그렇게 많은 사람을, 우스페히 씨를 죽였어요?"

탈란타우에의 얼굴이 살짝 일그러졌다.

"그딴 식으로 잔인하게 굴고도 후환이 없을 줄 알았습니까? 내게 사과하십시오. 그런다 해도 난 평생 당신을 신뢰할 수 없겠지만, 그마저 못하겠다면 당신은 인간도 아니지. 바를라암 덕은 죽어도 못 볼 줄 알아. 정신 나간 살인자야."

"……."

탈란타우에는 더 큰 벌을 기다리듯 가만히 있었다.
안스는 잘하지 않았느냐는 태도로 아펭글로에게 몸을 돌렸다.
그리고…… 아펭글로는 탈란타우에를 바라보았다.
기묘한 삼각형이었다.
마침내 아펭글로가 한숨과 함께 내뱉었다.

"탈란타우에 각하, 저는 짧게 하겠습니다. 각하께선 다시는 제 도움을 받으실 수 없습니다."

"……."

"물론 이까짓 것에 동요하지 않으시리라 생각했지요. 하지만 각하께선 그 악랄한 손으로 세계민 고통을 주신 게 아닙니다. 절 보지 마십시오. 바를라암 각하를 보세요. 이분께 '약속'이 찾아들었습니다. 각하 같은 개자식이 후견인을 죽였다는 충격에 못 이겨, 저분의 기억이 왜곡되었습니다."

또 기억 상실 타령이군. 안스는 입 안으로 욕설을 내뱉었다.

그러나 내내 침묵하던 탈란타우에의 얼굴이 파격적으로 일그러졌다. 자신마저 깜짝 놀랄 정도였다.

"……베오메네스가 교읍지를 떠나기 전에 고백했나?"

"예."

"기억이 사라진 과정은?"

아펭글로는 품에서 주섬주섬 종이를 꺼내 건넸다. 무엇인가 하여 고개를 들어 보니, 다락방에서 지내던 일주일 동안 그가 썼던 기록이었다. 그 말도 안 되는 소설 말이지…….

탈란타우에는 한 줄, 한 줄 손으로 짚으며 진지하게 읽어 내려갔다.

그리고 마침내 종이를 책상 위에 올리더니, 자신과 아펭글로를 둘러보았다.

"이 뒤로 얼마나 지났지?"

"한 달 반입니다. 후견인에 대한 내용을 제하면, 저분의 기억은 멀쩡합니다."

"그야 내가 터르노보 우스페히를 죽였다는 사실만이 중요했을 테니까. 나머지는 무슨 상관이겠나."

"하지만 걱정이 됩니다. 전…… 화가 나 침묵을 지킬 수도 있었지만…… 그보단 바를라암 각하가— 아니, 안스가 걱정이 되어 왔습니다. 이곳에 와 각하께 여쭈면 그래도 해결책을 아실 것 같아서요."

"내가 해결책을 안다고?"

"각하. 제발 안다고 말씀하세요."

탈란타우에는 빈손을 들어 보였다.

"'약속'이란 대처할 방법이 없기에 '약속'인 것인데, 그걸 내가 어찌 아나?"

"……."

"차라리 잘되었군. 불필요한 소란이 일지 않을 테니 말일세."

찰나, 아펭글로의 얼굴이 붉게 달아올랐다.

그는 한달음에 탈란타우에에게 달려들었다.

그러나 귀가 한 짝 없는 퇴물 항해자보단, 오랜 시간 벼려진 군인이 훨씬 빨랐다.

탈란타우에는 아펭글로의 힘을 이용해 그대로 팔을 돌려 꺾었다. 순식간에 부러뜨릴 기세였다. 아니, 안스는 확신했다. 저자는 사천 명을 죽였으니 단순히 사람을 제압한 뒤 끝내진 않을 것이다.

깨달음과, 몸이 움직인 것은 거의 동시였다. 안스는 둘 사이에 달려들어 탈란타우에의 턱을 갈겼다.

탈란타우에가 신음 소리와 함께 물러났다. 아펭글로 또한 자유의 몸이 되어 밍비다을 굴렸다.

안스는 울타리처럼 둘 사이에 버티고 서서 화를 냈다.

"적당히 해요. 늙은이들끼리."

탈란타우에가 피가 맺힌 입가를 문질렀다. 의아해하기보단, 오히려 감탄하는 표정으로 자신을 올려다보았다.

"정말 기억이 하나도 없나 보군."

"계속 그러면 한 대 더 맞을 줄 아십시오."

"알겠다, 알겠어—"

"탈란타우에, 이 뇌조 대가리 같은 자식아! 어서 이 애 기억을 돌려놓을 방법을 말해!"

아펭글로는 악을 쓰다시피 했다. 탈란타우에는 헛웃음을 터뜨렸다.

"아펭글로, 내가 그 '해결책'을 알았다면 대양을 넘어가기 전에 나한테 먼저 써먹었겠지."

"당신도 손해야! 당장은 안스의 기억이 더 사라지지 않았지만 앞으로 어떻게 될 줄 알고? 동료 사제왕이 손상되었는데 신뢰할 수 있겠나?"

"나는 전혀 걱정하지 않는다. '약속'은 그런 식으로 작동하지 않는다니까. 기억하나? 지지난 대 싱게크라메나가 수년간 습관처럼 지역민을 잡아 와 강간하자 그놈 하반신이 바스러졌잖나……."

탈란타우에는 큭큭 웃기 시작했다. 무엇이 그리 유쾌한지 몸을 숙이더니 바닥까지 몇 번 두드렸다.

웃음은 한참이나 이어졌다.

한 번 더 걷어찰까 고민할 때 즈음, 탈란타우에가 고개를 홱 쳐들었다.

"그러니까 가장 효과적인 방법이란 말이지. 싱게크라메나가 그 지경이 되어서도 지역민을 고문했다면 목숨이 동강 났을 거다. 다행히 정신을 차려 더 실수하지 않았지만. 앉은뱅이로 선정을 펼친 뒤 침대에서 죽었고 말일세. 물론 글쎄, 종합하자면 별로 부러운 삶이 아니군."

탈란타우에의 얼굴에는 여전히 웃음기가 남아 있었다.

"거듭 말하지 않나. 잘된 일이라고. 아펭글로, 당신에게도 내가 정직하지 못했던 몇몇 부분은 사과하겠다. 그러니 화를 가라앉힌 뒤 나중에 다시 보도록 하지. 나도 죽이고 싶어서 죽인 건 아닐세. 일을 효율적으로 집행했을 뿐이야."

아펭글로는 뒤로 물러났다. 더 이상 달려들진 않을 듯했지만, 그 얼굴에 서린 경멸은 전보다 더 완고했다.

"탈란타우에, 제게는 아무 말씀도 하지 마십시오. 의미 없습니다."

"변명할 기회라도 주어야지. 나는 소조폴과 도이도흐에서 협의체를 만들었다. 시민회장을 뽑아 협조를 구했어. 법황의 대리인에게 얼마간 통치를 맡겨도 안전할 정도로 완전한 지지를 얻었다."

"제게는 그만 말씀하시라고 했습니다. 난 오로지 안스 때문에 여기 온 겁니다. 당신은 안스에 대해 이야기해야 합니다."

"왜? 지금은 네가 더 중요하다. 내가 당신 도움을 얼마나 받았는데, 오해로 기분을 상하게 만드는 건 안 될 일이지. 에파날람서에서 말씀하시길, '여섯 밤이 지난 뒤 잘못을 바로잡을 수는 없다.'지 않나."

"이자는 기억을 잃었습니다. 나는 화가 났을 뿐이고요."

탈란타우에가 몸을 돌렸다. 안스를 바라보는 눈길에는 확신이 묻어 있었다.

"너, 문제 있나?"

안스는 곧장 아니라고 대답하려다가, 아무래도 대화가 의심스러워 입을 다물었다.

그러자 탈란타우에는 다짐하듯 말했다.

"나는 네 후견인을 죽였다. 그 이야기를 들은 네가 사제왕 위에서 물러나겠다고 고집을 피우자, 네 기억이 왜곡됐고. 아펭글로의 이야기는 전부 사실이다."

안스는 화를 내야 한다고 생각했다. 하지만 아무리 노력해도 남의 일처럼, 단순한 문장처럼 들렸다. 결국 어정쩡하게 인상을 찌푸린 채 물러설 수밖에 없었다.

"기억은 돌아오지 않을 거다. 지금까지 당한 놈들은 전부 '약속'에 당한 그대로 살거나, 죽어야 했다. 손꼽은들 얼마 안 되긴 하지만."

"……."

"해악을 끼쳤던 놈들과 달리, 너는 단지 상황이 좋지 않았을 뿐이기에 나도 당혹스럽군. 하지만 이왕 이렇게 된 김에 서로 앙금 없이 마무리할 수 있으면 좋겠다."

안스는 아펭글로를 흘끔 바라보았다. 그는 한숨과 함께 양손으로 얼굴을 짚었다.

"안스카리우스, 그리고 아펭글로. 물론 고백하건대 내가 기억을 되돌릴 방법을 알았더라도 입 밖에 내지는 않았을 것이다. 하지만 정직한 사제왕으로서 더 확실한 방법을 알려 주지. 법황에게 물어보는 것은 어떤가? 법황은 우리를 해칠 일이라면 수단과 방법을 가리지 않지. 네가 기억을 회복하길 그보다 더 바라는 사람은 없을 거다."

"……."

"물론 소용없단 사실을 알기에 내 이토록 평화롭겠지."

"……."

"다들 죽을상이라 아쉽군. 처음으로 함께 만났는데 이보단 발전적인 이야기를 해야 유익하지 않겠나."

탈란타우에는 문장 한 구절, 한 구절에서 기쁨을 감추지 못하고 있었다. 절대 춤을 추지 않을 사람이 춤을 춘다면 바로 저 문장처럼 들릴 것 같았다.

안스는 계속 화를 내려 노력했다. 탈란타우에 저놈이 제 입으로 범죄를 고백하고 있잖아. 본인 잘못이 가려졌단 사실에 기뻐 죽으려 하는데, 내가 화를 내야 할 것 아냐.

하지만 불가능했다. 기억하지 못하는 일에 분노할 수는 없었다.

"아무튼 이건 신경 쓰지 말고 다들 닥친 일에 집중해라. 안스카리우스, 너는 언제 법황에게 불려 갈지 모르는데 태평하기 짝이 없군."

이 방에서 혼자 흐뭇한 얼굴을 때리고 싶었다.

"아, 그렇지. 떠나기 전에 한 가지만 더 시도해 보면 어떨까 하는데."

탈란타우에는 급기야 빙그레 웃고 있었다.

"안스카리우스, 언젠가 총독으로 시노드 신넬에 돌아간다면 옛 인연이 거추장스러울 것 아니냐. 그러니 필요 없겠지."

이번엔 울컥했다.

"시노드 신넬의 기억이 거추장스러울 거라고요?"

"'티티라 돔니니'. 살아 있는 친구는 그뿐이겠군. 글쎄, 혹시 더 있을지도 모르겠지만."

뭐?

한순간 심장이 꽉 조여들었다.

안스는 성큼 다가갔다. 탈란타우에의 입에서 티의 이름이 나오자 화를 주체하기 힘들었다.

그러나 그 순간, 시야 속으로 갑자기 아펭글로가 달려들었다. 바람이 일 정도로 빨랐다.

아펭글로는 아까 전의 패배에서 깨달았는지 손에 단단한 무언가를 쥐고 있었다. 탈란타우에의 머리를 그대로 내리찍으려 했다.

안스는 화가 났다가도 아펭글로의 맹렬한 기색에 당황했다. 왜……?

하지만 여전히, 탈란타우에는 아펭글로보다 빨랐다. 상대의 힘을 이용해 순식간에 손목을 잡아 비틀었다. 손에 들렸던 문진이 떨어졌다. 이번에는 아펭글로의 다른 쪽 주먹이 닥쳤고, 탈란타우에는 이를 악문 채 받아 냈다. 균형이 흐트러져 한 대 더 맞았지만, 그 이상은 없었다.

탈란타우에는 아펭글로를 제압했다. 바닥에 쓰러뜨린 뒤 배를 걷어찼다.

모든 일이 아주 짧은 시간 안에 일어나 안스는 누구 편을 들어야 할지도 선택하지 못한 상태였다. 마지막 순간엔 아펭글로를 골랐겠지만, 그가 갑자기 문진으로 탈란타우에의 머리를 찍으려 하자 혼란스러웠던 것이다. 제대로 찍었다간 정말 죽었을 테니…….

물론 더 고민할 여유는 없었다. 아펭글로가 급기야 피 섞인 기침을 터뜨리고 있었다. 늙은 선생을 한 번 더 공격한다면 참지 않을 생각이었다.

탈란타우에는 다시 자신을 바라보았다.

"내가 시도해 보고 싶은 게 있는데."

"……."

"안스카리우스, 나는 티티라 돔니니를 죽일 거다."

안스는 천천히 손을 뻗었다.

탈란타우에의 옷자락이 닿았다. 꽉 쥐었다.

탈란타우에는 바짝 끌려오고도 여전히 느긋했다.

"당장 법황의 대리인에게 전갈을 보내겠다. 현상금을 걸어 티티라 돔니니를 찾을 것이다. 내 앞에 데려와 얼굴을 확인한 뒤 쳐 죽일 예정이다."

안스는 조심스레 숨을 쉬었다. 시노드 신넬, 그 작은 방에서 탈란타우에가 티에 대해 알게 된 뒤 언젠가는 이런 일이 생길지 모르겠다고 생각해 왔다. 그러나 생각하는 것과 실제로 듣는 것은 무게가 달랐다.

그는 탈란타우에를 어떻게 죽여야 할지 먼저 생각했다. 분노는 정말이지 불필요했다.

사천 명을 죽인 사제왕이 티의 목을 매달겠다고 선언한다면 그건 절대 농담이 아니었다. 탈란타우에는 정말로 티를 죽일 것이고, 자신은 그 전에 저자를 죽여야 했다. 그 방법뿐이었다.

"평생 같이 자란 친구는 순식간에 너를 함락시킬 수 있겠지. 결국 넌 사제왕 위를 내려놓을 것이다. 여자를 따라 도망갈 거라고. 뻔히 알면서 눈 뜨고 당할 수는 없지."

"……."

"사제왕 위는 입었다 벗을 수 있는 외투가 아니다. 친구 하나에 책임을 등질 만큼 알량한 각오는 용납하지 않겠다. 하지만 네가 동의하지 않을 테니, 내 방법은 싹을 제거하는 것뿐이다. 티티라 돔니니가 죽으면 너도 더 이상 동요하지 않겠지."

안스는 차분했다.

"티는 안 죽어."

"내가 돌아가 죽일 수도 있고, 더 빠르게는 당장 법황의 대리인에게 부탁을 전할 수도 있겠지."

"그 전에 네가 죽을 거라, 걔는 안 죽어."

"아, 그렇다면야."

탈란타우에가 웃었다.

안스는 동요하지 않았다. 어차피 말이 끝나면 목을 조를 생각이었다.

"만에 하나 네가 티를 죽이면, 사제왕 바를라암은 내가 아닐 거야. 당신 수고를 똥통에 처박고 내 아버지인지 뭔지 하는 자식도 죽일 거야. 사제왕 가문 하나를 작살낼 거야."

"그렇군."

"탈란…… 타우에……."

바닥에서 희끄무레한 신음이 들렸다. 안스는 아래를 내려다보았다. 가까스로 숨이 돌아온 아펭글로였다. 그는 겨우 바닥을 짚고 일어섰다.

"그런 식으로는…… 안 돼……. 네게 거슬린다고…… 그렇게 한 사람…… 한 사람 기억을 지우려 들 수는……."

안스는 순간적으로 아펭글로의 말뜻을 깨달았다.

등줄기에 서늘한 감각이 찾아들었다. 겨울, 혹은 죽음의 전조 같은 깨달음.

안스는 탈란타우에를 거칠게 밀쳐 냈다. 얼굴에 핏기가 가시는 게 느껴졌다.

한 걸음 물러났다.

이번에는 탈란타우에가 다가왔다. 딱 그가 물러난 만큼 따라잡았다.

"안스카리우스, 내 거듭 말하지 않나. 나는 '티티라 돔니니'를 죽이겠다. 그자는 시노드 신넬로 돌아간 네게 방해만 될 것이다. 혹시 친구와의 따뜻한 재회를 꿈꾸지는 않았겠지? 그토록 많은 상단 사람이 죽은 뒤에도 친구가 사제왕이라느니, 총독이라느니 하는 고백을 순순히 받아들여 줄까?"

"나랑 티는 고작 그 정도가 아니야."

"그렇지. 그런 자신감이 없었다면 애초에 이 땅에 오지도 않았겠지. 그러니 그자는 너를 현혹하려 들 것이 분명하다. 네가 한순간 길을 잘못 들었다고 생각하곤, 사제왕 위에서 떼어 놓으려 애쓸 것이다. 나는 동료 사제왕으로서 그 행동을 용납할 수 없다. 그러니 방해꾼을 죽일 생각이다."

탈란타우에는 부자연스럽게도 아주 여러 번 티티라를 죽이겠노라 말했다.

안스는 제 속의 살의를 짓밟기 위해 애썼다.

아펭글로의 고통스러워하는 말로 깨달았다. 자신은 이미 같은 일을 한 번 겪었다. 후견인 때문에 저자를 죽인 뒤 모든 걸 집어치우겠다고 생각하자, 후견인의 기억이 사라졌다.

그러니 티 때문에 탈란타우에를 죽이겠다고, 이 종잇장 같은 사제왕 위도 필요 없다고 생각한다면……

안스는 목에 칼이 들어온 사람처럼 계속 물러났다.

"너도 언젠가는 내가 티티라 돔니니를 죽였단 사실에 감사하게 될 것이나. 어린 시절 젊은 미풍이었노라 느끼겠지."

탈란타우에는 허풍을 치는 거다. 자신은 무시하면 되었다. 절대로, 절대로, 티 때문에 사제왕 위를 버리겠다거나, 탈란타우에를 죽이겠단 생각은 하지 않을 것이다.

한 걸음 물러났다.

탈란타우에는 바짝 쫓았다.

"혹시 내가 실없이 떠든다고 생각하진 않겠지? 나는 네가 법황에게 임명받자마자 법황청으로 향할 것이다. 우리 친애하는 법황 이디이께, '성하께서도 새로운 바를라암을 보셨지요? 제가 웬만한 관련인은 다 죽였습니다만, 딱 한 사람을 놓쳤습니다. 그러니 뇌조 대가리를 지닌 대리인에게 말씀을 좀 전해 주십시오. 그 대가로 이번 달 제 조세를 바치겠습니다.' 잠깐 고민하더라도, 돈과 함께 부탁을 받아들이겠지. 절대 손해 볼 일은 안 하는 친구니까."

거짓말이다. 그리고 나는 변함없이 사제왕 위에 충실할 것이다.

……그러나 집중하기 힘들었다. '정말 나 때문에 티를 죽인다면.' 그 한 어절을 도저히 무시할 수 없었다. 제 기억을 흔들려는 속임수일 테지만, 분명 저자는 언제든 티를 죽일 수 있는 사제왕이었다.

자신은 티가 죽을 수 있다는 아주 작은 가능성만으로도 미칠 것 같았다. 갑자기 발끝부터 불안이 차올랐다.

안 돼. 생각하지 마. 티는 살 거야.

무슨 소리야? 탈란타우에가 정말로 티를 죽이겠다고 결심한 거라면, 내가 선수를 쳐야 돼. 저자를 죽이면 티를 해칠 사람은 사라지는 거잖아. 기억을 잃든, 잃지 않든 그건 내 일이고, 티는…….

입 닥쳐. 애초에 이런 생각을 하지 말아야 한다고!

등에 단단한 책장이 닿았다. 더 이상 물러날 곳이 없었다.

안스는 귀를 막았다. 잘못된 판단이었다. 귀를 막자 모든 생각이 티에게로 향했다. 급히 떼어 냈다. 생각하지 말자고 다짐할 때마다 계속 같은 자리로 돌아가고 있었다.

그만 떠올려. 다른 것들, 소조폴 항구에 피는 푸른 꽃, 규칙적으로 출렁이던 부두, 배 위의 퀴퀴하고도 짠 냄새, 우스페히 상의 깃발을 이루고 있는 무늬, 이런 죽도록 사소한 것들…….

탈란타우에는 티를 죽이고 말 거야. 그 애의 이름도, 얼굴도, 심지어 나이마저 알잖아. 남부인들이라면 높은 현상금에 배신하고도 남아. 항상 숨어 다녀야겠지. 그렇게 삶 같지도 않은 삶을 살다가 결국 붙잡힐 거라고.

안스는 고개를 들었다.

탈란타우에는 어느새 집무실 문을 열고 밖으로 나가려 하고 있었다.

생각할 겨를도 없이 탈란타우에에게 뛰어들었다.

그러나 상대가 더 빨랐다.

탈란타우에가 문을 빠져나가며 아슬아슬하게 달칵이는 소리가 났다. 힘주어 당겼으나 이미 고정된 뒤였다.

안스가 급하게 문고리를 돌리는 것과, 반대편에서 무언가 묵직한 소리가 들리는 것은 거의 동시였다. 한순간 문이 단단히 잠긴 듯했다.

안스는 정신을 차리곤 거칠게 문을 잡아당겼다. 두드렸다. 발로 차고 몸으로 부딪혔다.

그 요란한 파열음 속에서, 지독히 낮은 목소리가 들렸다.

"며칠 뒤에 오마. 내게도 '약속'이 진짜인지 확인할 기회를 줘야지."

문틈 사이로 새어 들어오는 악의.

안스는 소리를 질렀다. 문장으로 만지기 어려운 비명이었다.

무시무시한 침묵이 흘렀다.

무슨 말을 외쳐도 돌아오는 소리는 더더욱 외로울 뿐이었다. 반응이 없었다. 속이 철렁 내려앉았다. 안스는 몇 번 더 문고리를 잡아당기다가, 문득 뒤를 돌아보았다.

아펭글로는 반쯤 감긴 눈으로 책상에 기대앉아 있었다. 눈이 마주치자 그가 검지를 입가에 가져다 댔다.

"쉬……."

안스의 어깨가 크게 들썩였다.

탈란타우에 놈의 목을 졸라야 했어.

내가 놓친 거야. 여기 갇혀 있는 사이, 시노드 신녤에 전갈을 보낼 거라고. 저 입술 얇은 자식을 죽여야 해. 나 때문에 티가 죽으면, 만일, 그렇다면, 내겐 자살마저 편한 죽음이 될 텐데. 내 남은 삶의 절반을 떼어 주어도 부족한 앤데…… 나는…….

아펭글로의 눈이 살짝 커졌다. 그는 다시 한번 반복했다.

"쉬……."

그의 검지 끝이 콧등에 닿았다.

안스는 그 힘없는 삼각형을 보며, 갑작스레 깨달았다.

"……."

"그래……. 생각하지 마십시오……."

아픔을 못 이긴 듯, 아펭글로의 눈이 다시 감겼다. 주름진 미간이 좁혀 들었다. 피리처럼 희미한 목소리가 새어 나왔다.

"침착하게……."

뒤돌아 문고리를 한 번 더 돌렸지만, 소용없었다.

안스는 문에 주르륵 미끄러져 앉았다.

무릎을 감싸 안곤 품을 노려보았다. 어둠 속에서 제 숨소리만 들렸다.

혼란스러웠다. 자신에게 중요한 단 하나의 생각을 피하려다 보니 미칠 것만 같았다.

안스는 앉은 채 몸을 기우뚱기우뚱 움직이다가 한순간 정신 나간 사람처럼 벌떡 섰다.

방 끝에서부터 반대편 끝까지 걸어 다녔다. 아펭글로를 성큼 뛰어넘었다.

얼굴을 짚었다.

"집중이 안 돼……."

손가락 사이로 퍼지는 입김이 뜨거웠다. 제 모든 신체가 너무도 과하게 느껴졌다.

"자꾸 가지 말아야 할 곳으로만 가고 있어……."

안스는 책상에 기대앉았다. 아펭글로와는 모서리를 사이에 두고 쓰러졌기에, 얼굴을 마주할 수 없었다.

아주 가까운 곳에서 아펭글로의 목소리가 들렸다.

"……안스…… 나도 모르겠습니다……. 그리될 수도 있고, 그리되지 않을 수도 있지요……. 친구 생각을 틀어막기가 정 어렵다면…… 탈란타우에를 해치지 않고…… 좋은 사제왕이 되는 방법 먼저 생각해 보세요……. 긍정적인 방향으로……. 나도 애쓸 테니……."

안스는 두 눈을 꽉 눌렀다.

순식간에 마음이 시노드 신넬로 갔다. 그동안 고향을 떠올리지 않은 게 일부러였단 확신이 들 만큼 빨랐다.

티와 소소폴에서의 제 삶은 하나이 큰 덩어리였다. 그 애를 기억하면서 소조폴을 잊을 수는 없었는데, 어떻게 그렇게 자신만만했는지 모르겠다. 뭘 믿고 그렇게 사제왕이 되겠다고, 이상한 욕심에 떠밀려서⋯⋯.

교국에 이렇게 오래 있어야 할 줄 몰랐는데—아니, 사실 알았지
—. 그래도 티가 아닌 소조폴을 그리워하진 않을 거라 생각했어—
소조폴이 수평선 아래로 사라진 순간부터 겁이 좀 났던가—. 아주
좋은 침대에서 깊은 잠을 잤다고—잠들기 전 옛날 생각을 하면 갑
자기 배 속이 차가워지곤 했지—. 아, 너무 멀리 온 건 아닌가, 이
런 생각이 들더라. 후회하는 건 아닌데⋯⋯.

안스는 후회했다.

안스는 티티라의 머리카락을 배배 꼬았다. 툭 하고 풀리는 느낌
이 근사했다. 사실 자신은 티의 머리칼이 짧아진 지금을 더 좋아했
다. 항상 감질나는 순간에 쫓겨나 초조한 느낌이, 이상하게도 사랑
스러웠으니까.

정신을 차리니 티의 머리칼이 잔디밭처럼 일어나 있었다.

이런. 조심조심 만졌다고 생각했는데, 꼴이 우스웠다. 결국 잔뜩
숙였던 몸을 일으켰다.

안스는 그녀가 벤 두꺼운 서류 묶음을 밀었다. 짧은 머리카락이
슬금슬금 흔들렸다. 괴롭히고 싶어 다시 당겨 보았다.

마침내 깨어난 티티라가 찡그린 채 서류를 움켜쥐었다.

그는 종이 위 그녀의 손가락을 하나하나 떼어 냈다.

"이렇게 자면, 남은 일은 내가 다 하라고?"

티티라는 이상한 신음 소리를 냈다. '어, 으, 아으, 흐으으⋯⋯.'
와 그럭저럭 비슷한 단어들.

"야, 일어나."

티티라의 눈이 번쩍 뜨였다.

누가 보면 귀신에 씌었다고 할 정도로 다급한 속도였다.

안스는 저 모습이 일에 대한 압박감이란 사실을 알고 있는 사람이었다. 뭔가 놓친 내용이 있을 때, 도저히 잠들 수 없을 때, 어디서 끌어오는지 모를 힘을 평생토록 보고 있었다.

아니나 다를까, 티티라가 벌떡 상체를 일으켜 세웠다.

그녀는 친구의 새로운 방에 흠칫 놀라는 듯했지만, 곧 상황을 파악한 듯 몸을 숙였다. 어느새 손에 펜이 쥐어 있었다. 입속으로 무어라 중얼거리는 모습이 보였다.

안스는 오늘 날밤을 새우게 만든 티의 잘못을 기억했다. 그 정도 실수라면, 지금 자신이 책상을 양보해 줄 필요는 없겠지. 그는 혼자 편한 책상으로 도망가려다가—

"아!"

갑작스러운 비명에 뒤돌았다. 거의 동시에 주저앉았다.

"왜? 무슨 일이야?"

소리를 지른 티티라는 당황한 얼굴로 잉크 범벅이 된 오른손을 보여 주었다.

일부러 양탄자 너머에 밀어 두었던 잉크병인데, 티가 몸을 뻗다가 그대로 쏟은 것 같았다.

"안스, 미안해."

티티라는 허둥지둥 나무 바닥 가장자리로 기어갔다. 앞섶으로 양탄자 끄트머리에 물든 잉크를 지워 보려 했다.

안스는 티티라가 침을 묻혀 닦으려 하자, 그제야 기겁해서 그녀를 잡아당겼다.

"그럴 필요 없어."

그녀는 어쩔 줄 모르는 표정으로 돌아보았다.

"방 옮기면서 새로 산 거잖아."

아니, 그 돈이 내 돈이냐고……. 기막혀하는 사이, 티티라가 다시 고개를 숙였다. 그녀의 옷자락은 이미 남은 색 없이 얼룩덜룩해서, 양탄자보다는 본인 꼴을 더 챙겨야만 할 것 같았다.

안스는 잠시 고민하다가 티티라의 어깨를 두드렸다.

그녀가 고개를 돌렸다.

안스는 검지에 잔뜩 묻힌 잉크를 그녀의 얼굴 위로 그었다. 눈 아래, 콧등을 지나, 일직선으로.

티티라는 이게 무슨 의식이냐는 듯 멍하니 바라보았다.

그는 조금 늦게 깨달았다. 쟤, 아직 잠에서 덜 깼네. 안스는 자신이 그은 줄 아래로 다시 하나를 더 그었다. 그리고 하나 더—

티티라가 손목을 잡아챘다.

"뭐 해?"

안스는 웃었다.

"이쪽이 재밌잖아."

"바닥에 쏟은 거 먼저 치워야 해."

"나는 얼굴에 줄을 세 개나 그은 사람 말은 안 듣는데."

티티라는 이미 엉망이 된 옷자락으로 얼굴을 비볐다. 제 말에 짜증을 내기는커녕 오히려 따르다니, 웃지 않기가 더 힘들었다.

마침내 옷자락이 떨어져 나갔을 때, 티는 완전히 검게 치장한 사람처럼 보였다.

"하!"

안스는 웃음을 터뜨리며 옆으로 굴렀다. 킬킬댔다.

티티라는 인상을 찌푸린 채 일어섰다. 성큼성큼 앞으로 가는 듯하더니 '쾅' 하고 침대 기둥에 머리를 박았다.

안스는 배꼽이 빠져라 웃다가 순식간에 얼어붙었다. 놀라 일어섰다.

"티! 뭐야……?"

티티라는 이제야 잠이 깬 듯 눈을 휘둥그레 뜨고 있었다. 그리고 코피가…… 양쪽으로 주르륵…….

안스는 웃음을 꾹 참았다. 아니, 솔직히 못 참았다. 그는 끅끅거리며 웃기 시작했다.

잉크 칠이 된 얼굴에 코피까지 흐르자 이젠 정말 말도 안 되는 농담 같았다. 티티라가 욕설을 내뱉기 시작하자 더욱 그랬다.

"아, 흑……. 사람들이 이걸 봐야 하는데……."

티티라는 누가 들을까 두려운 욕을 하더니 고개를 젖혔다. 머리가 아찔한지 눈살을 찌푸렸다. 거기서 멈추지 않고 곧장 방을 걸어 나갔다.

물론 안스는 금세 따라잡았다.

"어디 가게?"

"일 층에. 씻으러."

"너 지금 꼴이 오징어 같아."

"오징어가 자기 먹물에 쏘이진 않지."

그들은 티격태격하며 빠르게 계단을 내려왔다. 걸음 소리와 제 훌륭한 말솜씨, 티티라의 신음이 멋진 삼박자를 이루었다.

안스가 더 모욕적인 농담을 꺼내기 위해 머리 터져라 고민할 때였다.

"응?"

익숙한 목소리와 함께, 앞서가던 티티라가 홱 뒤돌아 자신을 마주 보았다.

안스는 궁금해하며 고개를 들었다.

아! 마린카 씨였다.

"안녕하세요, 마린카 씨. 지금 가시나요?"

"그래. 오늘 청어가 너무 늦게 들어와서…… 사람 손을 빌려도 재우는 데 시간이 너무 오래 걸리지 뭐람. 그런데 티는 왜 그러고 있니?"

티의 초조한 얼굴을 보며 웃음을 참으려 얼마나 노력했는지 모른다. 안스는 콧김으로 씩씩거리며 아무도 믿지 않을 변명을 했다.

"얘가 너무 오래 엎드려 자서 얼굴이 팅팅 부었지 뭡니까? 진짜 심각해요. 저는 같은 사람인 줄도 몰랐다니까요."

"그러니? 붓기에 좋은 차가 있는데, 꺼내 줄까?"

"아, 그러실 필요는—"

그 순간, 티티라가 제 가슴팍에 퍽 하고 이마를 기댔다.

마린카 씨랑 떠드느라 언제 다가왔는지도 몰랐다.

갑자기 몸이 벌겋게 불탔다.

숨이 반 마디나 빨라졌다.

"저…… 마린카 씨…… 얼굴도 얼굴인데, 제가 조금 아파서…….."

"티, 의사를 부를까? 이 밤에 누가 있으려나…….."

"아니에요……!"

티는 쩔쩔매고 있었다. 낙서투성이 얼굴 위로 쌍코피를 흘리는 환상적인 몰골을 절대 보이고 싶지 않은 듯했다.

그 모습을 보는 순간, 팔이 올라갔다. 어디서 난 용기인지 몰랐다.

안스는 걸치고 있던 실내용 가운을 펼쳐 티를 감쌌다. 방금까지 어설프게 이마만 대고 있던 티가 깜짝 놀라는 것이 느껴졌다.

"마린카 씨, 제가 얼굴은 아무도 안 보여 준다고 꼬드겨서 같이 내려온 거거든요. 그러니 조금만 봐주세요. 문제가 생기면 필요한 곳에 연락하겠습니다."

"저런……. 그래. 티, 보여 주기 싫은 마음을 이해한단다. 그래도 찻잎은 주고 가마. 응?"

"……네."

마린카 씨는 다시 주방으로 돌아갔다. 안쪽에서 달그락거리는 소리가 들렸다.

티티라가 품에서 꿈지럭대는 것이 느껴졌다. 안스는 가운을 더 단단히 여몄다.

"아직."

말하면서도 뺨이 화끈거렸다.

보이지 않는 천 아래서 티티라가 투덜거렸다.

"네 옷에 코피 다 묻는다. 더러워 죽겠어."

네 피가 묻는다니 좀 짜릿한데.

그렇게 생각하는 순간 얼굴이 터질 것처럼 빨개졌다. 보지 않아도 알 수 있었다.

진짜 미친 새끼 같아.

안스는 작게 중얼거리다 한순간 기겁해서 티를 밀어냈다.

풀려난 티는 거대한 갈매기처럼 푸드덕대며 욕탕으로 달려갔다. 영문은 모르겠지만 어쨌든 자유로워졌으니 토 달지 않겠다는 태도로, 즐겁게 사라졌다.

반면 자신은…….

아래가 뻐근했다. 미친, 미친, 미친…….

안스는 티티라가 눈치채지 못했길 빌었다. 정말로, 빌었다…….

"티는 어디 갔니?"

안스는 눈에 띄게 놀랐다. 그걸 숨기기 위해 상대에게 여러 걸음이나 다가갔다. 말도 급했다.

"아……. 얼굴을 씻는다고 욕탕으로 갔어요."

"쯧, 그래. 안 그러던 녀석이 낯을 가리기는. 심하긴 심한가 보구나. 찻잎은 여기 있다. 물도 데워 두었으니, 애가 나오면 좀 주렴."

"네. 감사합니다."

"그래. 내일 보자."

안스는 마린카 씨를 배웅했다.

문이 닫히는 것과 동시에, 욕탕으로 향했다.

안스는 반쯤 열린 문 앞에 우뚝 섰다. 찰박이는 소리가 들렸다. 잠깐 동안 자신이 들어가도 될지 확신이 서지 않았다.

"……들어가도 돼?"

"푸우……! 안 될 건 뭐야. 이상한 소릴 하네."

안스는 주춤거리며 욕탕에 들어섰다. 얼굴부터 목덜미까지 박박 닦고 있는 티의 모습이 보였다. 상의가 거의 젖어 있었지만, 원체 거친 옷이라 안이 비치진 않았다.

그제야 안심하여 가까이 다가갔다.

"지워지긴 해?"

"응, 푸……! 비누가 쓸 만해. 봐라."

티티라는 뒤를 돌았다. 잉크는 제법 깨끗하게 사라져 있었지만…… 그 얼굴 위로 다시 코피 한 줄기가 흘렀다.

그녀는 제 멍한 표정에서 이상한 낌새를 눈치챈 모양이었다. 코를 팔뚝으로 비비더니, 그 자리에 핏자국이 묻어나자 신음과 함께 고개를 젖혔다.

"코피가 왜 이렇게 오래가지?"

안스는 성큼 다가갔다.

고개를 젖힌 티티라의 귀 아래는 아직 잉크로 새까맸다. 제대로 닦지 못한 모양이었다.

티티라가 저를 바라보며 또록또록 눈을 굴리는 사이, 물에 손을 담갔다. 갈고리처럼 물을 퍼내 그녀의 귀밑을 만졌다.

사람을 죽일 때 쓰이는 말랑한 자리에 가슴이 쿵쿵 뛰었다. 죽음을 생각했다기보단, 그토록 연약한 자리를 제게 맡기고도 별달리 반응이 없는 티티라 덕분이었다. 잔뜩 흥분한 손가락이 느릿느릿 귀밑을 만지다가, 찰나, 작은 턱을 움켜쥐었다. 접시를 잡듯, 꽉.

"야!"

티티라가 제 손을 뿌리쳤다.

안스는 조금 더듬거렸다.

"잉크가…… 아직 남아 있어서."

"그럼 지우면 되지, 아프게 왜 그래?"

"미안. 실수야."

티티라는 들은 척 만 척 문에 얼굴을 비춰 보았다, 다시금 물로 벅벅 씻어 댔다.

안스는 그녀의 등을 보며 목 끝까지 나온 말을 삼켰다.

내가 널 안 좋아하기로 했단 말을 이렇게 철석같이 믿으면 어떡해. 어쩌면 너는 어느 쪽이든 상관없었을 수도 있지만, 그럼 나만 너무 비참해지잖아…….

다음 순간, 티티라가 물보라를 날리며 뒤를 돌아보았다. 물보라는 날개 혹은 지느러미 같았다. 밝았고, 생생했으며, 팔딱거렸다.

"어때? 이젠 없지."

안스는 그녀의 모습을 보며 복잡한 생각을 내팽개쳤다.

대신 티티라를 따라 미소 지었다.

"없어."

"좋아. 다시 일하러 가자. 아, 비누도 들고 가자. 내가 양탄자 닦아 줄게."

"필요 없어. 마린카 씨가 주신 차나 마셔. 괴물처럼 팅팅 부어선."

티티라는 앓는 소리를 내며 제 곁을 스쳐 지나갔다.

안스는 한참 동안 사라진 이의 냄새를 맡았다. 지나갔다. 부풀어 올랐다. 공기에 스며든 체취를 느꼈다.

안스는 눈을 떴다.

기억나지 않는 꿈을 꾼 것 같았다.

희미한 시야에는 종이 낱장이 나란히 펼쳐져 있었다.

"아침입니다."

조용한 가운데, 아펭글로가 눈앞에 보였다. 그는 소파에 웅크린 채 일어날 생각이 없는 듯했다. 지금은 '며칠째'인지, 그의 '기억은 어떤'지 설명하지도 않았다.

그러나 오히려 그 침묵 덕분에 자신이 해야 할 일을 떠올릴 수 있었다.

안스는 종이를 왼쪽부터 오른쪽까지, 위부터 아래까지 노려보았다. 깨어날 때마다 당황하지 않으려 애썼는데 이번만큼은 성공한 것 같았다.

잠시 뒤, 그는 제 기억을 모두 되살렸다.

적어도 그렇다고 생각했다.

티와 처음 먹은 음식을 기억하고 있었으니까.

안스는 작은 글씨가 수없이 쓰인 종이를 품 안에 안았다. 책상 위로 탁탁 내리쳐 모은 뒤, 새로운 종이를 꺼내 왔다.

티랑 처음 갔던 여행을 깜빡하고 기록하지 않았다. 나중을 위해써 두어야겠다—물론 여행이라기엔 상단 업무였지만, 스무 살도 안 된 애들에게 그건 꽤 즐거운 일이었지—.

목적지는 카르타타. 그들은 그곳에서 언젠가 우스페히 씨를 도와 줬다는 요아나 씨를 뵀었다. 요아나 씨는 젊을 적 얻은 악연이 벌써 수십 년이나 이어졌다고, 작은 부대만 한 가족들과 함께 호탕하게 웃었다.

티티라는 그 동그란 원 속에서 어정쩡하게 웃다가, 요아나 씨에게 속아 술을 먹었다. 요아나 씨는 그 진한 술이 카르타타 전통차라고 했다.

티티라를 위해 변명하자면 그 술은 속을 만했다. '외지인들 다리 사이를 꼬집는 술'이라고 하던데. 확실히 술에서는 어떤 향도 나지 않았다. 술이라기보단 오히려 끈득한 진액 같기도 했다.

물론 그간 술을 많이도 먹은 안스는 먹자마자 '와, 개궁둥이 같은 거짓말이네.' 했다. 반면 티티라는 계속 먹었고, 자신은 그녀를 말리지 않고 신나게 응원하는 인간 말종이었다.

"차가 맛있어?"
"응."
"내가 끓이는 법 배워 갈까?"
"좋아."
"그런데 왜 차가 차갑지? 난 모르겠는데. 넌 알아?"
"뜨겁지 않게 먹는 차도 있잖아."

요아나 씨가 뒤에서 웃음을 꾹 참으며 티티라를 가리켰다. 그리
고 손날로 목을 여러 번 긋는 시늉을 했다.
안스는 입술 안쪽을 마구 씹으며 계속 질문했다.

"어지럽진 않아?"
"왜?"
"가끔 각성 효능이 들어간 차들은 그렇대."
"그런가……. 아니. 별로."

그리고 앉은 자리에서 혼자 한 병을 다 비웠다.
안스는 그쯤 되어선 진짜로 말리려 했다.

"야, 기분 안 이상해? 피곤하진 않고?"
"……."

요아나 씨가 이젠 감출 생각도 없이 웃으면서 다가왔다. 몸을 숙였다.

"아가씨, 정신 차려. 이러다 내일 집에 못 돌아가겠어."
"네!"

티의 목소리가 꽤 커졌다. 제 걱정하던 마음은 어디 갔는지 다시
낄낄거리는 웃음이 터졌다.

"어디로 가면 되죠?"
"아가씨 방으로 가야지."
"네. 알겠습니다."
"이봐, 청년이 데려다줘. 동행인이잖아."

안스는 불에 덴 것처럼 몸을 젖혔다.

"전 여기 좀 더 있을래요. 쟤처럼 무식하게 마신 것도 아니고요."
"좀 챙겨 주지, 박하군."
"……"

자신은 술 마신 티와 단둘이 있을 생각이 개미 눈곱만큼도 없었
기에 꿋꿋하게 외면했다.
결국 요아나 씨의 발 둘이 티를 올려보냈다.
요아나 씨는 그를 빤히 보다가 등을 퍽 쳤다.

"이렇게 숫기가 없어서야."

"예?"

"나중에 저 애가 결혼한다고 남자를 데려오면 그제야 바짓가랑이 붙들고 엎어질 테냐?"

나는! 왜! 맨날! 티가 나는 거지?

"무슨 말씀이십니까?"

요아나 씨는 웃고 말았다. 그 뒤로 이어진 술자리에서도 별말씀을 하지 않았다. 그리고 술자리가 파한 뒤⋯⋯.

더 이상 기억이 나지 않았다.

안스는 펜을 떨어뜨렸다.

부끄럽고도 즐겁던 기억이 단숨에 동강 났다. 뚝 끊겼다. 죽었다. 털이 있고 따뜻한 동물의 잘린 단면이었다. 척추 속 줄기와 끈적한 피, 미끈거리는 점액이 줄줄 쏟아졌다.

그는 힘이 빠져 의자에 주저앉았다.

품에서 티의 초상화를 찾았다. 마음이 급했던 나머지 지난 한 해간 아껴 왔던 종이가 이 며칠 만에 많이도 구겨졌다.

기억이 자연스레 잊혀졌다면 차라리 나았을 거다. 아무리 티와 함께했던 일이라도 어떤 기억들은 십 년을 거치며 희미해졌고, 덕분에 그런 감각에는 익숙했다.

하지만 지금은 모든 게 부자연스러웠다. 노력해서 기억을 되새길수록, 그 노력을 비웃듯이 싹둑 끊어 가곤 했다. 제 인생이 뭉텅뭉

팅 잘려 나갔다.

안스는 그날 밤 카르타타에서 무슨 일이 있었는지 기억하려다가 아찔한 기분에 전부 놓아 버렸다. 새까만 암흑뿐이었다. 그 어색한 느낌이 그를 미치게 했다. 빼앗겼다. 강탈당했다.

안스는 이를 악물고 다시 허리를 세웠다.

그래, 그걸 빼앗아 가? 그래도 내겐 여전히 수많은 기억이— 맞아, 닷새간의 폭풍이 지나간 배에서 성인 팔만 한 농어를 잡아 왔던 기억이 있지. 그렇게 험난한 일도 이겨 냈는데, 미친 광신도들한테 사천 일을 통째로 빼앗길 수는 없는 법이었다.

그날 배가 폭풍을 뚫고 입항했을 때, 티티라는 밧줄 걸이에 앉아선 단 한 번도 일어서지 않았다. 안스는 반가운 마음에 일을 빨리 마친 뒤 농어가 담긴 상자를 들고 갔다.

그녀는 생선 크기가 기록적이라는 그의 자랑을 무시한 채 계속 노려보았다. 그러다 이내 너는 아무 일도 없었던 척한다고 비난했다. 안스는 전리품을 자랑했다가 욕을 먹곤 어이가 없어서 입을 벌렸다.

티티라는 빙빙 돌리지 않고 정확히 이야기했다. 폭풍을, 그렇게, 맞고, 돌아와서, 농어를, 자랑해? 유치해, 죽겠다! 한 마디, 한 마디 이를 갈며 말했다. 내가 걱정한 걸 알았어도 문제고, 몰랐어도 문제야! 이 멍청한 상어 눈알 기생충 같은 놈아! 한달음에 내뱉었다.

안스는 상어 눈알 기생충이 실제로 있는 건지 궁금해졌다. 하지만 물어봤다간 한 대 맞을 것 같아서 조용히 말했다.

"무서웠어. 보고 싶었어."

상어 눈알 기생충이 궁금했지만, 또한 죽을까 봐 무서웠고, 티가
보고 싶었다.

그러자 티티라가 무슨 말을 했다.

"안스……. 를……."

기억이.

나지 않았다.

제 감정과 함께 달려가다 갑자기 절벽에서 떨어진 느낌이었다.
폭풍우를 맞았고, 죽을까 무서웠고, 티가 보고 싶었고, 농어 따위
론 극복할 수 없었고, 결국 티를 보고 티에게 위로받아야 했는데—

그 말이 기억나지 않았다. 그러자 두려운 감정만 남았다.

두려우면 냉정을 잃는다.

안스는 눈먼 황소처럼 다시 다른 기억으로 치달았다.

티를 좋아한다고 깨닫기도 전, 아주아주 어렸을 때 둘이 치고받
고 싸웠던 기억. 티티라는 제 팔을 부러뜨렸고, 자신은 그녀의 발
등뼈를 깨뜨렸다. 결국 별로 둘 다 무거운 막대를 들고 서 있다가,
온 동네 웃음거리가 되었다.

그런데 왜 싸웠는지 기억이 안 났다.

어스름 지는 대로에서 발을 탁탁 내디디며 나를 기다리던 어린
티의 기억. 혹시 몰라 2인 1조로 다니며 망을 봐주던 시절의 따분
한 석양이 생생했다. 이건 아주 오래, 자주 겪었던 일이기에 사라
질 수 없다고 생각했다.

그러나 가장 많이 심부름을 갔던 상관 이름이 기억나지 않았다.

티가 누구랑 사흘이나 다른 도시에 있다 오자 짜증이 나서, '너 머리 자를 때가 다 됐다!'고 대로 한복판에서 외치던 기억. 티는 자기 머리를 손으로 꼬아 보곤 '그렇네.' 하며 가볍게 다가왔다. 그는 곧장 단검을 꺼내 그 애의 머리끝을 잘라 주었다. 다들 조금쯤 질린 눈으로 바라보는 도중, 티가 뭘 꼬나보냐고 욕을 했다. 그러자 애들은 '사마귀'라고 했고, 자신은 단검을 든 그대로 뛰어나갔다.

그래서 어떻게 됐더라? 몇 명이나 패 줬지?

처음 간 도이도흐 술집에서 제 팔을 잡아당기던 여자에 대한 기억. 이곳 유명한 가수라며 주변에서 응원을 해 주는데, 벌벌 떨다가 술을 미친 듯이 마시고 쓰러졌다. 티를 다시 만난 뒤 더듬거리며 '도이도흐엔 여자가 많았어. 나는 사흘 내내 당직만 섰어.'라고 거짓말을 한 뒤에야, 그 애를 향한 제 어이없는 욕심을 더 정확히 깨달았다.

다만 그날 티와 무슨 대화를 했는지만큼은 끝끝내 알 수 없었다. 사라졌다.

티에게 줄 선물을 바다에 빠뜨린 상급 선원에게 덤볐던 기억. 아니, 정확히는…… 왜 화를 내? 실수였는데 돈 주면 될 거 아냐? 애인 선물이래. 안스 애인? 우스페히에 그 작은 콩 주머니 같은 애 있잖아. 아, 지난번에 우비도 없이 비를 맞고 걸어가던데, 속이 다 보이더라고? 안스는 좋겠네. 그걸로 살살대면 뼈가 다 녹겠어. 눈이 뒤집어졌다.

그자를 어떻게 했더라? 기억이 안 났다.

티와 마지막 여행 짐을 싸면서 서로의 열두 살 적 옷을 몸에 대 보던 기억. 티는 여러 번이나 '옷 정말 작아졌다.', '난 진짜 많이 컸다.'고 강조했는데, 그걸 자격지심이라고 비웃다가 한 대 맞았다. 그리고 자신은 제 열두 살 적 옷을 입어 보려다 팔뚝만 끼우고 찢어 먹었다. 그게 이상한 경쟁심을 불러일으켰는지 티가 '나는 그 옷, 입을 수 있겠다.'고 했는데—

그래서, 맞았던가? 걔도 찢어 먹었던가?

륜린에서 제 품에 안겨 잠든 티를 보던 기억. 그렇게 싸우고도 결국 티가 '내 사랑하는 친구'라며 안아 주었을 때. 맞아. 나도 아무튼 사랑에 빠진 바보였으니까—뭐, 티랑은 좀 다른 이야기를 하는 것 같지만 시작은 비슷하지 않나—.

따뜻하고 부드러운, 숨이 막히는 살.

오랜 시간 제 몸은 움푹 들어간 잔에 불과하고, 감정은 더 사소하여 그 안을 맴도는 소용돌이라고 생각했다. 감정이란 아무리 과장한들 결국엔 혼자 겪을 수밖에 없는 거니까. 아주 개인적이기에 나를 제한 아무것도 바꾸지 못하는 불쌍한 허풍쟁이. 그런 착각 때문에 티를 버틸 수 있었던 것 같기도 했다. 나도 언젠가는 조용해지겠지. 깊은 곳에서 조금쯤 그렇게 생각했다.

그러나 그날 밤, 움푹 들어간 잔의 덮개를 밀어내자, 대양이 있었다. 고작 웅크린 자신이 아니라 거대한 수평선을 흔들 것처럼 요란했다. 눈앞이 아득했다. 난 완전히 틀렸어. 그 잔 안에 든 게 모든 걸 바꿀 거야. 세상을 뒤집을 거야.

나는, 절대 조용해지지 않겠지.

그건 '욕망'이나 '사랑'이라고 부르기에도 참 너무했다.

인간의 단어는 처절한 모사품이다.

기억 또한 마찬가지였다.

존재했던 감정을 단어로 녹일 때 볼품없는 가짜가 되는 것처럼, 바깥세상에서 살아온 증거를 기억으로 녹이자 힘없이 쓰러졌다. 바다 하나만 건너면 사람과 문서, 건물과 배가 나를 증명할 텐데, 이 방에 갇힌 그는 기억이 죽어 스스로를 잃고 있었다.

정말 수많은…… 기억들…….

그 속에 손을 넣어 휘저으면 한순간 요란하다가도 결국 지독한 정적으로 끝났다. 그리고 뒤늦게야 어둠이 손목을 베어 냈다는 사실을 깨닫고 마는 것이다. 그렇게 될 때까지 정신을 못 차린 제 탓을 할 수밖에 없었다.

안스는 살이 끊기는 고통을 겪었다. 누군가 산 채로 기억을 뜯어내고 있었다. 그 모든 과정을 시시각각 느끼고 있었다.

되새길수록 사라지고, 쫓아갈수록 멀어졌다.

그는 무력했다.

안스는 바닥에 무릎을 꿇었다. 조금 기어갔다.

카펫에 떨어진 예식용 단검을 손에 쥐었다.

팔뚝을 걷어 냈다. 정면 거울에 몸이 비쳤다.

그는 팔뚝 위로 날을 올렸다.

"안스!"

안스는 문득 제정신이 돌아온 사람처럼 고개를 돌렸다.

"미쳤습니까? 어제는 귀까지 베더니."

"아……."

시선이 손으로 떨어졌다. 손바닥에 가느다랗지만 분명 깊게 베인 상처가 있었다. 오래된 자국은 아닌 듯한데 언제 일이지?

귀 또한……. 안스는 거울 속에서 천으로 동여맨 귀를 발견해 냈다.

멍하니 칼을 바라보았다. 그러고 보니 이 칼은 왜 이 지경으로 적절한 자리에 있었을까? 누구 물건이기에?

그때, 아펭글로가 저벅저벅 다가와 단검을 빼앗아 들었다.

"잠든 사이 다시 들고 갔군."

그는 더 이상 공대하지 않았다. 자신을 사제왕으로 대우할 생각이 없는 모양이었다.

"안스, 정신 똑바로 차려라. 나는 저주를 모르지만, 네 머리가 떨어져 나가지 않는 한 기억은 계속 남아 있을 거라고 생각한다. 그러니 넌 건강하게 잘 살아 있어야 해. 그래야 돌이킬 희망이 있다."

"……도와주세요."

"……."

아펭글로는 잠시 말을 잃은 듯 자신을 바라보았다.

안스는 천천히 반복했다.

"지금…… 제 손이랑 귀를 벴던 기억이 안 나요. 기억이 쌓이지 않고 부서져요. 다 글렀어요. 그러니 도와주세요."

"어떻게?"

"칼을 주세요."

"내게 왈가왈부할 권리는 없지만…… 친구를 아낀 탓에 이 모든 일이 벌어졌으니 짚어 줄 수밖에 없어. 너를 망치면 탈란타우에는 그 애를 죽일 인간이다. 복수심에라도, 아주 당연하게……."

"알아요. 자살하려는 거 아닙니다."

"그러면?"

"나중에 티랑 다시 만나기로 했어요. 장소도, 날짜도 정해 놨어요. 제 몸에 써 넣을 거예요. 그럼 약속을 지킬 수 있겠죠."

"……."

안스는 그가 자신을 왜 저런 얼굴로 바라보는지 모르겠다고 생각했다.

"……안스, 만일 그 애를 다시 만날 수 있다고 해도, 네 기억은 온전하지 않은 상태일 거다. 아니, 정반대로 그땐 교국에 충실한 인간일 테니 다시 만나면 오히려 그 애를 위험에 빠뜨릴 수 있어."

"당신은 자꾸 저한테 아무것도 하지 말라고 하네요."

"전혀 그렇지 않아. 나중을——"

"아펭글로, 똑바로 들어요. 나한텐 '나중'이 없어요."

"……."

"내가 일기부터 시작해서 지금 여기 휘갈긴 종이짝들까지 정말 많은 짓을 했지만, 기록한다고 내 머릿속에 남는 건 하나도 없었습니다. 그리고 어차피 뭘 쓴들 전부 탈란타우에가 가져가 태워 버릴 거고요."

안스는 떨었다.

"하지만 그놈도 나를 불태울 순 없겠지."

손을 뻗었다.

"칼 주세요."

"그 애 기억이 사라지면…… 넌 후견인에게 했던 짓을 고스란히 반복할 거다. 진실을 비웃고 고집 피울 테지. 그건 네 타고난 성격이다. 이미 경험했지 않느냐."

"칼 주세요."

"네 손으로 그 애를 죽이고 싶나?"

"'그 애' 이름은 티티라 돔니니입니다. 내 손으로 나를 죽이면 죽였지, 그 애는 안 죽여요. 칼 주세요."

"어떻게 장담하는데?"

"후견인의 기억을 잃어 봤듯 어린 시절의 기억도 잃어 봤으니까요. 바다 바위에 끼인 채 충격받은 꼴로 말입니다. 저는 내내 어린 시절이 궁금했습니다. 고향도 알고 싶었어요. 애타지는 않았지만, 항상 쫓아다니는 연 같았죠. 고작 어렸을 때의 기억을 십수 년 동안 궁금해했다면, 이십 년이 통으로 비었을 때의 나는 미칠 거예요. 그런데 유일하게 발견한 단서를 죽인다고요?"

"……네 친구, '티티라 돔니니'의 기억만 사라질 텐데. 모든 소조폴 시절 기억을 잃는 건 아닐 거다."

"아니요. 전 당신 이름도 기억 못 할 거예요. 이 방에 들어오기 전까지의 제 인생이 전부 사라질 겁니다."

"……."

아펭글로는 처음으로 반박하지 않았다.

"그래. 스스로 귀를 벤지도 몰랐지……."

안스는 주먹을 꽉 쥐었다 폈다.

"소조폴에서 티가 기다릴 거예요. 절 보고 반가워하면 좋겠지만, 아니어도 어쩔 수 없죠……. 그 애가 결정할 겁니다."

"기억을 잃은 뒤의 너는─"

"티는 나를 도와줄 거야."

"……."

"날 죽이든가, 아니면 도와줄 거야."

"……."

티는 내가 끝끝내 그 애를 사랑한 채 소조폴로 돌아오면 죽이겠다고 했다. 친절하게, 그래, 오랜 별명처럼⋯⋯.

새로운 내가 티의 분노를 사 죽는다 해도 어차피 결말은 같았다.

그러니까, 똑같은 거야. 원래 내가 맞이했어야 하는 결말과 다를 게 없는 거야. 그 애가 친구를 해쳐야 한다는 고통에 울지 않고, 차라리 당황해하며 교국 총독을 죽일 테니 더 좋은 거라고.

혹 티가 나를 죽이지 않고 도와준다면⋯⋯.

티의 얼굴을 한 번이라도 보고 죽을 수 있겠지. 난 오랜 잠에서 깨어나도 여전히 그 애를 사랑하고 있을 테니까.

아니, 사실 조금은⋯⋯.

날 도와주면 좋을 것 같아.

티, 날 죽여도 되지만, 그 전에 네 얼굴을 볼 수 있게 해 줘.

힘들까?

"안스."

"⋯⋯."

"알겠다."

아펭글로는 일어서 옆방으로 건너갔다. 덜컹거리는 금속제 소리가 났다. 그는 칼끝을 벽난로 불에 데우고 있었다.

그가 돌아왔을 때, 안스는 윗옷을 완전히 벗은 상태였다.

칼을 받았다.

아펭글로는 다짐하듯 말했다.

"기억을 잃은 뒤의 네가 어떻게 행동할지는 신도 모른다. 이제 와 신을 이야기하는 게 잡스럽고 웃기는 짓이지만⋯⋯. 본인 몸에 있는 이상한 자국을 보고 당장 바를라암에게 고발할 수도 있어."

"알아요. 그 때문에 소조폴에 못 가면 어쩔 수 없는 거고요."

"……."

"하지만 기억을 잃은 내가 전부 이겨 내고 소조폴에 간다면, 그 땐 티를 절대 못 죽이지."

안스는 달구어진 칼을 들었다.

"도와줄까?"

"아뇨. 만일 무슨 일이…… 아니, 아무 일도 안 생기면, 이건 티가 마지막으로 보는 내 흔적일 테니까요."

"……."

아펭글로는 소파에 걸려 있던 담요를 내밀었다. 안스는 이로 받아 물었다. 이 허섭스레기 같은 나라에 오니 내 몸을 해칠 일만 있군.

칼을 천천히 내리찔렀다.

잇새가 꽉 물렸다.

그러나 몸을 지질 때만큼 아프지는 않았다. 이번에는 목적이 분명했으니까. 마법을 없애겠다고 등을 지지는 바보짓과, 티를 위해 상처 입는 계획은 비교할 수조차 없었다.

[소]

조

폴.

머리부터 발끝까지 덮는 바다.

내 인생을 덮는 바다.

누군가 바위 사이 여덟 살짜리 아이에게 물을 끼얹었다. 그건 삶을 다시 세우는 세례였다. 새로운 이름을, 행복과 고통을, 성취와

절망을 준비할 때가 되었노라 말했다.

안스는 이제야 깨달았다.

나는 아마 티가 없어도 소조폴로 돌아갔을 거다.

그곳에서 일군 인생이 있었으니까.

움켜쥔 기억 속에는 티티라 돔니니, 터르노보 우스페히, 블리조, 투크 바하, 마린카와 이즈고랄이 있었다. 또한 시계탑과 그 아래 넓은 광장이, 항구 도시의 붉게 타들어 가는 지붕이, 26구 언덕 위에 외롭게 버티고 서 있는 우산소나무가 있었다.

기억이 자신을 만들었다.

그리고 티는 그 뿌리였다. 아니, 뿌리이자 줄기, 잎사귀였다. 모든 곳에 그 애가 있었다.

그러니 티가 사라져야 한다면 제 모든 기억도 함께 살해당할 수밖에 없었다. 단순히 한두 군데 고쳐서 해결될 문제가 아니었다. 뿌리까지 파내지 않으면 열 번이고 백 번이고 다시 돌아와 있을 것이다.

이런 굳건한 믿음이 있기에 혹시, 하는 마음을 품었다.

기억을 잃고도 티를 만나면 무언가 달라지지 않을까. 나는 삶을 바깥에 두고 다닌 셈이니까. 내 속이 텅 비어도 몰래 빼둔 내 삶이 나를 두들겨 돌려보내진 않을까…….

[소조폴 1001 26]

안스는 칼을 떨어뜨렸다.

카펫 위로, 아무 소리도 나지 않았다.

누웠다. 높은 창에서 쏟아지는 빛이 제 눈을 부수었다.

그는 더듬거리는 기억을 포기했다. 그저 시야 속의 먼지를 보고 있었다.

아펭글로가 넋 빼고 누운 제 옆에서 팔뚝을 지혈해 주는 것이 느껴졌다.

"만일 무슨 일이 생기면—"

"'무슨 일이 안 생기면'입니다."

"'무슨 일이 생기면' 너를 안전하게 바를라암 관으로 보내겠다."

"……."

"난 우스페히 때 허다히 실패했으니…… 네 기억을 되살리려 노력하진 않을 거다."

"네. 어차피 당신이 할 수 있는 일이 아니니까요."

"탈란타우에는 바를라암을 설득해 낼 테지. 그 말인즉슨, 꼭대기 층 방이 사라질 거란 뜻이다. 그러니 네가 들고 온 소조폴 흔적에 기대하지 마라."

"네."

"이 방에서도 아무것도 들고 나가지 못할 거고. 하지만 지금 품에 넣고 있는…… 그 친구의 초상화는 챙기겠다. 그리고 일기장도 회수할 생각이다."

"그게 어딨는지 알아요?"

"네가 처음 숨기는 순간부터 알았지."

안스는 이 방에 들어와서 처음으로 웃었다.

"마음대로 하세요. 그런데 제 기억을 살릴 생각은 없다면서 왜 그런 걸 챙깁니까?"

"나중에 그 애에게 설명을 해 줘야지."

"당신이 직접 소조폴로 갈 겁니까?"

"……나는 사제왕의 보호 아래에서만 배에 오를 수 있어. 이젠 탈란타우에가 용납하지 않을 테니, 아마 힘들겠지."

"그러면 무슨 소용인데요?"

"……언젠가 네 편에 안겨 보낼 수도 있고……."

아펭글로는 잠시 침묵했다.

안스는 왠지 그의 대답을 알 것 같았다.

"그래. 그보단 그저…… 내 욕심일 뿐이다."

아펭글로는 더 이상 스스로에게 거짓말하지 않았다. 티를 만나 '안스'의 기억을 되살리려는 게 아니란 걸 아펭글로도, 자신도 알았다.

아펭글로는 그냥 희망이 가지고 싶은 거다.

자기 옆에서 죽어 나간 스무 살짜리 젊은이를 견딜 수 없어서, 돌아올 수 있다는 희망만 죽을 때까지 간직하고 싶은 거다.

"마음대로 하세요."

"……."

"나도 뭐 합리적으로 이 짓을 했겠습니까?"

안스는 피가 배어나는 팔뚝 위 천을 가리켰다.

그러다 다시 작은 창을 올려다보았다.

"탈란타우에를 보면 꼭 좆같은 인생이 되길 바란다고 전해 주세요."

정적.

안스는 침착하게 저주했다.

"사제왕들이 법황에게 노예처럼 탄압당하길 진심으로 빕니다. 군사도, 돈도, 조막만 한 권력도 전부 빼앗기길 바랍니다. 그리고도 문신을 지지면서 언젠가 벗어날 꿈을 꾸면 좋겠습니다. 그렇게 꿈만 꾸는 채로 영원히 실패하길—"

"……."

"영원히…… 열 세대, 스무 세대…… 자식의 자식까지 노예로 남길. 제 유일한 소원입니다. 절대 죽으면 안 돼. 길이길이 절망적으로 살아. 이렇게 사느니 죽는 게 낫다고 생각할 때까지, 매 순간 꿈이 좌절되는 경험으로 살길 바랍니다."

"……."

"자기들 욕심으로 이렇게 많은 사람을 죽였으면 어떤 대가가 따라올지 알아야지……. 대가가 따라야 하는데……."

안스는 멍하니 위를 응시하며 한참 동안 눈을 감지 않았다.

순간 그의 동공이 커졌다. 숨소리가 가빠지고, 어깨가 들렸다.

살인자가 서서히 다가오고 있었다.

사실 떠들 때만 해도 그 칼날이 아직 멀었다고 생각했다. 그러나 이젠 서늘한 죽음이 코앞에 있음이 느껴졌다. 마치 유언장까지 기다려 준 듯 섬뜩했다.

날 죽일 거야? 새로운 삶을 살겠지만, 그래도 넌 내가 없는 몸이 낯설 텐데.

난 종교가 없어 사후 세계가 뭔지도 몰라. 죽은 사람들이랑 복작복작하게 뛰놀 것 같지도 않고, 현실에선 감히 꿈꾸지 못한 멋진 일들이 벌어질 거란 생각도 안 들어…….

그러니 날 죽이면 이제 네 앞엔 어마어마한 시간만이 버티고 있는 거야. 그리고 무한한 슬픔과, 상실감과……. 넌 잃고 나서야 정확히 말할 수 있게 되겠지. 그게 '내 삶'이었다고.

그래. 그리고—

목 끝까지 차오른 문장이 있었다.

티.

나는 너를 사랑해.

이렇게 말했다고. 화내지는 않길 바라.

난 너와의 일 분을 위해 십 년도 기다릴 수 있어.

아직도 너와 처음 먹었던 음식을 기억한다고.

몰랐지? 어쩌겠어. 나는 널 사랑해. 넌 내 절반— 아니, 그 이상
이야.

다시 얼굴을 보면 이렇게 읊조릴 거야.

'티티라 돔니니, 당신이 기억납니다.'

'나를 기억한다고요?'

'당신은 기억나지 않아요. 하지만 당신을 사랑했던 건 기억이 나
요.'

안 믿겨? 진짜라니까. 반드시 그럴 거야.

안스는 문득 고개를 숙였다. 팔뚝의 천을 뜯어냈다. 여전히 살갗
은 흉악하게 찢겨 있었다.

[소조폴 1001 26]

아, 갑자기 티의 복소리가 기억나지 않았다. 그 애의 자랑스러워
하는 기쁨과 얼기설기 덮인 슬픔이 기억나지 않았다.

머리칼을 자르던 느낌, 애써 아무 이야기도 안 하던 침묵이 어
떤 감각이었는지…… 마지막에 우리가 헤어질 수밖에 없던 이유
들…… 그 모든 기억이 가짜처럼 느껴졌다…….

순간적으로 바닥에 내팽개쳐져 있던 칼을 잡았다.

팔뚝 위로 대중없이 칼을 박아 넣었다.

"안스!"

안스는 무시하고 다시 칼을 뽑았다. 전혀 아프지 않았다. 그는 일종의 무감각 상태에 빠져 있었다.

그리고 다른 방향으로 칼을 넣었다.

마침내 잡아 뽑은 뒤 멀리 던져 버렸다.

이제 거울에 비친 제 상처는 이런 몰골을 하고 있었다.

[소조폴 1001 26 X]

티, 혼자 유언을 남겼어. 널 사랑한다고.

내가 죽어 가지만…… 오로지 그 사실 때문에 'X'를 쓴 건 아냐.

그보단 너를 생각해서야. 아직도 살아 있는 어린 기억들, 호흡 곤란과 한밤중 고통이 너를 괴롭히지 않길 기도해. 이불 속으로 덮지 말고, 반드시 기억하길 바라. 네 'X'를 보란 듯이 이겨 내.

건강하고 멋진 삶을 살아.

머리 위 높은 창틀에 태양이 반쯤 먹혀 있었다. 하나의 각도에서만 볼 수 있는 빛이었다.

그 아래 누군가 자신을 끌고 가고 있었다. 저 해를 다시는 못 보게 말이다.

구름이 스며들어 해를 밀어냈다. 빛은 점점 더 빨리 사라졌다. 바다에 잠기는 석양 같았다.

수평선 너머로.

사라지는.

모든 것.

티.

(4권에서 계속)

BLACK LABEL CLUB 039

사마귀가 친구에게 3

초판 인쇄 2022년 2월 14일
초판 발행 2022년 2월 28일

지은이 윤진아
펴낸이 신현호
편집장 예숙영
편집 이혜영
편집디자인 한방울
영업·관리 김민원
물류 이순우 박찬수

펴낸곳 ㈜디앤씨미디어
출판등록 2002년 5월 1일 제117-90-51792호
주소 서울시 구로구 디지털로 26길 111 JnK디지털타워 503호
대표전화 (02)333-2513 팩스 (02)333-2514
전자우편 dncbooks@dncmedia.co.kr
디앤씨북스 블로그 http://blog.naver.com/dncbooks

ISBN 979-11-264-5907-0 (04810)
ISBN 979-11-264-5903-2 (세트)